内分泌専門医に 絶対合格 したい 人のための問題集

九州大学大学院医学研究院 病態制御内科学（第三内科）
井林雄太 著

第2版

日本医事新報社

謹 告

本書に記載されている事項に関しては，発行時点における最新の情報に基づき，正確を期するよう，著者・出版社は最善の努力を払っております。しかし，医学・医療は日進月歩であり，記載された内容が正確かつ完全であると保証するものではありません。したがって，実際，診断・治療等を行うにあたっては，読者ご自身で細心の注意を払われるようお願いいたします。

本書に記載されている事項が，その後の医学・医療の進歩により本書発行後に変更された場合，その診断法・治療法・医薬品・検査法・疾患への適応等による不測の事故に対して，著者ならびに出版社は，その責を負いかねますのでご了承下さい。

カラー口絵

p25

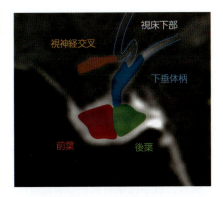

p141

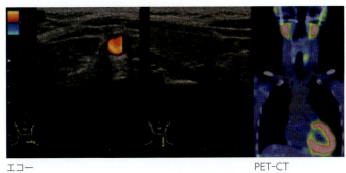

エコー　　　　　　　　　　　　　　　　PET-CT

p205

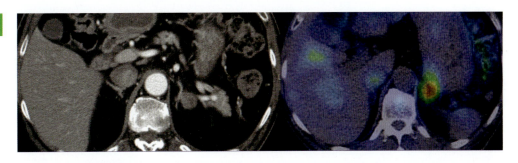

p216

第2版の序文

　本書は，内分泌専門医試験のためのテキスト・問題集として，2018年に初版が刊行されました。それから多くの先生方にご活用いただき，ご好評を得て改訂版を出版するに至りました。まずは読者の皆様にお礼を申し上げます。

　初版の刊行後も，自分自身のブラッシュアップのために試験問題などの作成を続けていましたが，さらに実際の試験問題の情報も取り入れながら，専門医用に再構築したものを追加し，エッセンスを詰め込んでいます。

　診断基準や治療内容が変化しても，内分泌学的にどの部分が重要かという本質はあまり変わっていません。本書は試験の実践書ではありますが，内分泌学のoutput能力を高める一助となれば幸いです。

　第2版を出版できたのも，ひとえに，日本医事新報社の磯辺栄吉郎氏，松本小夜子氏をはじめ，関係各位のお蔭です。ここに改めて謝意を表します。

2022年1月吉日

井林雄太

初版の序文

　内分泌科は，全身を診察し治療を提供できる総合的な内科として，臨床面・研究面でも非常に奥深い診療科のひとつと言えます。各科専門医がありますが，内分泌専門医は他科との関わりも多く，その守備範囲も膨大で，かつ深い知識が要求されます。

　実際の臨床においては，患者より得られる情報を読み取り，正確な知識の input から治療方針を即座に組み立て，病態の悪化を防ぐことが肝要ですが，試験においてはさらに知識の output の速度も求められます。

　筆者が専門医を受験した当時は良い問題集が少なく，筆者自身も成書を読んで input を増やしていましたが，やはり output がスムーズにできないことが少なくありませんでした。

　一度成書に目を通しておけば，実際の臨床であれば時間をかけ立ち返り復習することができますが，実際の試験ではそれはできないため，確実な input/output が必要となります。

　当時出版されていた類書にもどかしさを覚え，研究室の後輩や周囲からも良い問題集を，との要望があり，自分の復習の意味でも最低これらのポイントだけ押さえておけば大丈夫，という内分泌テキストを模索していました。基礎研究をしながら，数年がかりになってしまいましたが，ようやく刊行に漕ぎ着けることができました。これもひとえに，日本医事新報社の磯辺栄吉郎氏をはじめ，関係各位のお蔭です。ここに改めて謝意を表します。

2018 年 1 月吉日
井林雄太

目 次

序 章 概論―本書は実践の問題集である― 1

1 次試験（書類審査）：サマリー（症例要約）提出について
サマリーのコツと実際の提出症例 2

試験前の再チェック集
2 次試験（筆記試験：マークシート） 7

第1章 内分泌学基礎（ホルモンの構造や受容体） 11

1 ホルモンの種類・ホルモン結合蛋白質 12
2 ホルモンの細胞内伝達 16

第2章 間脳下垂体 19

1 視床下部－下垂体のホルモン 20
2 視床下部－下垂体の画像診断 24
3 視床下部症候群（視床下部－下垂体腫瘍） 29
4 先端巨大症 32
5 下垂体前葉機能低下症＋ホルモン補充療法の順序 42
6 TSH 産生下垂体腺腫（TSHoma） 55
7 高プロラクチン血症とプロラクチン産生腫瘍（PRLoma） 59
8 Cushing 病 63
9 尿崩症 66
10 抗利尿ホルモン不適合分泌症候群（SIADH）
低ナトリウム血症の鑑別 72
11 遺伝性下垂体腫瘍 77
12 成人成長ホルモン分泌不全症（AGHD） 79
13 中枢性摂食異常症（特にAN） 82

第3章　甲状腺　85

1 Basedow 病 86

2 block and replace 95

3 高齢者の Basedow 病 96

4 妊娠初期一過性甲状腺機能亢進（GTH） 99

5 妊娠と Basedow 病 103

6 不妊症と甲状腺機能低下 108

7 無顆粒球症 110

8 無痛性甲状腺炎と亜急性甲状腺炎の鑑別 113

9 甲状腺クリーゼの対処 116

10 放射線と甲状腺癌 122

11 潜在性甲状腺機能低下症/マクロ TSH 血症 125

12 薬剤誘発性甲状腺機能異常
漢方，健康食品と甲状腺 129

13 Plummer 病 132

14 甲状腺腫瘍
BRAF 遺伝子，画像診断 134

第4章　副甲状腺（Ca，P 代謝，骨代謝疾患含む）　139

1 原発性副甲状腺機能亢進症（PHPT）
その他の副甲状腺機能亢進症も含む，FHH 140

2 続発性副甲状腺機能亢進症 148

3 特発性副甲状腺機能低下症/偽性副甲状腺機能低下症 152

4 骨粗鬆症（ステロイド性骨粗鬆症） 160

5 骨軟化症（くる病）/低リン血症 170

6 ビタミン D 欠乏性くる病 174

7 悪性腫瘍に伴う高カルシウム血症/高カルシウム血症性クリーゼ 176

第5章 副腎疾患 181

1 副腎の生理と解剖
  副腎ホルモン産生部位 ··· 182

2 原発性アルドステロン症（PA） ··· 185

3 Cushing 症候群 ··· 193

4 両側副腎皮質過形成（PMAH，PPNAD） ····································· 201

5 subclinical Cushing 症候群（SCS） ·· 204

6 褐色細胞腫 ·· 207

7 悪性褐色細胞腫 ·· 213

8 Addison 病 ··· 216

9 副腎クリーゼ ··· 222

10 先天性副腎皮質過形成（CAH） ·· 224

11 副腎偶発腫瘍，副腎皮質癌 ·· 231

12 糖質コルチコイドの代謝
  AME 症候群 ·· 235

13 Liddle 症候群/Bartter 症候群/Gitelman 症候群 ··························· 238

14 腎血管性高血圧 ·· 243

第6章 性　腺 247

1 性腺関連ホルモン ··· 248

2 性腺機能低下症
  原発性と続発性の様々な違い ··· 252

3 多嚢胞性卵巣症候群（PCOS） ·· 259

第7章 糖尿病 265

1 1 型糖尿病 ·· 266

2 2 型糖尿病 ·· 271

3 インスリン自己免疫症候群 ·· 274

4 遺伝子異常による糖尿病，続発性糖尿病 ······································· 277

5 糖尿病治療薬の副作用 ⋯⋯⋯⋯⋯⋯⋯⋯⋯⋯⋯⋯⋯⋯⋯⋯⋯⋯⋯⋯⋯⋯⋯⋯⋯⋯⋯⋯ 280

6 食事療法・運動療法
糖尿病性腎症の栄養指導 ⋯⋯⋯⋯⋯⋯⋯⋯⋯⋯⋯⋯⋯⋯⋯⋯⋯⋯⋯⋯⋯⋯⋯⋯⋯⋯ 289

7 妊娠・産後に関わる糖尿病
妊娠糖尿病，糖尿病合併妊娠，管理目標 ⋯⋯⋯⋯⋯⋯⋯⋯⋯⋯⋯⋯⋯⋯⋯⋯⋯ 292

8 糖尿病の合併症
糖尿病ケトアシドーシス，高浸透圧高血糖症候群 ⋯⋯⋯⋯⋯⋯⋯⋯⋯⋯⋯ 298

9 糖尿病の慢性合併症と大規模試験 ⋯⋯⋯⋯⋯⋯⋯⋯⋯⋯⋯⋯⋯⋯⋯⋯⋯⋯⋯ 302

第8章 脂質異常症 305

1 リポ蛋白質とその代謝 ⋯⋯⋯⋯⋯⋯⋯⋯⋯⋯⋯⋯⋯⋯⋯⋯⋯⋯⋯⋯⋯⋯⋯⋯⋯⋯⋯⋯ 306

2 脂質異常症 ⋯⋯⋯⋯⋯⋯⋯⋯⋯⋯⋯⋯⋯⋯⋯⋯⋯⋯⋯⋯⋯⋯⋯⋯⋯⋯⋯⋯⋯⋯⋯⋯⋯⋯⋯ 313

3 家族性高コレステロール血症（FH） ⋯⋯⋯⋯⋯⋯⋯⋯⋯⋯⋯⋯⋯⋯⋯⋯⋯⋯ 324

第9章 肥満症 329

1 メタボリックシンドロームの診断基準 ⋯⋯⋯⋯⋯⋯⋯⋯⋯⋯⋯⋯⋯⋯⋯⋯ 330

2 肥満症（原発性肥満，続発性肥満），高度肥満の治療 ⋯⋯⋯⋯⋯⋯ 333

第10章 多発性内分泌腫瘍症（MEN） 345

1 多発性内分泌腫瘍症1型（MEN 1） ⋯⋯⋯⋯⋯⋯⋯⋯⋯⋯⋯⋯⋯⋯⋯⋯⋯ 346

2 多発性内分泌腫瘍症2型（MEN 2） ⋯⋯⋯⋯⋯⋯⋯⋯⋯⋯⋯⋯⋯⋯⋯⋯⋯ 355

略語集 ⋯⋯⋯⋯⋯⋯⋯⋯⋯⋯⋯⋯⋯⋯⋯⋯⋯⋯⋯⋯⋯⋯⋯⋯⋯⋯⋯⋯⋯⋯⋯⋯⋯⋯⋯⋯⋯⋯⋯ 362

索引 ⋯⋯ 365

凡例

Key Question ではその項目のポイントとなる重要事項を問い,

Key Lesson ではそこから学ぶべき内容を解説します。

本文中の＿＿＿＿およびＥ過去に出題された問題は「過去に出題された問題」(筆者調べ),

＿＿＿＿および📋これから出題が予想される問題は「これから出題が予想される問題」です。

Question の Q1 マークの鍵穴の数は問題の難易度を示します（3段階）。

Picking Tool は問題を解くのに役立つ語呂合わせです。

序 章

概 論
―本書は実践の問題集である―

内分泌代謝科専門医試験について，筆者自身試験を受けるまでは，診療経験の少ない疾患については勉強不足であり，知識不足であった。実際の症例を多く診るのが一番の勉強であることは言うまでもないが，「診たことがないので無理」ではなく，診たことがないからこそ学んでおくことで，不測の事態にもあわてることが少なくなる。本書は試験合格を第一義とした書籍である。本当の意味での内分泌的思考力をつけるのであれば，『New 専門医を目指すケース・メソッド・アプローチ 内分泌疾患』（日本医事新報社）が良書である。若手で，外来にて糖尿病と甲状腺疾患が多く，特殊な内分泌疾患を診たことが少ないレベルの医師でも，試験に合格できるレベルまで引き上げることをコンセプトに作られている。

実際の試験は，**問題文の意図していることがわかっても選択肢が難解**という印象が強く，本書を活用していただくことで少しでも正しい選択肢を選ぶことができるようにと願っている。

| 序章 | 概　論 －本書は実践の問題集である－ |

1次試験（書類審査）：
サマリー（症例要約）提出について
サマリーのコツと実際の提出症例

　日本内分泌学会ウェブサイトの学会員向け情報ページ「専門医制度」にもサマリーの見本例（先端巨大症，高血圧）があるので，ぜひ参考にしてください。

A サマリーの選び方

間脳下垂体疾患：4例

①Cushing病＋骨粗鬆症またはCushingにより起こる糖尿病などの合併症
②プロラクチン産生腫瘍（PRLoma）
③視床下部性続発性副腎皮質機能低下症
④○○による汎下垂体前葉機能低下症（Rathke嚢胞，Sheehan症候群，リンパ球性下垂体炎）
⑤重症成人成長ホルモン（GH）分泌不全症，副腎皮質刺激ホルモン（ACTH）分泌不全症
⑥先端巨大症

　特に①，②，⑥は見慣れており，書きやすい疾患ではないかと思います。考察することが難しければ，主要な合併症を1つ加えるとスラスラ書けます。

甲状腺疾患：7例

①Basedow病眼症
②妊娠一過性甲状腺機能亢進症またはBasedow病合併妊娠
③亜急性甲状腺炎または無痛性甲状腺炎
④甲状腺濾胞癌，甲状腺乳頭癌，甲状腺髄様癌，未分化癌
⑤橋本病＋悪性リンパ腫または特発性血小板減少症または自己免疫疾患
⑥Basedow病＋自己免疫疾患または無顆粒球症
⑦Plummer病
⑧Basedow病＋ANCA関連血管炎（肺腎症候群）

　①や②，⑥のように他科とも関わりがあると内容も膨らみます。Basedow病や橋本病は診る機会が多いと思いますが，合併症を発症していないことは少ないので，⑤，⑥，⑧のように合併症での考察を深めるとよいと思います。②，③は外来でもフォローできるので比較的楽に書けるでしょう。④は術後の経過や転移，予後の考え方で考察が広がります。⑦は日本人には少ないので海外の文献も多く考察が書きやすいです。

副甲状腺疾患，Ca 代謝異常：3 例

①原発性副甲状腺機能亢進症—続発性副甲状腺機能亢進症（透析患者）
②特発性副甲状腺機能低下症—続発性副甲状腺機能低下症
③偽性副甲状腺機能低下症
④悪性腫瘍に伴う高カルシウム血症
⑤ビタミン D 欠乏症
⑥ステロイド性骨粗鬆症
⑦骨粗鬆症＋Ca/Mg 代謝異常

①～③が書けるのであればよいですが，大学病院や総合病院でなければ，なかなか診る機会がないかもしれません。透析患者なども副甲状腺過形成があり，日本透析医学会からも至適 PTH 基準値が推奨されています。⑤は外来で見つけることもできますし，サプリメントなどを服用している患者も多いため，天然ビタミン D と活性ビタミン D の違いなどの考察も膨らみます。④は高カルシウム血症を契機に，悪性腫瘍（子宮肉腫など）が見つかるケースです。PTH-rp なども含め考察が書きやすいでしょう。

副腎疾患：4 例

①原発性アルドステロン症
②副腎褐色細胞腫または褐色細胞腫クリーゼ
③副腎皮質癌または副腎原発悪性リンパ腫
④subclinical Cushing 症候群
⑤Cushing 症候群
⑥副腎クリーゼ

①は静脈サンプリングの診断基準も施設ごとに異なっていることや，合併症も多いことから考察も書きやすいです。②，③も一度診たことがあれば，書きやすいと思います。④は診断基準も日本人向けに改訂される可能性も高いため考察が書きやすいでしょう。⑤は間脳下垂体疾患で Cushing 病を書いていれば使いにくいかもしれません。⑥は診たことがあれば，どのようにクリーゼを予測できるかなどの考察が書けますし，内分泌緊急症を診たということで評価も高いと思われます。

性腺疾患：1 例

①半陰陽，思春期遅発症，思春期早発症
②続発性性腺機能低下症
③PCOS

基本的には②を書くことが多いと思います。③で書くこともできますが，少々厳しいかもしれません。①も，確率の問題で診る機会が少ないかもしれません。サマリーとして書いてほしいことは，たとえば，事故後，手術後，放射線後などに②となり，性腺ホルモン補充が必要で，精子形成や不妊治療に携わったということ，骨密度の回復などについてだと思われます。

糖尿病（膵関連疾患を含む）：5例

①2型糖尿病＋Cushing または褐色細胞腫または先端巨大症
②2型糖尿病＋合併症（無症候性心筋虚血，慢性腎不全など）
③2型糖尿病＋汎下垂体機能低下症または副腎不全または重症成人成長ホルモン分泌不全
④1型糖尿病＋自己免疫疾患（Basedow 病など）
⑤SPIDDM
⑥妊娠糖尿病
⑦その他の原因による糖尿病（膵臓癌術後，ヘモクロマトーシス，ステロイドなど薬剤性）

　多くの受験生が最初に取りかかるのが糖尿病のサマリーです。多く診ている分，書きやすいです。①や③のように内分泌疾患と絡めるのは定石です。②，④，⑤は一度は診たことがあるかと思います。⑥も近年診断基準や治療基準の変更もあり，考察が膨らみます。⑦もどれか1例くらい入れると二次性（続発性）糖尿病としての症例が彩り豊かになります。

脂質異常症：3例

①2型糖尿病＋高 LDL コレステロール血症または高中性脂肪血症
②重症成人成長ホルモン分泌不全＋高 LDL コレステロール血症
③副腎疾患（Cushing 症候群，褐色細胞腫，原発性アルドステロン症）＋脂質異常症
④ネフローゼ症候群＋脂質異常症
⑤家族性コレステロール血症

　①～③は比較的取りかかりやすいです。⑤を受け持ったことがある方，診断基準まで満たしている症例を診たことがある方はラッキーだと思います。脂質異常症は薬剤選択において考察が深められますし，HMG-CoA 薬による横紋筋融解症や好酸球増加など合併症の経験があれば，考察に加えられます。

肥満症：3例（単純性肥満は状況によっては続発性肥満へ）

①単純性肥満＋2型糖尿病または変形性膝関節症または妊娠または PCOS
②単純性肥満＋Cushing 症候群含むその他の内分泌疾患
③単純性肥満＋スリーブ手術（減量手術）

　肥満はその他の合併症が多いのでなかなか書きにくいです。③は大学病院でないと難しいでしょう。①，②のように，肥満の原因となりうる疾患や合併症についての考察を深めるのが基本となると思います。

B サマリーチェック項目

以下の点について，必ず確認してください。

- 【現病歴】，【検査結果】，【経過】などの大項目はサマリー見本にならって太文字になっているか。
- 本文は，MS 明朝体で，文字サイズは 10〜10.5 ポイントにそろえているか。句読点は統一させること。動詞ではない「及び」，「従って」などの接続詞や副詞などは，原則ひらがな表記。
- 退院時処方はきちんと書かれているか（退院していなければ不要。退院後経過まで書いてあって中止になったのであれば書かなくてよいかもしれない）。
- 転機と外来などの経過はサマリーと一致しているか。
- 考察部分の文献引用表記はそろえているか（例：Eur J Endocrinol 159：89，2008）。
- 病名は間違っていないか（各サマリーの二次性と続発性はそろえる）。
- 薬品名は一般名に直しているか。
- 検査項目名と単位は規定にしたがって統一されているか。
  「/day」ではなく「/日」に揃えているか。
  「fT_4」は「FT_4」に揃える，単位ミスに気をつける（FT_4 は「ng/dL」，FT_3 は「pg/dL」）。
  単位の U と IU はどちらでもよいが，統一すること。
  「3 者負荷試験」ではなく，「○○○負荷試験」と正しく表記する。
  mEq/L が Na の単位なのでそろえる。Na，K，Cl などの単位は，「mEq/L」に統一されているか。
  BMI の単位「kg/m^2」は全部につけているか。
  正しい単位で表記しているか（例：TSH レセプター抗体＜1.0 IU/L，抗 TPO 抗体 2.3 IU/mL，抗サイログロブリン抗体 10 IU/mL）。
- 申請者と教育責任者の書式はすべて統一されているか（最後に初ページの体裁をコピー＆ペーストするほうが見栄え・体裁がよい）。
- 指導者に内容を見てもらい，最終稿をコピーしたものを作ってから押印する。

C サマリー提出後

サマリーやその他の書類を送った後，申請書に記入したメールアドレスに「サマリーに不備がありました」というメールが届くことがあるので，**サマリー提出後 1〜2 週間は PC のメールボックスをチェックするようにしましょう。**この場合の不備というのは，提出書類が足りない，症例表の ID と実際のサマリーの ID が違う，表記された診断名が違う，性別を間違っている，患者の匿名化が十分ではないなど，かなり基本的なことです。

事務局の方がどうやら一通りチェックしてくださるようで，この不備を直しておかないと，1 次試験通過は厳しいです。きちんとメールはチェックし，指示に従いましょう。思った以上に漏れていることが多いようです。

特に問題がなければ，提出した 6〜7 月中に，日本内分泌学会専門医認定申請書受領証というはがき（受験番号である受付番号付き）が送られてきます。その後は 1 次試験の通過を待つだけです。

注意点として，稀にサマリーの不備の量や質によっては，「要修正」として 1 カ月以内に再提出を求められることがあります。提出書類の中に書いた連絡先のメールボックスはこまめにチェック

しておきましょう。たとえば，主病名に「~疑い」を多用していたり，「亢進症なのに低下症」と診断名を誤っていたり，誤字脱字が多い場合（抹消➡末梢神経，薬剤の明らかな総量ミスなど）などにより，要修正で再提出させられる方もいます。サマリーの評価が2次試験に影響するかは不明ですが，きちんと再提出していれば合格できると思いますので，学会のサービス（親切）と思って，速やかに修正しましょう。

　サマリー提出，再提出後の2~3カ月後（9~10月）くらいに1次試験通過の通知が届きます。2021年現在，認定内科試験のようなサマリーの評価（A，B，C，F）の記載はありません（ちなみに通知の際のコメントは間違いが多いほど書かれます）。

　同時に，筆記試験である2次試験の日時（12月初旬）と場所が記載されています（スケジュールに関する記述は，筆者が受験した2014年のものです）。

序章	概　論 －本書は実践の問題集である－

試験前の再チェック集
2次試験（筆記試験：マークシート）

実際の試験の時間割と感想および試験結果

【試験形式】
　受験者数はそれほど多いわけではなく，100～200人程度で，コンベンションセンターなどの会議室（京都であればメルパルク京都などの会議室）を貸し切って行われます。受験番号順に，内科，小児科，産婦人科にわかれています。以下，筆者が受験した2014年度の内科を例にとり記述します。

①マークシート50問，午前と午後の2セット。

②択一または択二で回答（X1またはX2形式で，X2形式の難易度が高め）。
- 各科で問題が異なる（一部に内科と小児科で共通問題があるとのこと）。
- 一般問題25～50％，臨床問題50～75％。
  臨床問題が多い印象でした。特に臨床問題はB5のページ半分を埋めるほどの長文が多く，確実に問題文を読むのに時間がかかります（その結果，重要な所見を見逃す，マークミスをまねく）。

③試験時間
　　　9:15～　　　　受付開始（9:50までに着席できるようにしておく）
　　10:00～12:00　筆記試験【午前の部】
　　13:00～15:00　筆記試験【午後の部】

④その他
- 会場の時計は見えにくいので，自前の時計があったほうがよいです。
- 筆記用具（マークに適した鉛筆）を持参しましょう。
- 昼食は事前に買っておいたほうがよいでしょう（昼休みが短い）。
- 試験時間は各2時間とかなり余裕があるようですが，医師であれば，久しぶりのマークシート試験の人が多いはずです。解答の選択数がまばらでマークミスの危険があり，またきちんと見直す場合は時間がギリギリ足りない可能性もあります。
- 難易度は年ごとに変わると思われます。2014年度は，筆者にとっては前半のほうが難しく感じましたが，会場では前半より後半のほうが難易度が高いとの声が多かったようです。

【試験範囲】
内科受験者について

①1次試験で提出した研修カリキュラム評価表に記載した疾患や概念について，2次試験でも理解が問われます。そもそも研修カリキュラム評価表に自分で達成していると報告しているので，文句は言えません。

②勉強する成書は『内分泌代謝科専門医研修ガイドブック』を基本としてよいでしょう。内科受験者でも出題される小児科・産婦人科関係については同書で触れている範囲内で十分です。

内科試験と小児科・産婦人科試験の違い

　内科の試験には小児科・産婦人科に関連した問題が出題されるため，どの程度勉強すればよいのか不安を感じる方も多いと思います。

　内科試験には，新生児〜小児に関連した臨床問題（新生児で臨床症状が明らかな先天性代謝異常や，成長曲線を読み解く問題，成長ホルモン補充の小児量，保険適用など）は出題されません。ただし，胚細胞腫術後や放射線療法後の甲状腺および汎下垂体機能低下症など，小児〜内科にまたがるような臨床問題は出題されます。

　また，明らかな産婦人科的臨床問題（たとえば基礎体温表を見て解く問題や，排卵誘発剤でOHSS になるなどの問題，更年期障害の対処）も出題されません。その点は安心してよいでしょう。内科の実臨床で診る機会がある疾患で，小児科や産婦人科と重複している疾患は出題されます。代表疾患としては，多嚢胞性卵巣症候群，先天性副腎皮質過形成，多腺性内分泌腺不全症などです。

　『内分泌代謝科専門医研修ガイドブック』に書かれている，性腺疾患，遺伝疾患は出題されます（特に，先天性で年齢的に小児であっても内科にも関わりがある疾患，たとえば Turner 症候群，ビタミン D 不足のくる病など）。

　さらに，専門医として特徴を知っておくべき人名のつく疾患に関する問題もサービス問題（？）として出題されます。Prader-Willi, McCune-Albright, Kallmann, Laron, Noonan, Sotos などの疾患の特徴が出題されるので，これらは直前で整理しておいたほうがよいでしょう。McCune-Albrightも先天性疾患ですが，病気の成り立ちを知っておかないとホルモンの流れが理解できていないことになります。

　一方で小児・産婦人科受験者は内科専門医ガイドブック＋α（各専門書）が必要です。どの程度違うかは，日本内分泌学会のウェブサイトの専門医制度の研究カリキュラム評価表（内科，小児科，産婦人科で異なる）を見ればわかります。

【試験感想】

- 問題内容は一瞬で即答できる簡単な問題もあれば，『内分泌代謝科専門医研修ガイドブック』の知識のみでは回答が困難な問題も出題されます。

- 捉え方によっては正解が何通りもあるような問題が多数出題されます（少なくとも 5〜10 問）。これらの問題に対しては，出題者の意図を読み解くしかなく，人によっては不適切に感じるかもしれません。

- おそらく出題者の好みで，出題年によって内容に若干偏りが生じます。

- ここ最近は，糖尿病分野（メタボリックシンドローム診断基準にこだわった問題多数），脂質異常症（アポ蛋白質欠損関連が 3 問も出題），骨代謝〔実臨床にこだわった問題が多い（例）Ca の変動が少ないビタミン D 欠乏症など，診断に迷う問題多数〕，という試験内容でした。

- 過去には FGF23 関連問題が出題されたとのことですが，次年度にはまったく出題されないこともあります。

- 新しい内容も出題されます（SGLT-2 阻害薬や治験中の分子標的治療薬を含む最新の治療薬や，改訂されたばかりの疾患ガイドラインなど）。

- 総じて臨床問題では長文が多く，読むのに疲れるのは他の受験者も同じ意見のようです。キーワードの読み落としがないように注意しなければなりません。しかし文章が長いだけで，疾患が何か，何を鑑別してほしいのかなど，意図が読めないことはありません。選択肢が難しく，特に X2 形式の 2 つ目がどうしてもわからないと感じる受験者は多かったようです。

【試験対策】

以下に，試験対策に役立つ書籍を紹介します。

① 『内分泌代謝科専門医研修ガイドブック（旧 内分泌代謝専門医ガイドブック）』診断と治療社

各分野が専門の先生による分担執筆で，学会公認かつ，試験範囲を規定していることもあり，多くの受験生が受験前から持っている1冊でしょう。版が新しくなるごとに分厚くなっています。糖尿病専門医試験とは違い，本書のみでは6~7割までの対応になります。臨床での実践的な勘所をつかむのには，『虎の門病院内分泌ハンドブック』（医薬ジャーナル社），『最新内分泌代謝学』（診断と治療社）などの成書や『日本臨牀』の増刊号が役立つかもしれませんが，現実的に勉強時間をとるのは難しいかもしれません。本書の内容をきちんと理解した上で試験に臨み，落としてはならない問題を落とさないようにするのが基本です。あまりにも基本的なことを忘れてしまっている場合や自信がない人は，『イヤーノート 内科・外科編』（メディックメディア）や医師国家試験の内分泌疾患分野の問題を解いてみてもよいかもしれません（医師国家試験が90％解けないようでは専門医試験は不合格）。

② 『ホルモンと臨床 第58巻 2010年特別増刊号，内分泌代謝科専門医をめざすセルフトレーニング 問題と解説』医学の世界社

問題形式・難易度とも実際の試験と似ており，雰囲気を味わえます。ただし，この内容から出題されたという印象はありません。また，内容が若干古くなってきており，糖尿病分野は診断基準の変更により現在では使えない問題も出てきている点に注意してください。

③ 『New 専門医を目指すケース・メソッド・アプローチ 内分泌疾患（第3版）』日本医事新報社

臨床問題の難易度が実際の試験と似ており，雰囲気を味わえます。現行では内分泌思考力を高める唯一の問題集です。臨床問題も嫌らしい問題がそれなりにあり，考える力がつきます。ただし，問題形式が実際の試験にのっとっておらず，解答力はつきません。

④ 『内分泌代謝学入門』金芳堂

近畿大学の先生方だけで書かれているので，いい意味でも，悪い意味でも偏りがあります。問題の難易度は国家試験をやや難しくした感じですが，一般問題が多く解答力はつきやすいと思います。余裕がある人は臨床内分泌代謝 Update に参加して教育講演を聴くなどすれば，最新の知見を問われても，困ることはないでしょう。

⑤ 『内分泌代謝専門医のセルフスタディ230』診断と治療社

内容的にバランスがとれています。試験問題の難易度も②に近く，解いておいて損はありません。脂質異常症などの問題の難易度は実際の試験に近いです。

【試験結果】

試験結果は，試験後1カ月ほど（1月下旬）で郵便で送られてきます。合格で浮かれる前に，認定料は速やかに納入しましょう。忘れたらパアです（笑）。また，2014年度より合格者に対し，A4の用紙に簡素な試験結果が送られてくるようになりました（希望者のみ）。ただし，かなりシンプルなもので，どこが間違ったなどがわかるものではありません。

ちなみに，毎年の全体平均点はおよそ60~70点のようです。合格者たちの情報からわかった事実を述べると，①平均点以下でも合格する場合がある（おそらくサマリーの評価や，合格人数の足切りなども含めて総合的に合否判定がなされていると推測されます），②ある特定の分野が0点でも合格する（脂質異常症や性腺がここ近年の試験は難しかったようで0点の方も結構いましたが，合格していましたので，分野ごとの足切りはなさそうです）。

第1章

内分泌学基礎
（ホルモンの構造や受容体）

実臨床に直接役に立つ知識でない分，最もおろそかにしがちであるが，きちんと知識を整理しておけば確実に正解できる分野でもあり，内分泌疾患の病態の本質をとらえることができるので復習しておくこと。

第1章 内分泌学基礎（ホルモンの構造や受容体）

1 ホルモンの種類・ホルモン結合蛋白質

Key Question

チロシンキナーゼ活性をもち受容体に結合するホルモンはどれか，2つ選べ。

A：インスリン　　　　D：CRH
B：IGF-I　　　　　　E：ADH
C：ACTH

Answer

A，B

解説

　ペプチドホルモンのなかではめずらしく，インスリンとIGF-Iは下流へのシグナルに重要なリン酸化をG蛋白質を介さずに，受容体自身にチロシンキナーゼ（リン酸化）活性をもっている。
　ACTH，CRH，ADHは，すべて下垂体・視床下部から分泌されるペプチドホルモンで，細胞膜上の7回膜貫通型G蛋白質共役受容体を介する。

Key Lesson

□ 細胞内受容体に結合するホルモン
　ステロイドホルモン，甲状腺ホルモン，ビタミンD
□ ホルモン結合蛋白質をもつホルモン
　ステロイドホルモン，甲状腺ホルモン，ビタミンD＋GH，IGF-I
□ ホルモン受容体自身にチロシンキナーゼ活性をもつホルモン
　インスリン，GH，IGF-I
　※その他ホルモンではないEGF，PDGFなども含め，成長や細胞増殖に関わる因子はAktリン酸化が重要であり，チロシンキナーゼ受容体が多い。
○ TRHはTSHとPRL分泌促進を行う。
○ ペプチドホルモンのなかでも，TSH，LH，FSH，hCGは糖鎖付加を受けた糖蛋白質ホルモン〔10～20%程度の糖（シアル酸，ヘキソース，ヘキソサミン等）を含む〕である[1]。

知識の整理

▶ホルモンの種類

　ホルモンは，現代では生体内における細胞間の情報伝達物質として定義されている[2]。ホルモンは，ペプチド，ステロイド，アミン系・アミノ酸，その他（プロスタグランジンなど）に分類できる（**表1**）[3]。

▶ホルモン結合蛋白質

　ホルモンの急激な作用を防ぐために，コルチゾールや甲状腺ホルモン，性ホルモンなどのホルモンは，ホルモン結合蛋白質によって活性が制御されている。ホルモン結合蛋白質は，代謝を遅らせて血中半減期を延長する作用や，活性の強い遊離型のホルモンの急性反応を制御する緩衝効果の役割がある。結合蛋白質から分離した遊離型ホルモンが生物活性を示す。

　ホルモンの多くを占めるペプチドホルモンは，結合蛋白質を認めない。例外が成長ホルモン（GH および IGF-Ⅰ）であり，GHBP や IGFBP とホルモン結合蛋白質を認める。ちなみに，IGF-Ⅰの主なホルモン結合蛋白質は IGFBP3 である。また，アミン系・アミノ酸も結合蛋白質を認めないが，甲状腺ホルモンのみ例外である。多くのペプチドホルモンやアミン系・アミノ酸などは，結合蛋白質がない分，当然血中半減期は短い。多くのペプチドホルモンやアミン系・アミノ酸は，G 蛋白質が隣接する細胞膜受容体（G 蛋白質共役受容体）を介した細胞内伝達を行う。

　ステロイドホルモンの種類は**表2**に示した通りである。これらのホルモンは疎水性であり，核内受容体に結合する。

　疎水性ホルモンとしては，ステロイドホルモン（コルチコイドや性ホルモン），甲状腺ホルモン，ビタミン D をおさえておく。

表1　ホルモンの種類

ペプチドホルモン	成長を促す成長ホルモンや血糖を下げるインスリンなど大部分のホルモンのほか，リンパ球などに作用するサイトカインも含む
ステロイドホルモン	副腎皮質ホルモン，性腺ホルモン，ビタミン D_3 など
アミノ酸誘導体	副腎髄質ホルモン（アドレナリン，ノルアドレナリン，甲状腺ホルモン）
その他	プロスタグランジンなど

（文献 3 をもとに作成）

表2　ホルモンの種類と産出部位
ステロイドホルモン

内分泌腺	ホルモン
副腎皮質	コルチゾール，アルドステロン，アンドロゲン
精巣	テストステロン
卵巣，胎盤	エストロゲン，プロゲステロン
腎臓	ビタミン D（$1,25(OH)_2D$）

（次頁につづく）

1　ホルモンの種類・ホルモン結合蛋白質　　**13**

ペプチドホルモン

内分泌腺	ホルモン	作用
視床下部	副腎皮質刺激ホルモン放出ホルモン（CRH）	ACTH 刺激
	ゴナドトロピン放出ホルモン（GnRH）	LH/FSH 刺激
	甲状腺刺激ホルモン放出ホルモン（TRH）	TSH/PRL 刺激
	プロラクチン分泌促進因子	PRL 刺激
	成長ホルモン放出ホルモン（GHRH）	GH 刺激
	ソマトスタチン	GH，TSH，インスリン抑制
	バソプレシン[*1]	腎集合管水再吸収
	オキシトシン[*1]	子宮収縮，射乳
下垂体前葉	副腎皮質刺激ホルモン（ACTH）	コルチゾール，副腎性アンドロゲン分泌
	甲状腺刺激ホルモン（TSH）[*2]	甲状腺ホルモン分泌
	成長ホルモン（GH）	成長促進，IGF-Ⅰ分泌
	プロラクチン（PRL）	乳汁分泌
	黄体形成ホルモン（LH）[*2]	男性：Leydig 細胞➡テストステロン産生 女性：排卵・黄体化促進，プロゲステロン，エストロゲン産生
	卵胞刺激ホルモン（FSH）[*2]	男性：Sertoli 細胞➡精子成熟・分化，インヒビン産生 女性：卵胞の成熟，エストロゲン，インヒビン産生
下垂体中葉	メラノサイト刺激ホルモン（MSH）	色素細胞のメラニン合成促進
甲状腺 C 細胞 （傍濾胞細胞）	カルシトニン	血清 Ca↑
副甲状腺	副甲状腺ホルモン（PTH）	血清 Ca↑，血清 P↓
膵臓	インスリン，グルカゴン，ソマトスタチン，膵ポリペプチド（PP）	血糖降下，血糖上昇，中枢神経系の鎮痛効果，膵外分泌抑制作用／胆嚢収縮抑制作用
胃	グレリン	GH 分泌刺激，摂食刺激
消化管	セクレチン	膵液刺激，胃酸抑制，ガストリン➡胃酸刺激
	コレシストキニン（CCK）	胆嚢収縮，インクレチン（GIP GLP-1）
	胃抑制ペプチド（GIP）	胃の収縮抑制，インスリン分泌促進
	血管作動性腸管ペプチド（VIP）	平滑筋収縮
	モチリン	胃収縮，ニューロテンシン，サブスタンス P
胎盤	ヒト絨毛性ゴナドトロピン（hCG）	妊娠黄体の刺激
	ヒト胎盤性ラクトゲン（hPL）	母体へのグルコース吸収抑制，脂肪分解促進
精巣／卵巣	スキサメトニウム塩化物，インヒビン	FSH 分泌抑制，アクチビン
腎臓	エリスロポエチン，レニン	造血作用，昇圧作用
肝臓	アンジオテンシン	昇圧作用
副腎髄質	アドレナリン	交感神経刺激
心臓	心房性ナトリウム利尿ペプチド（ANP），脳性ナトリウム利尿ペプチド（BNP）	利尿作用，血管拡張作用
血管内皮	エンドセリン	血管収縮作用
脂肪細胞	レプチン	食欲抑制，脂肪分解促進，エネルギー消費増加，交感神経刺激
	アディポネクチン	インスリン感受性，抗炎症作用，抗動脈硬化

＊1：バソプレシンおよびオキシトシンは，下垂体後葉（神経下垂体）は視床下部にある神経細胞の細胞体から伸びる軸索に貯蔵される。
＊2：TSH，LH，FSH は，ペプチドホルモンのなかでも視床下部からのプロセシングの過程で糖鎖負荷を受ける糖蛋白質ホルモンである。

アミン系・アミノ酸

内分泌腺	ホルモン	作用
視床下部	ドパミン（PIF）	PRL, LH, FSH, TSH 抑制
松果体	メラトニン	
甲状腺濾胞細胞	甲状腺ホルモン〔サイロキシン（T_4），トリヨードサイロニン（T_3）〕	
副腎髄質	アドレナリン，ノルアドレナリン	

エイコサノイド

内分泌腺	ホルモン
脳	プロスタグランジン D_2
子宮内膜	プロスタグランジン E_2, $F_2\alpha$
血小板	トロンボキサン A_2
血管内皮	プロスタサイクリン

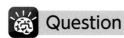

Question　　　鍵穴のマークは問題の難易度を示します．

ホルモンとしての骨格構造が大きく異なるホルモンはどれか．

- A：ADH
- B：TSH
- C：LH
- D：テストステロン
- E：グルカゴン

正答 D

血中にホルモン結合蛋白質をもたないホルモンはどれか，2つ選べ．

- A：T_3
- B：ACTH
- C：TSH
- D：GH
- E：コルチゾール

正答 B, C

プロセシングの過程で糖鎖負荷を受けるホルモンはどれか，2つ選べ．

- A：TRH
- B：ACTH
- C：TSH
- D：GH
- E：LH/FSH

正答 C, E

第1章 内分泌学基礎（ホルモンの構造や受容体）

2 ホルモンの細胞内伝達

Key Question

G蛋白質共役受容体を介して作用するホルモンはどれか，2つ選べ。

A：LH
B：TSH
C：コルチゾール
D：T_3
E：テストステロン

Answer

A，B

解説

　視床下部（ドパミンは除く）および下垂体から分泌されるほぼすべてのホルモンはペプチドホルモンであり，細胞膜上の7回膜貫通型G蛋白質共役受容体に結合する。また，ペプチドホルモンでG蛋白質共役受容体でないものは，インスリン，GHおよびIGF-Ⅰである。
C：ステロイドホルモンであり，細胞内の核内受容体に結合する。
D：アミン系・アミノ酸ホルモンの中で，唯一細胞内の核内受容体に結合する。
E：ステロイドホルモンであり，細胞内の核内受容体に結合する。

Key Lesson

□細胞膜受容体
　G蛋白質質共役受容体（GPCR），キナーゼ型受容体，グアニル酸シクラーゼ型受容体，イオンチャネル型受容体など
○ホルモンの受容体は，局在から，細胞膜受容体，核内（あるいは細胞質受容体）に大別される。
○ホルモンの多くを占めるペプチドホルモンの受容体は細胞膜上の7回膜貫通型G蛋白質共役型受容体であるが，例外はインスリン，GH，IGF-Ⅰ，PRL，レプチンなどであり，1回膜貫通型キナーゼ型である。
○先端巨大症のおよそ40～50%がGHRH受容体のGsαサブユニットの活性型変異（*GNAS*）を獲得している。

知識の整理

▶ ホルモンの機能

多くのホルモン

細胞膜上の7回膜貫通型G蛋白質共役受容体を介する。

→ ペプチドホルモン，アミノ酸誘導体など

- ホルモンがG蛋白質共役受容体に結合。cAMPなどのセカンドメッセンジャーを経由し，機能亢進もしくは機能抑制を調整している。G蛋白質には，Gs，Gi，Gq，G13など，16種類ほどがある。
- G蛋白質共役受容体が変異することで，スイッチがONの状態を継続する病態（細胞増殖，ホルモン多量産生），もしくはスイッチがONになってもcAMPなどセカンドメッセンジャーが産生されない病態（機能低下症）を引き起こす。

疎水性ホルモン

核内受容体に直接結合する。

→ ステロイドホルモン，甲状腺ホルモン（T_3，T_4），ビタミンD，レチノイン酸など

特殊なホルモン

受容体自身がチロシンキナーゼ（リン酸化）活性をもつ。

→ インスリン，IGF-Ⅰ（同じキナーゼ型受容体でも受容体自体がチロシンキナーゼ活性をもたないものはGH，PRL，レプチン，インターフェロンなど）

▶ ホルモンの細胞内伝達に関わる疾患

1. 機能亢進性変異

機能亢進性変異では，G蛋白質またはG蛋白質共役受容体異常により，機能が亢進する。

先端巨大症

50%以上にGHRH受容体のGNAS（Gsα）の活性型変異。

McCune-Albright 症候群

①思春期早発症，②カフェオレ色素斑（皮膚，粘膜），③骨線維性骨異形成（長管骨，頭蓋骨のX線写真ですりガラス像がみられる）の3徴候をもった症候群。3徴候以外にも，甲状腺機能亢進症，Cushing症候群，下垂体性巨人症，副甲状腺機能亢進症，低リン血症性くる病などの多彩な内分泌機能異常の合併が報告されている。女児では早期に思春期早発症を呈することが特徴である。女性に多く，体細胞突然変異，GNAS1遺伝子の点変異などの原因が考えられている。

2. 機能喪失性変異

機能喪失性変異では，G蛋白質またはG蛋白質共役受容体異常により，機能が低下する。

家族性低カルシウム尿性高カルシウム血症（FHH），偽性副甲状腺機能低下症
カルシウム感知受容体（CaSR）の異常による。

先天性腎性尿崩症
バソプレシン V_2 受容体の異常による。

Kallmann 症候群
PROKR2 受容体の異常による。

Question
鍵穴のマークは問題の難易度を示します。

Q1 誤っているものはどれか。

A：ホルモン結合蛋白質には，肝臓や腎臓でのホルモンの代謝排泄を遅らせ，血中半減期を長くする作用がある。
B：GH に対するホルモン結合蛋白質がある。
C：IGFBP3 は IGF-I 結合蛋白質で最も多い。
D：カテコールアミンはすべてのホルモンで血中半減期が長い。
E：ビタミン D は疎水性であり，ホルモン結合蛋白質を有する。

正答 D

Q2 G 蛋白質活性変異によるシグナル伝達の機能亢進が原因で起こる病気はどれか，2 つ選べ。

A：先端巨大症
B：McCune-Albright 症候群
C：偽性副甲状腺機能低下症
D：思春期遅発症
E：クレチン症

正答 A, B

Q3 ペプチドホルモンにおいて受容体自体がチロシンキナーゼ活性をもっているものはどれか，2 つ選べ。

A：GH
B：IGF-I
C：インスリン
D：PRL
E：FT_4

正答 B, C

文献
1) Blithe DL, 他：糖タンパク質における糖鎖の生物学的な機能．Trend Glycosci Glycotechnol. 1993;5:81-98.
2) 日本内分泌学会，編：ホルモンとは．内分泌代謝科専門医研修ガイドブック．診断と治療社，2018, p6.
3) 日本内分泌学会 ウェブサイト：ホルモンについて．最終更新日 2019 年 11 月 22 日．
［http://www.j-endo.jp/modules/patient/index.php?content_id=3］（2021 年 7 月 26 日閲覧）

第 2 章

間脳下垂体

副腎と並んで最も多く出題される分野である。負荷試験の評価
などもしっかり復習しておくこと。病歴だけで診断はある程度
可能であるが，下垂体腫瘍の画像のみで診断させることもあ
る。また，治療については奏効率まである程度記憶しておく必
要がある。

第2章　間脳下垂体

1 視床下部－下垂体のホルモン

Key Question

視床下部を介して評価する検査はどれか，2つ選べ。

A：ブドウ糖 ➡ ACTH
B：ソマトスタチン ➡ TSH
C：GHRP-2 ➡ GH
D：DDAVP ➡ ACTH
E：ドパミン ➡ TSH，PRL

Answer

A，C

解説
　やや引っかけ問題であるが，問題の意図は「負荷試験の流れ」を意識して理解しているかどうかである。筆者が受験した際の試験問題の1問目はこのような問題であった。
A：ブドウ糖 ➡ 視床下部 CRH ➡ ACTH と視床下部を介している。CRH は中枢神経，腸管，膵臓，副腎などに局在し，末梢血 CRH は HPA（視床下部－下垂体－副腎皮質）系の活動性とは相関がみられず，血中 CRH の大半は末梢組織由来と考えられている。視床下部性副腎皮質機能低下症では低血糖でも内因性 CRH は分泌されず，ACTH，コルチゾールは無反応である。そのため中枢性副腎皮質機能低下症では ITT にて，CRH 分泌能を間接的に評価している。
B：視床下部 ➡ 下垂体のホルモン伝達であるが，視床下部を「介して」評価する検査ではない。
C：内因性 GHRH よりもはるかに強い GH 分泌促進作用を示す GHRP-2 は視床下部の GHRH を介する刺激と考えられており，血中 GH 頂値 9μg/L 未満で重症 GH 欠損と判定する。
D・E：視床下部 ➡ 下垂体のホルモン伝達であるが，視床下部を「介して」評価する検査ではない。

Key Lesson

○負荷試験のホルモンの流れをイメージできるようにする（**表1，図1，2**[1]）。
　（①直接的に下垂体，または②間接的に視床下部を介して下垂体）
○正常な視床下部－下垂体のホルモン動態の流れを把握する（試験前に自分で図を描いてみよう）。
□視床下部－下垂体のホルモン動態は一番複雑で種類も多い。

　　　CRH ➡ ACTH 刺激
　　　GnRH ➡ LH・FSH 刺激
　　　TRH ➡ TSH・PRL 刺激
　　　PRF ➡ PRL 刺激
　　　GHRH ➡ GH 刺激
　　　ソマトスタチン ➡ GH，TSH，インスリン抑制
　　　ドパミン ➡ PRL，LH，FSH，TSH 抑制

表1 負荷試験

ホルモン名	①下垂体を直接的に刺激	②視床下部を経由して下垂体を間接的に刺激
ACTH	CRH	インスリン低血糖/メチラポン
TSH	TRH	なし
LH/FSH	GnRH	クロミフェンクエン酸塩
GH	GHRH（GHRP-2？）	インスリン低血糖/アルギニン/GHRP-2
PRL	TRH	メトクロプラミド/スルピリド

GnRH：性腺刺激ホルモン放出ホルモン

図1 正常下垂体

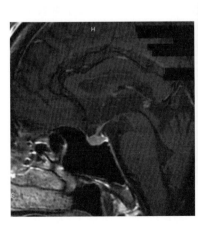
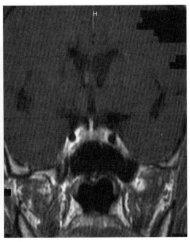

図2 視床下部－下垂体から出るホルモン（矢状断面）

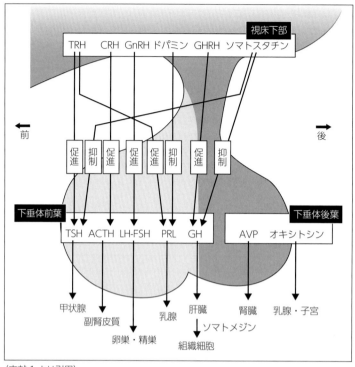

（文献1より引用）

知識の整理

▶ GHRP-2

　GHRP-2は厳密には合成された化学物質（人工物）であり，GHRH受容体（Gs）とは別のGHS受容体（Gq）に結合し，GH分泌を促進する．GHS受容体はGHRH受容体とは別に存在し，GHS受容体に結合する物質はGHSと言われ，グレリンなども相当する．GHRP-2はGHSの人工物である．厳密には不明な点も多く，GHRP-2はGHだけでなく，ACTHやPRL産生も増加させる．またグレリンと同様に膵β細胞に直接働き，インスリン分泌を調節することも報告されている．厳密に下垂体のみの刺激とは言えない．

Key Lesson

○視床下部を介するという観点とは別に，それぞれの下垂体ホルモンの促進因子・抑制因子は必ずおさえておく（**表2**）[1]．日常診療のデータの解釈や患者とのコミュニケーションにも役立つはずである．試験問題としては，GH，TSH，PRLが比較的出題されやすい．

表1　下垂体ホルモンの促進/抑制因子

	ACTH	LH	FSH	TSH	GH	PRL
促進因子	CRH, AVP, サイトカイン, セロトニン, ストレス, 強度の強い運動, 低血糖	男性：GnRH 女性：E2（急性効果）	男性：GnRH 女性：E2（急性効果）	TRH, 寒冷曝露（ノルアドレナリン）	GHRH, GHS（グレリンなど）, 低血糖, アミノ酸, ストレス, 運動, 睡眠, α_2アドレナリン刺激, エストロゲン	TRH, エストロゲン, セロトニン, オピオイド, 妊娠, 吸啜反応, ストレス, 性的行動, 睡眠・食後
抑制因子	グルココルチコイド, ソマトスタチン	男性：テストステロン 女性：E2（長期効果）プロゲステロン	男性：テストステロン, インヒビン 女性：E3（長期効果）インヒビン	$T_3 \cdot T_4$, ソマトスタチン, ドパミン, hCG	ソマトスタチン, IGF-I, ブドウ糖, NEFA	ドパミン

（文献1より引用）

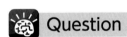

Question

鍵穴のマークは問題の難易度を示します．

健常者において，成長ホルモン（GH）を分泌促進する反応として，誤っているものはどれか．

A：運動
B：ストレス
C：睡眠
D：飢餓
E：食事

正答　E

文献
1）岡庭　豊, 編：イヤーノート2014 内科・外科編. メディックメディア, 2013.

第2章 間脳下垂体

2 視床下部－下垂体の画像診断

Key Question

症例：50歳女性。数年前より全身倦怠感が出現している。また視界が狭くなり，めまいが増強してきたため来院した。MRI画像を示す（**図**）。

身体所見：やせ型で軽度の貧血あり，腋毛・陰毛の脱落も認める。

検査所見：〈生化学〉TP 7.9g/dL, Alb 4.4g/dL, BUN 20mg/dL, Cre 1.37mg/dL, Ca 10.2mg/dL, P 4.0mg/dL, T-Bil 0.5mg/dL, AST 45U/L, ALT 85U/L, γ-GTP 111U/L, Na 143mEq/L, K 3.8mEq/L, Cl 106mEq/L, HDL-Chol 37mg/dL, LDL-Chol 81mg/dL, TG 132mg/dL, 空腹時血糖 131mg/dL, HbA1c 6.9%（NGSP），GH 0.10ng/mL, IGF-I 282ng/mL, LH 0.2mU/mL未満, FSH 0.2mU/mL未満, テストステロン 0.02ng/mL未満, TSH 0.01μU/mL未満, FT$_4$ 1.02ng/dL, PRL 22.6ng/mL, ACTH 0.02pg/mL未満, コルチゾール 2.3μg/dL, ADH 0.7pg/mL, IRI 22.4μU/mL, CPR 20.1ng/mL である。その他の腫瘍マーカーは陰性であった。

最も考えられる診断はどれか。

A：下垂体腺腫
B：頭蓋咽頭腫
C：鞍上部胚細胞腫
D：悪性リンパ腫
E：リンパ球性下垂体炎

図 MRI画像

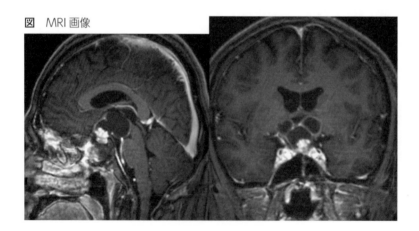

Answer

D

解説

ホルモン値から汎下垂体機能低下であり，PRLのみ軽度の上昇をきたしている。画像だけで答えさせる問題である。正常下垂体がトルコ鞍下方に圧迫され，MRI（T1）では腫瘍がある。

A：下垂体は残存，圧排している。
B：エナメル上皮型または扁平上皮乳頭型の頭蓋咽頭腫である。
C：年齢的にやや考えにくいとはいえ，可能性はゼロではないので不親切な選択肢である。
D：腫瘍マーカーが陰性である。
E：炎症所見が陰性である。

Key Lesson

□下垂体とその近傍の腫瘍のうち，下垂体腺腫（80%），頭蓋咽頭腫（10%）で約90%を占める。
□機能性下垂体腺腫として頻度が高い順に，PRLoma（31%）＞GHoma（19%）＞ACTHoma（Cushing病）（12%）＞TSHoma（1〜2%）＞ゴナドトロピン産生腫瘍（稀），残りの25〜40%が非機能線種というイメージである。
○画像の特徴をある程度おさえておく。
○正常な下垂体の部位・構造も正しく示せるようにしておく（**図1**）。
○下垂体に発生する腫瘍の種類と大まかな特徴を**表1**に示す。

図1 正常下垂体の部位

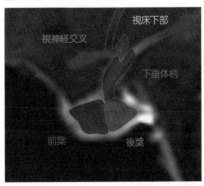

☞**巻頭カラー口絵**

表1 下垂体に発生する腫瘍の種類と大まかな特徴　　✏過去に出題された問題　📋これから出題が予想される問題

	発生源	年齢・性別	画像の注意点
下垂体腺腫*1	下垂体前葉	20歳代女性 60〜70歳の男女	T1 等〜低信号 T2 高信号 　　造影では正常下垂体よりは弱い中等度の増強を受ける
頭蓋咽頭腫	Rathke嚢遺残上皮	小児期と40〜60歳の壮年期の二峰性	①エナメル上皮型（石灰化あり） 　境界明瞭な石灰化を伴う嚢胞性腫瘤 　5〜15歳に多い 　嚢胞内溶液がT1で高信号が多い 　造影では嚢胞壁と腫瘍の充実部は造影増強を示す ②扁平上皮乳頭型（石灰化なし） 　石灰沈着が乏しい充実性腫瘤で，40〜60歳に多い T1 等信号 T2 等信号〜軽度高信号 　造影では一様に増強される 　造影によって充実成分の有無があることがRathkeとの鑑別になる
Rathke嚢胞*2	Rathke嚢遺残上皮	全年齢層，特に20〜50歳の女性に多い（男：女＝1：2）	通常下垂体は前方〜前上方へ偏位していることが多い。造影で嚢胞壁が増強されることは原則なく，圧排された下垂体前葉組織と考える（ただ炎症が強ければ壁の増強はありうる） T1 著明な高信号が多い 　嚢胞内溶液は完全な液体ではなく，ムチン含有多寡で様々な信号になる T2 内部は基本液体なので高信号 　50%の症例でコレステロールと蛋白質からなる小結節 waxy nodule が低信号で映ることが特徴である
胚細胞腫瘍（胚細胞腫について）	5種類の組織型のうち germinoma（胚細胞腫）が70%，奇形腫が13%を占める。胎児性癌，ヨークサック腫瘍，残りは絨毛癌である	20歳以下の若年が70% 30歳以下の若年で90%を占める	T1 低信号で下垂体茎腫大，後葉の高信号消失 T2 軽度高信号 　造影では一様に充実部が強い増強効果あり 　石灰化はきわめて稀。髄液播種も頻発し，視床，基底下部，松果体と同時性，異時性に発生することもある。50%は松果体（この場合男性），20〜30%が鞍上部（神経下垂体部が多い）。残りは大脳基底核（ほぼ男性） 悪性度について 　成熟奇形腫以外は悪性腫瘍であり，AFPやhCGなどの腫瘍マーカー高値では悪性度が高い
傍鞍部髄膜腫	髄膜のくも膜細胞	中高年女性に多い（男：女＝1：2）	T1 等信号 T2 等信号 　血流豊富な脳のくも膜のため，造影にて均一に増強。トルコ鞍の拡大はなく，下垂体は下方に圧排され，腫瘍辺縁の肥厚した硬膜が強く増強される蝶形骨平面の硬膜の dural tail sign を認める
視床下部過誤腫	異所性灰白質 第3脳室底面から視床下部の神経細胞とグリアが結節状に突出したもの	新生児〜小児期	T1 等信号 T2 等信号 　異所性灰白質のため，造影増強は認めない 　視床下部（灰白隆起），第3脳室底面が発生部位である
リンパ球性下垂体炎	自己免疫 妊娠や分娩が契機になることが多い	前葉炎では妊娠可能年齢に後発し，分娩前後に好発する。 女性に多い（男：女＝1：6） 後葉炎では女性に多い（男：女＝1：2）	T1 低〜等信号，後葉の高信号消失など T2 低〜等信号 　造影で不均一に増強，T1で下垂体腫大は左右対称性，下垂体茎のみの腫大もありうる 　下垂体茎腫大は重要である

（次頁につづく）

empty sella	術後やSheehan症候群が多いが，10％に機能性下垂体腺腫（GH/PRLなど）の報告もある 鞍隔膜の脆弱性により，鞍上層がトルコ鞍に陥入する	中年女性 多産婦・肥満に多い	T1 低〜等信号，正中の偏位ない下垂体茎 鞍背よりの下垂体茎 T2 高信号 拡大したトルコ鞍内は脳脊髄液が貯留（髄液と等信号）。下垂体茎は正中（前額断）・鞍背（矢状断）を通過し，トルコ鞍底部まで引き延ばされている。あくまで鞍内は液体であり，下垂体茎が圧排偏位していないことが鑑別になる 下垂体は鞍底部で扁平化している
下垂体卒中	下垂体腺腫の出血梗塞・梗塞によるものが大半 Rathke嚢胞や妊娠/出産（Sheehan症候群）契機もある		T1 高信号（凝固壊死を反映） T2 不均一（出血や梗塞のため） CTで出血の確認のみでは不十分でMRIも重要である 急性期では造影で腫瘍の中心（壊死部）は造影されない特徴あり

*1：非機能性下垂体腺腫は全下垂体腺腫の40〜50％と最も多い（注意：プロラクチン産生腫瘍は全下垂体腺腫の30％であり，機能性下垂体腺腫では当然最多であるが，診断率向上もあり，全下垂体腺腫で最多となる可能性もあるため逆転するかもしれない）。非機能性と言っても60％以上にゴナドトロピン産生能を有している（特にFSHが多い）。しかし，免疫組織学的に腫瘍細胞がゴナドトロピン産生能を有しても，血中測定値が大きく上昇することは稀である。ここでの非機能性とは，臨床的に機能性ホルモンの症状が乏しいという意味であることに注意する。つまり病理学的にもいずれのホルモンも発現していない（null cell adenoma）ということではない。症状が出にくいためマクロアデノーマが多く，視野障害➡視力障害および圧迫による下垂体前葉障害にて発見されることが多い。腫瘍悪性度は低い。

*2：Rathke嚢胞は多くが無症状で経過するが，症候性の場合，
　①嚢胞のmass effectによる視力・視野障害や高プロラクチン血症
　②嚢胞壁の炎症が下垂体に波及し，続発性下垂体炎を惹起➡前葉機能障害＋尿崩症
が考えられる。②の内分泌機能障害は嚢胞の大きさと関係なく出現することが多く，①に比べると予後が悪い。Rathke嚢胞の多くは内分泌機能評価で異常がなく無症状で経過することが多いが，症状，MRIと内分泌所見による長期の経過観察を行う。

*3：腫瘍の種類や状況によりテーラーメイド医療を行うが，一般的には次のようなイメージである。

	GHoma, ACTHoma, TSHoma	PRLoma	非機能性線種，頭蓋咽頭腫，その他の腫瘍	胚細胞腫瘍，視床下部神経膠腫
第一選択	手術	薬物	手術	化学療法＋放射線
補助療法	薬物＋放射線	手術＋放射線	放射線	手術

Question

鍵穴のマークは問題の難易度を示します。

症例：80歳男性。感冒の3日後に吐き気や全身倦怠感が強くなったため，内科外来を受診した。MRI画像にて下垂体病変があるため（図），内分泌科に紹介となった。

図　MRI画像

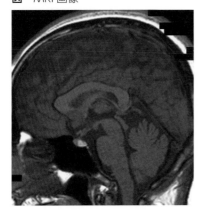

2 視床下部－下垂体の画像診断

この疾患について正しいものはどれか，2つ選べ。

A：男性に多い。
B：頭痛や内分泌症状が起こることが多い。
C：トルコ鞍の変形・拡大をきたすことは稀である。
D：ステロイド治療有効例が報告されている。
E：分娩前後に好発する。

正答💡 **C, D**

解説

　病歴からは下垂体炎も鑑別にあがるが，画像上では Rathke 嚢胞の所見であり，後葉の高信号が残存している。下垂体の対称性腫大や下垂体茎の腫大はみられない。

下垂体炎および Rathke 嚢胞の炎症は，下垂体前葉に起こる炎症として，ステロイド治療有効であることは共通している。

第2章　間脳下垂体

3 視床下部症候群（視床下部－下垂体腫瘍）

Key Question

MRI T1 強調画像にて造影効果のある腫瘍がある（**図**）。

この患者に手術療法を行い，術後にみられる可能性のある症状として誤っているものはどれか。

A：発汗過多
B：食欲過多
C：短期記憶障害（見当識障害）
D：易疲労性
E：口渇の障害（尿崩症）

図　MRI T1 の強調画像

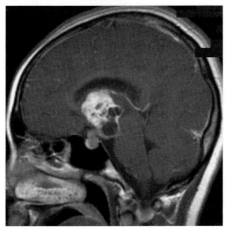

Answer

A

解説

　MRI 前額断にて下垂体〜視床下部に大きく進展している。視床下部症候群についての問である。

A：代謝低下のため発汗は減少する。
B：食欲過多，食欲減退どちらにもなりうる。
C：視床下部障害で様々な程度の意識障害，無動性無言症，記銘力低下，Korsakoff 症

　　　　候群，発動性の障害，情動の障害を起こす。
　　D：肉体的精神的に不活発となる。
　　E：視床下部－下垂体ホルモン刺激が低下する。

Key Lesson

○視床下部－下垂体にまたがる腫瘍術後では，下垂体障害だけではなく，視床下部障害も念頭に置く必要がある．下垂体前葉機能低下・尿崩症の下垂体障害に加えて，変動体温（体温異常），やせまたは肥満（エネルギー代謝異常），記憶力障害（精神異常），代謝低下（前葉機能低下，交感神経優位低下）に注意する．

知識の整理

▶視床下部障害の病態

　　小児期に頭蓋咽頭腫を手術後，思春期〜成人期になって視床下部－下垂体機能異常になる症例は多く，小児内分泌科と内分泌代謝内科をまたがることがある．解剖学的に視床下部と下垂体は近く，障害部位によっては視床下部障害が前面に出ることもある．
　　一般に，下垂体はその 70〜80％が破壊されない限り機能低下を起こさないため，症状は徐々に現れるとも言われている．

▶視床下部障害の症状（4 徴）

1. 内分泌異常（下垂体前葉・後葉障害）

　　①視床下部ホルモン不全 ➡ 下垂体前葉ホルモンの分泌障害（特に GH，GnRH）➡ 低身長，代謝低下，二次性徴の発来不全または続発性性腺機能低下症（成人発症）．
　　②視床下部障害でドパミン分泌低下 ➡ 高プロラクチン血症 ➡ 乳汁分泌
　　③視床下部ホルモン不全 ➡ 抗利尿ホルモン（ADH）の分泌障害 ➡ 中枢性尿崩症．
　　④視床下部基底部障害 ➡ 口渇中枢障害．
　　⑤視床下部・下垂体ホルモン刺激が低下 ➡ 貧血，皮膚色素脱失，腋毛・陰毛脱落，性器萎縮（月経異常・無月経），老人性顔貌．

2. 体温異常

　　視床下部障害による体温異常には，持続性または発作性低体温，持続性または発作性高体温，変動体温がある．最もよくみられる変動体温は，外界の温度によって体温が 2℃以上変動するもので，視床下部後部の体温調節機構の異常によって起こりうる．
　　体温調節中枢の障害 ➡ 寒冷に対して敏感（寒がり），代謝低下に伴い発汗減少．

3. エネルギーバランスの異常

　　①視床下部性肥満 ➡ 満腹中枢である腹内側核の障害は過食と肥満へ．
　　②視床下部性るい痩 ➡ 摂食中枢である視床下部外側野の障害はやせへ．
　　食欲中枢の障害により，肥満とるい痩のどちらもありうる．

4. 精神神経症状

　視床下部の障害で種々の程度の意識障害，無動性無言症，記銘力低下，Korsakoff症候群，発動性の障害，情動の障害などが現れる。基本的に交感神経優位に障害を受けると考えられている。

　視床下部や脳幹網様体の障害➡易疲労性や脱力，嗜眠傾向，肉体的精神的に不活発へ。

第2章 間脳下垂体

4 先端巨大症

Key Question

症例：40歳代前半男性。発汗と頭痛を主訴に来院した。近医で心電図を行い，心室性期外収縮を指摘されたことがある。来院時の画像所見を示す（**図**）。
血中ホルモン所見：PRL 120 ng/mL, GH 48 ng/mL, ソマトメジン C 900 ng/mL。

この疾患について正しいものはどれか，2つ選べ。

- **A**：*GNAS* の異常が70％以上の症例で関与している。
- **B**：*AIP* 遺伝子変異はソマトスタチン抵抗性である。
- **C**：カベルゴリンは PRLoma 単独より量が必要となる。
- **D**：GSα 不活性型変異が多い。
- **E**：IGFBP の量に変化はない。

図　MRI 画像

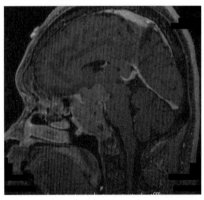

Answer

B, C

解説

先端巨大症＋プロラクチン産生腫瘍（PRLoma）症例。

- **A**：50％以上程度である。
- **B**：フィンランド北部の家族性成長ホルモン産生腺腫の家系で発見され，癌抑制遺伝子と考えられている。若年に多く，ソマトスタチンアナログ抵抗性である。

C：わが国では先端巨大症に対して未承認である。海外の報告ではプロラクチン産生腫瘍単独に比べて，先端巨大症＋プロラクチン産生腫瘍はカベルゴリン必要量が増大する。
D：cAMP を second messenger とする GSα の活性型変異が多い。
E：GH 上昇し，IGF-Ⅰも上昇するためホルモン結合蛋白質である IGFBP も上昇する。

Key Lesson

○先端巨大症のほとんどが GH 産生下垂体腺腫である。GH/IGF-Ⅰ過剰による特有の顔貌，四肢末端の肥大，骨関節症状，高血糖，高血圧，発汗過多，睡眠時無呼吸症候群などの症状を示す。

○先端巨大症のおよそ 50％が下垂体 GHRH 受容体の Gsα サブユニット活性型変異（*GNAS*）を獲得している。先端巨大症治療の第一選択は手術であるが，薬物治療を併用することも多い。薬物治療において治療奏効率（何％正常化させるか）は確認しておく。

①GH および IGF-Ⅰ正常化はソマトスタチンアナログで 60～70％，ドパミン作動薬で 10～20％。

②IGF-Ⅰ正常化は GH 受容体拮抗薬で 80％以上である。
また GH 受容体拮抗薬については治療後 GH が増加すること，腫瘍縮小効果がないことは注意が必要である。

□手足のしびれを起こす疾患に先端巨大症が含まれることも，確認しておく（基本）。
手足のしびれ➡低カルシウム血症および手根管症候群（軟部組織増大による。先端巨大症，アミロイドーシス，甲状腺機能低下症など）

知識の整理

▶先端巨大症の病態

先端巨大症の 97％以上が成長ホルモン産生腺腫である。GH と PRL は同じ好酸性細胞（α）であり，先端巨大症とプロラクチン産生腫瘍が合併することも多い。先端巨大症は未治療例では心血管障害で死亡することが多く，寿命は 10 年短くなると言われる。

▶先端巨大症の遺伝子変異─散発性，家族性の遺伝子変異

ほとんどは散発性成長ホルモン産生腺腫であり，一部家族性がある。先端巨大症のおよそ 50％が下垂体 GHRH 受容体の Gsα サブユニット活性型変異（*GNAS*）を獲得している。今のところ散発性 GH 産生腺腫ではっきりした遺伝子変異は Gsα のみである。家族性 GH 産生腺腫は稀ではあるが，遺伝子変異と疾患名の組み合わせで，**表 1**[1) に示した 4 つをおさえておく。

表1 遺伝子変異と疾患名の組み合わせ

遺伝子名		関連疾患	
PRKAR1A	cAMP-dependent protein kinase A regulatory subunit 1α	Carney complex	GH腺腫は10〜20％に合併
AIP	aryl hydrocarbon receptor interacting protein	家族性GH腺腫	ソマトスタチン治療抵抗性あり
MEN 1	multiple endocrine neoplasia type 1	MEN 1	下垂体腺腫は50％の頻度でみられる，PRLomaが最多
CDKN1B (p27^{Kip1})	cyclin-dependent kinase inhibitor 1B	MEN 1の亜型であるMEN 4疾患	

注：一般にMEN遺伝子やAIP遺伝子など家族性変異による下垂体腫瘍は薬剤抵抗性が多い。
（文献1をもとに作成）

▶ 先端巨大症の身体所見および頻度の高い症候

1. 身体所見

①骨・軟部腫瘍の増大〔顔面：前頭洞の拡大，眉弓部の突出，鼻・口唇舌の肥大や手・足（heel pad thickness）の増大，変形性膝関節症，種子骨の増大，手指末節骨カリフラワー変形〕。
②睡眠時無呼吸症候群。
③手のしびれなどの原因である手根管症候群（carpal tunnel syndrome）。
④圧迫による他の下垂体前葉ホルモン分泌低下，視交叉圧迫による両耳側半盲。
⑤IGF-Iによる細胞増殖➡内臓諸器官（心臓，肝臓，腎臓）の肥大，甲状腺腫または甲状腺癌や大腸ポリープ，大腸癌（上部下部内視鏡は必須）の合併など。
⑥LHおよびFSH分泌低下（20％）やPRL分泌増加（70％）による性欲低下は10〜30％に起こる。

2. 頻度が高い症候

顔貌変化（97％），手足の容積増大（97％），巨大舌（75％），基礎代謝亢進による発汗増多（70％），女性では月経異常（43％）などがある。このほか，頭痛，高血圧，手足のしびれ，心肥大，性欲低下，視力障害などを認める。

▶ 先端巨大症の生化学所見

先端巨大症の生化学所見を**表2**に示す。

表2 生化学所見

GH分泌過剰	IGF-I↑	
	IGFBP3↑	
	腎尿細管でのNa再吸収↑	高血圧
	腸管でPの吸収が上昇し，血清P値↑*¹	血清Ca値は正常〜高
	尿中Ca値↑	尿路結石
	インスリン抵抗性↑，尿糖陽性	耐糖能異常はOGTTにて70％以上にみられる*²

（次頁につづく）

下垂体腺腫	正常下垂体の圧迫によるその他の下垂体前葉ホルモンの分泌障害
	高プロラクチン血症

＊1：血清 P 濃度が 4.5mg/dL（1.46mmol/L）を上回った状態は，高 P 血症と呼ばれる。原因には，副甲状腺機能低下症，先端巨大症，慢性腎臓病，ビタミン D 製剤，細胞破壊（腫瘍崩壊症候群，横紋筋融解），代謝性または呼吸性のアシドーシスがある。
＊2：成人成長ホルモン分泌不全症（AGHD）において GH 補充する際の重要な課題となっている。

▶先端巨大症の診断の流れと血液検査での注意点

1. 確定診断

確定診断は，①～③すべてを認めた場合である。
①顔貌変化（97%），手足の容積増大（97%），巨大舌（75%）のいずれかの身体所見
②GH および IGF-Ⅰの過剰の確認
③MRI で下垂体腺腫

2. GH 過剰分泌の診断

GH よりも変動が少ない IGF-Ⅰを必ずセットで計測することが重要である。GH は脈動的分泌であり，高値をとることがある。注意点を以下にまとめる。
①IGF-Ⅰも必ず同時に計測する。
②非糖尿病患者であれば，食後に採血してみる（食事のブドウ糖でも下がらないことの確認）などに留意する。IGF-Ⅰは栄養障害，肝腎疾患，甲状腺機能低下，コントロール不良の糖尿病などで低値になることがあり，注意が必要である。IGF-Ⅰが低下する疾患は成長ホルモン分泌不全症（AGHD：adult growth hormone deficiency），GH 受容体異常の Laron 型低身長症をおさえておく。
③診断において最も重要とされているのは，OGTT で GH が $0.4\mu g/L$ 未満に抑制されないことである。OGTT は特異度が高く，診断基準にも明記されている。（2015 年）[2]。活動性先端巨大症ではほぼ全例で抑制されない。ただし，空腹時血糖≧200mg/dL の糖尿病患者では行わないこととされる。糖尿病，肝腎疾患，若年者では OGTT では GH が正常域まで抑制されないこともあるからである。
④試験問題に頻出しやすいが，TRH，LHRH 試験での奇異性上昇，ドパミン作動薬で GH が上昇しないなどはあくまで参考所見である[3]（**表3**）。GH の奇異性上昇は LHRH 試験で 20%，TRH 試験で 80% にみられ，TRH 試験がしばしば選択される。通常，ドパミンなどのカテコールアミンは視床下部の GHRH 分泌促進およびソマトスタチン分泌抑制を介し GH 分泌を促進する。

表3 GH 分泌のホルモン動態

	GH 分泌	
	先端巨大症	健常人
ブドウ糖	→	↓
TRH/GnRH	↑	→
ドパミン作動薬	↓	→
日内変動	消失	あり（朝低夜高）

4 先端巨大症　35

▶先端巨大症の画像上の特徴

T2強調で低信号。成長ホルモン産生下垂体腺腫は下方へ進展することが多い。
頭部X線でトルコ鞍の拡大，手足X線で手指末節骨の花キャベツ用肥大・変形，足底軟部組織肥厚（＞22m）などは国家試験でも頻出である。

▶先端巨大症の治療の流れ

第一選択は手術療法（Hardy法）である（図1）[3]。成功率は腫瘍の大きさと海綿静脈洞浸潤の程度が関与する。大きさによっては術前薬物療法も行われる。

手術の治癒基準は，目標はブドウ糖負荷後のGH抑制値1（0.4）μg/L未満，IGF-I濃度を年齢別基準範囲内とすることに加えて，さらに臨床的活動性を示す徴候がないことも重視される。なお，頭痛（典型的な血管性頭痛は除く），発汗過多，感覚異常（手根管症候群含む），関節痛のうち2つ以上があると，臨床的に活動性ありと判断する（後述）。

手術不能例および術後コントロール不能例については，第二選択として薬物治療を行う。薬物治療は注射製剤が中心であるが，内服薬もある。

薬物治療のコントロール基準も定められている。こちらはGHでの判定は含まれず，IGF-I濃度を年齢別基準範囲内とすることに加えて，さらに臨床的活動性を示す徴候がないことが求められる。

図1 治療の流れ

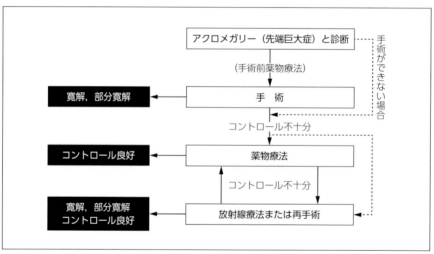

（文献3をもとに作成）

▶先端巨大症の代表的な注射薬剤2種類とその特徴

1. ソマトスタチンアナログ

オクトレオチド酢酸塩（サンドスタチン®）皮下注製剤または筋注徐放性製剤

まず，皮下注100〜300μg/日を2〜3回/日に分け，2週間以上投与し，効果や安全性を確認する義務がある。その後，筋注の徐放性製剤を，10〜40mg/回用いる（左右の臀部に交互に筋肉内注射）。

なぜ最初から徐放性製剤ではだめなのか？
①オクトレオチド酢酸塩では，アナフィラキシー症状が報告あることから，皮下注で安全を確認，副作用（後述）による不耐能もチェックする必要がある。 ②徐放性製剤では，投与後約2週間は薬物濃度が十分な血中濃度に達しないため。

ランレオチド酢酸塩（ソマチュリン®，皮下注）徐放性製剤

オクトレオチド酢酸塩の改良版である。ランレオチド酢酸塩徐放性製剤では，筋肉注射が必須ではなく，深部皮下への投与でよい。投与後，速やかに最高血中濃度に達し，その後緩徐に減量し消失する薬物動態の改良から，事前2週間の皮下投与が不要となる。

オクトレオチドからの改良点は？
①注射量もオクトレオチド酢酸塩皮下注の半分以下と少なく，使い捨てできる。オクトレオチド酢酸塩徐放性製剤では注射用量が約2mLに対して，最大投与量の120mg製剤でも注射量は0.44mLと少量でよい。 ②本薬は注射針付プレフィルドシリンジ製剤で製剤溶解，注射筒充填，注射針作業が不要。 ③オクトレオチド酢酸塩不耐能例に対しても別の選択肢となりうる。

ソマトスタチンアナログの治療効果と副作用

GH/IGF-Iの正常化が60～70%，腫瘍縮小効果が約50%である。治療効果は，ほとんどの症例で長期効果が望まれ，脱感作の報告は少ない。

副作用はほぼ同じであり，徐脈，便秘，胆汁うっ滞による無症候性胆石，脱毛，注射部硬結・疼痛などまたインスリン分泌抑制による耐糖能障害もおさえておきたい。

2. GH受容体拮抗薬（GHアンタゴニスト）皮下注射：ペグビソマント（ソマバート®）

GH受容体に結合することで本来のGHと競合し，GHからのIGF-I産生を抑える薬剤である（**図2**）[4]。

適応

使用基準については意見が分かれているが，術後（腫瘍径が小さい）や，他剤の効果が不十分で，GHはさほど高くないが，IGF-I分泌過剰状態がある症例，などに使える（low GH type）。

IGF-I正常化によるIGF-Iのシグナル伝達の抑制で症状寛解に役立つ。しかし，本来のGHは増加し（競合の結果），各臓器のGH受容体増加などの危険性を孕んでいる。

治療効果

治療効果として，80%以上の患者でIGF-Iを正常化させ，関節肥大などの臨床症状改善例もある。ただし，下垂体腺腫の縮小効果はない。

副作用

副作用は，注射部位の痛みや胃腸症状，また初回投与後6カ月以内は肝機能異常に注意する必要がある。

図2　GH受容体拮抗薬のペグビソマントの作用機序

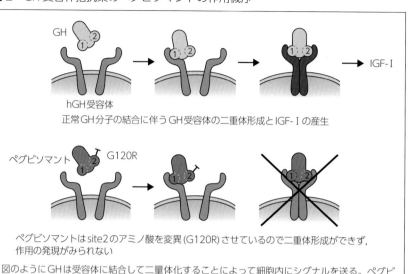

(文献4より引用)

▶先端巨大症の内服薬

ドパミン作動薬：ブロモクリプチン（パーロデル®），カベルゴリン（カバサール®）

　成長ホルモン産生下垂体腺腫の一部にD_2受容体が発現しており，ドパミン作動薬（D_2受容体刺激薬）が有効な例がある。以前使用されていたブロモクリプチンメシル酸塩では正常化に至る例が10％前後で腫瘍縮小効果はほぼない。

　カベルゴリンでは通常のプロラクチン産生腫瘍に使用する1mg/週ではなく，2〜3mg/週の高用量にて20〜30％前後という報告がある[2]。一部腫瘍縮小効果も報告されている。またソマトスタチンアナログと併用することでより良い効果が得られるとの報告も増えてきている[2]。

　消化器症状，鼻閉，立ちくらみなどの副作用のほかに，長期使用による心臓弁膜症の副作用も留意すべきである。

▶先端巨大症の放射線療法

　第三選択として，放射線療法がある。手術ができない場合や手術後コントロール不良で薬物療法により効果がない場合，再発の場合に行う。早期の改善は乏しく，晩発性下垂体機能低下症に注意が必要である。従来の少量分割照射法よりも，定位的放射線治療（ガンマナイフ，サイバーナイフなど）が主流である。

▶先端巨大症の治癒基準の評価と注意点

1. 治癒基準

　治癒基準と治療方針を**表4**[5]に示す。
　コントロール良好と不良に分けて，それ以外を不十分とする。
　①コントロール良好：OGTTで，GH 1.0μg/L未満＋IGF-Ⅰ正常＋臨床的活動性がない（頭痛，発汗過多，感覚異常，関節痛）。

②コントロール不十分：①および③いずれにも該当しないもの。
③コントロール不良：OGTT で，GH 2.5μg/L 以上＋IGF-I 高値＋臨床的活動性がある（頭痛，発汗過多，感覚異常，関節痛のうち 2 つ以上）。

表4 治癒基準と治療方針

	治療効果の判定（治癒基準）			治療方針
	75gOGTT 後のGH 低値	IGF-I 値	臨床的活動性を示す症候	
コントロール良好（治癒または寛解）	1μg/L 未満	年齢・性別基準範囲内	まったくなし	治療継続/経過観察
コントロール不十分	①および③にいずれも該当しないもの			治療方法の変更/追加を考慮
コントロール不良	2.5μg/L 以上	年齢・性別基準範囲を超える	あり	治療方法の変更/追加

（文献5より引用）

2. 治癒判定における注意点

治癒判定は，診断時とは異なり，薬物治療中のことが多いので，随時測定した GH が 1.0μg/L 未満であれば必ずしも OGTT は必要ない，というのもポイントである。また GH 受容体拮抗薬だけは血中 GH は使えないので，IGF-I と臨床的活動性で判断する。

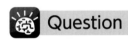

鍵穴のマークは問題の難易度を示します。

 手指のしびれが主訴となる疾患はどれか，2 つ選べ。

A：Basedow 病
B：先端巨大症
C：原発性副甲状腺機能亢進症
D：特発性副甲状腺機能低下症
E：プロラクチン産生腫瘍

正答 B, D

 先端巨大症について正しいものはどれか，2 つ選べ。

A：MEN 1 の下垂体腫瘍の合併率は 70％以上である。
B：健常人にて OGTT で GH＜0.4ng/mL に抑制される。
C：ソマトスタチンアナログ治療中は頻脈に注意する。
D：ソマトスタチンアナログで効果不十分で，IGF-I 上昇があれば，カベルゴリン併用は有効な場合がある。
E：通常ドパミン作動薬のカベルゴリンはプロラクチン産生腫瘍単独よりも量は少量でコントロール可能である。

正答 B, D

先端巨大症について正しいものはどれか，2つ選べ．

A：先端巨大症において，GH の奇異反応は LHRH 試験のほうが TRH 試験より高率にみられる．
B：治癒基準は GH/IGF-I 値に臨床的活動性の評価が用いられる．
C：GH 受容体拮抗薬に腫瘍縮小効果はなく，定期的な画像検査で腫瘍径評価が重要である．
D：下垂体腺腫は側方に進展しやすく，腫瘍径が小さくても海綿静脈洞を浸潤する．
E：ランレオチド酢酸塩は筋肉注射する必要がない分，従来のオクトレオチド酢酸塩より皮下注量が多い．

正答💡 B，C

  先端巨大症術後1年間が経過した30歳男性．肥満と肝障害を指摘されたため来院した．この疾患の診断に有用な検査はどれか，2つ選べ．

A：GHRH 負荷
B：GHRP2 負荷
C：インスリン
D：ブロモクリプチン
E：TRH 負荷

正答💡 D，E

  高リン血症の原因について正しいものはどれか，2つ選べ．

A：横紋筋融解症
B：先端巨大症
C：代謝性アルカローシス
D：副甲状腺機能亢進症
E：続発性副腎皮質機能低下症

正答💡 A，B

文献

1) 平田結喜緒，他，編：下垂体疾患診療マニュアル改訂第2版．診断と治療社，2016．
2) 高橋裕：下垂体前葉—先端巨大症．日内会誌．2014；103：825-831．
3) 日本内分泌学会，編：内分泌代謝科専門医研修ガイドブック．診断と治療社，2018, p211-212．
4) 高野加寿恵：Acromegaly handbook．千原和夫，他，監．メディカルレビュー社，2005, p108．
5) 間脳下垂体機能障害に関する調査研究班：先端巨大症および下垂体性巨人症の治療の手引き（平成17年度 総括・分担研究報告書）．厚生労働科学研究費補助金難治性疾患克服研究事業，2006．

〈巨人の秘密を追え〜遺伝子変異〜〉

　　1型男の　半分は　巨人で，フィンランド出身の　アリルは　家族ぐるみで巨人だ。
　　MEN 1　　50%　先端巨大症　　　　　　　　　　　AIP　　　家族性GH腺腫

　　プルカリア出身の　カーニー夫妻は　5人に1人が巨人らしい。
　　PRKARIA　　　Carney complex　　20%

〈巨人化しないかの確認方法および健常人との見分け方〉

　　巨人はもともと　頭を抱えたり，　肘を痛がったり，　そわそわして　汗っかきだ。
　　　　　　　　　　頭痛　　　　　関節痛　　　　　感覚異常　　　発汗過多

〈治療後にその様子がなくなっているか確認しよう。その症状は体の中のGH（金貨）が原因だが，量を確かめる方法がある〉

　　75gの砂糖を投与しても金貨を　1枚も　出さなければ巨人化することはない。
　　　　　　　　　　　　　　　　1.0μg/L　未満

　　逆に金貨を　2.5枚以上出すようであれば，巨人化する可能性が残っている。
　　　　　　　2.5μg/L以上

　　健常人であれば金貨を　惜しみ，体から出したりしない。
　　　　　　　　　　　　0.4μg/L未満

第2章 間脳下垂体

5 下垂体前葉機能低下症＋ホルモン補充療法の順序

Key Question

症例：16歳男性。頭痛，視野障害，口渇を主訴に来院した。MRI画像を示す（**図**）。
検査所見：〈血算〉WBC 8,040/μL（Neut 41.0%, Lymp 45.1%, Mono 6.2%, Eos 7.3%, Baso 0.4%），RBC 480万/μL，Hb 13.6 g/dL，Ht 39.3%，Plt 12.5万/μL。〈生化学〉TP 5.9 g/dL，Alb 3.4 g/dL，BUN 20 mg/dL，Cre 0.77 mg/dL，Ca 10.0 mg/dL，P 3.5 mg/dL，Na 146 mEq/L，K 3.8 mEq/L，Cl 106 mEq/L，HDL-Chol 37 mg/dL，LDL-Chol 81 mg/dL，TG 132 mg/dL，CRP 0.01 ng/mL，GH 0.10 ng/mL，IGF-I 76 ng/mL，LH 0.2 mU/mL未満，FSH 0.2 mU/mL未満，テストステロン 0.01 ng/mL未満，TSH 0.01 μU/mL未満，FT_4 0.91 ng/dL，PRL 20.6 ng/mL，ACTH 0.02 pg/mL未満，コルチゾール 2.0 μg/dL，ADH 1.2 pg/mL，sIL2R 100.9 U/mL，hCG 13,100 U/L（5,000 U/L未満）。
尿所見：尿量 3,500 mL/日，尿浸透圧 295 mOsm/kg。

①最も考えられる疾患はどれか。

- A：Rathke囊胞
- B：悪性リンパ腫
- C：リンパ球性下垂体炎
- D：頭蓋咽頭腫
- E：胚細胞腫（germinoma）

②この時点で早急に補充する<u>必要性がない</u>ものはどれか，2つ選べ。

- A：GH
- B：コルチゾール
- C：チラーヂン®S
- D：バソプレシン
- E：LH/FSH

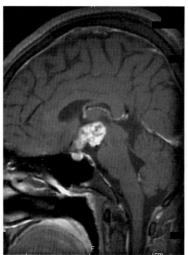

図 MRI（T1強調）

Answer

① E

解説

　下垂体機能低下症は様々なパターンで必ず出題される。本症例では，若年者の続発性下垂体機能低下および尿崩症の原因を画像診断で判断することと，補充順序についての理解が求められている。

A：画像所見からは考えにくい。
B：IL-2 腫瘍マーカーは陰性である。
C：炎症所見がない。
D：石灰化所見は考えやすいが hCG 高値である。
E：最も考えられる。

② A, E

解説

A：B, C, D に比べると早急ではない。
B：一番初めに補充すべきである。
C：コルチゾール補充後に開始すべきである。
D：現時点で尿崩症であり，コルチゾール補充後に悪化する可能性もあり早急に必要である。
E：B, C, D に比べると早急ではない。

Key Lesson

○下垂体機能低下症の治療の順序：①副腎皮質ホルモン ➡ ②甲状腺ホルモン，または，尿崩症が顕在化すれば抗利尿ホルモン（ADH）または個々患者に合わせ性腺ホルモンや GH の補充順序となる。
○男性に多い下垂体疾患は，ACTH 単独欠損症（isolated ACTH deficiency：IAD），IgG4 関連漏斗下垂体炎である。

知識の整理

▶汎下垂体機能低下症の病態・疫学

　病歴から診断は容易であるが，汎下垂体機能低下症は内分泌として最も「全人的に診る」代表的疾患のひとつである。年齢分布としては 60 歳前後が多く，原因は多岐にわたる。
①新生物（下垂体腺腫，頭蓋咽頭腫，Rathke 嚢胞，胚細胞腫，髄膜腫）。
②炎症，自己免疫・代謝異常（リンパ球性下垂体炎，肉芽腫，抗 PIT-1 抗体症候群）。
③治療によるもの（視床下部，下垂体手術後や放射線照射後）。

④感染性，薬剤性

⑤血管性，外傷性（小児の出産時外傷，頭部外傷，妊娠分娩に続発する Sheehan 症候群）。

⑥特発性・遺伝子異常〔トルコ鞍空洞（empty sella）症候群，遺伝子異常（*PIT-1*，*PROP-1* 異常）〕。

①〜⑤で原因の 90％を占める。

Sheehan 症候群は分娩管理進歩で減少する一方，産褥期関連のリンパ球性下垂体炎の報告例が増加している。

ちなみに，障害頻度は，ACTH（84％）＞TSH＞LH/FSH（70％前後）＞GH＞AVP＞PRL である。

あくまで目安なので，障害部位によって変わることは念頭に置いておきたい（視床下部障害の場合，TSH は低値よりも正常域〜高値をとる，視床下部または下垂体茎障害では PRL は高値となるなど）。

【参考】前葉炎など炎症では，ACTH＞TSH≒GnRH（LH/FSH）＞GH＞PRL の頻度で障害を受けやすい。炎症よりも下垂体腫瘍などの圧迫では，GH➡GnRH（LH/FSH）➡TSH➡ACTH➡PRL と，経時的，階層的に低下していく。

▶ 汎下垂体機能低下症の症状・所見

症状は，復習もかねて，一度目を通しておく。

①ACTH 不全症状 ➡ 副腎からのコルチゾール低下による全身倦怠感，易疲労感，低血糖，体重減少，感冒での微熱継続や高熱などである。

検査所見は低ナトリウム血症が特に重要で，低血糖，貧血，好酸球増加，CRP 陽性など。

②TSH 不全症状 ➡ うつ症状，耐寒性低下，発汗減少，皮膚乾燥，徐脈，便秘。

③LH/FSH 不全症状 ➡

小児期：性腺発育不全，低身長にならない（骨端線未閉鎖のため，ただし低 GH との兼ね合いによる）。

成人期以降：無月経，インポテンツ，陰毛脱落。

④GH 不全症状 ➡

小児期：低身長（臓器も含めた発育不全），低血糖。

成人期以降：AGHD（☞ 2 章 12 節参照）。

下垂体性副腎機能低下症と原発性副腎機能低下症の違いは？

原発性副腎皮質機能低下症（Addison 病など）では球状層も障害を受けるが，下垂体性副腎機能低下症では，レニン依存性のアルドステロン分泌は一般に低下しない。

▶ 汎下垂体機能低下症の診断

診断には負荷試験での確認が重要であるが，①〜④についても整理しておく。

①狭心症の既往歴や心筋梗塞のリスクがある場合，ITT は禁忌であるので注意する

②巨大な嚢胞や腺腫の場合は，特に TRH または LHRH にて下垂体卒中が起こるリスクを説明する

③3 者負荷試験：CRH＋TRH＋LHRH（下垂体機能）

④4 者負荷試験：CRH＋TRH＋LHRH＋GHRP-2（下垂体機能）

▶負荷試験の目安

実際の負荷試験について（投与方法や採血時間，評価など）は，『内分泌臨床検査マニュアル』（日本医事新報社）を参照（一読されたい）。

ここでは，実際の負荷試験での評価および注意点で，同マニュアルに記載のないことも含めて簡単に補足する。

1. CRH 負荷試験

CRH は，下垂体の ACTH 産生細胞を直接刺激して ACTH 分泌を促進する。

先端巨大症では，GH 産生腫瘍細胞が CRH に反応して GH 分泌が増加する場合がある（奇異反応）。診断の感度は低いが，手術予定の場合，治療後の GH 分泌異常が消失したか否かの判定および術後のヒドロコルチゾン（コートリル®）補充が必要かの判定には有用である。

測定項目

ACTH，コルチゾール，GH。

正常反応

- ACTH：30～60 分で前値の 1.5 倍以上，または 30pg/mL 以上
- コルチゾール：やや遅れて前値の 1.5 倍以上，または 15μg/dL 以上

異常反応

- ACTH・コルチゾール無反応 ➡ Cushing 症候群，ACTH 分泌障害
- ACTH・コルチゾール高値のまま無反応 ➡ 異所性 ACTH 産生腫瘍，一部の Cushing 病（約 10%）
- ACTH・コルチゾール過剰反応 ➡ Cushing 病（約 90%）
- ACTH 過剰反応・コルチゾール無反応 ➡ 原発性副腎皮質機能低下症
- ACTH・コルチゾール遅延過大反応 ➡ 視床下部障害

奇異反応

- GH：前値の 2 倍以上になる（例：先端巨大症など）

注意事項

- 測定の際 ACTH，コルチゾールは氷冷する
- ステロイド内服者は，検査 7 日前からコートリル®に変更し，検査当日朝は内服せずに検査を施行（ステロイド換算：コートリル® 20mg＝プレドニン® 5mg＝デカドロン 0.5mg）。顔面のほてりや紅潮を約 30% の被験者に認めるが，数分～30 分で消失する

2. TRH 負荷試験

TRH は下垂体を直接刺激して，TSH および PRL 分泌を促進する。

先端巨大症では，GH 産生腫瘍細胞が TRH に反応して GH 分泌が増加する場合がある（奇異反応）。

5 下垂体前葉機能低下症＋ホルモン補充療法の順序　　45

測定項目

TSH，PRL，GH

正常反応

- TSH：30 分後に 6μU/mL 以上になる。15～30 分後に女性で 6 ～ 30（平均 16.8）μU/mL，男性で 3.5～15（平均 7.1）μU/mL になる。女性で 30μU/mL 以上，男性で 15μU/mL 以上になるのは過剰反応。TSH の頂値が 60 分以降になるのは遅延反応。
- PRL：15～30 分後に前値の 2 倍以上になる（かつ 13ng/mL 以上）。プロラクチン産生腫瘍では前値の 2 倍以下と反応性が不良である。

奇異反応

- GH：前値の 2 倍以上になる。

注意事項

- 妊婦には禁忌
- マクロな下垂体腫瘍患者では，下垂体卒中に注意する。長径が 3cm を超える巨大下垂体腺腫や内部に嚢胞が疑われる場合は，下垂体卒中のリスクが高いため本試験は控えたほうがよい。動悸，めまい，嘔気，熱感，尿意，味覚異常が一過性（5 分以内に消失）に生じることがある。先端巨大症だけでなく，神経性食欲不振症（AN），うつ病などで GH が高値の際も GH は反応する。

3. LHRH 負荷試験

LHRH は下垂体に直接作用し，LH および FSH の分泌を促進する。先端巨大症では，GH 産生腫瘍細胞が LHRH に反応して GH 分泌が増加する場合がある（奇異反応）。

測定項目

LH，FSH，GH。

正常反応

- LH：前値の 5～10 倍に増加する（30 分で頂値）。FSH：前値の 1.5～2.5 倍に増加する（60～90 分で頂値）。

異常反応

- 無反応 ➡ 下垂体性性腺機能低下症，視床下部性性腺機能低下症
- 低・遷延反応 ➡ 続発性性腺機能低下症
- 過剰反応 ➡ 原発性性腺機能低下症，更年期，閉経後
- LH のみ過剰反応 ➡ 多嚢胞性卵巣症候群（PCOS）

奇異反応

- GH：前値の 2 倍以上になる。

注意事項

- 女性患者では，検査日が排卵期でないことを確認する（女性では，卵胞期早期に行

うのが理想）。稀に軽いのぼせ感，軽度の血圧上昇，頻脈を認めることがある。正常の女性では，排卵期＞黄体期＞卵胞期で反応が大きい。

参考値
- 成人男性の LH 基礎値：8.0 ± 5.4，LH 頂値：85.3 ± 47.1
- 成人男性の FSH 基礎値：8.4 ± 4.2，FSH 頂値：19.1 ± 7.6

4. GHRP-2 負荷試験

GHRP-2 は視床下部を介して GH 産生細胞に作用し，GH の分泌を促進する。重症型成人 GH 分泌不全症の診断のために用いられる試験である。また，GHRP-2 は PRL 分泌も刺激することが知られている。

測定項目
GH，PRL

正常反応
- GH：9 ng/mL 以上（小児は 16 ng/mL 以上）

異常反応
- GH なし～低反応 ➡ 重症成長ホルモン分泌不全
- PRL なし～低反応 ➡ プロラクチン産生腫瘍，プロラクチン分泌不全

注意事項
- 通常，小児には用いない検査である。
- 一過性の熱感，腹鳴，発汗が現れることがある。

▶治療と予後

補充の順序が重要とされる。

①ACTH 不全に対するヒドロコルチゾン（コートリル® 10～20 mg/日，日本人は 15 mg/日が一般的）の補充が最初である。副腎クリーゼの場合は数倍～10 倍量を経口・経静脈投与とする。速やかに症状がとれることもあるが，重症例では 1～2 日を要する。

②TSH 不全に対しては，①が必要な場合は 1～2 週間ヒドロコルチゾン投与を先行させるよう推奨されている。心疾患の有無も注意し，レボチロキシンナトリウム（チラーヂン®S）を少量から開始する（12.5～25 μg/日）。当然ながら，原発性甲状腺機能低下症と異なり，TSH は目安にできず FT_4 で補充量を調整する。

③その他の GH，LH/FSH，AVP 補充については，AGHD，特発性低ゴナドトロピン性性腺機能低下症，中枢性尿崩症に準ずる。ただし，実臨床では巨大腺腫術後に下垂体茎温存が不可能で前葉・後葉障害が同時に認められる場合も多い。さらに ACTH 不全症状で水利尿不全があると，仮面尿崩症（masked DI）となることがあり，開始後，尿崩症が顕在化することもある。

まとめると，①副腎皮質ホルモン ➡ ②甲状腺ホルモン，または，尿崩症が顕在化すれば抗利尿ホルモン（ADH）➡ ③個々患者に合わせて性腺ホルモンや GH，の補充順序となる。

原疾患がコントロールされ適切な治療がなされていれば，短期的にはほとんど日常生活に支障はない。治療は長丁場になる必要性を説明し，短期～長期予後の改善メリットを説明すべきである。長期的にみた死因は心血管障害が多いとされる。ヒドロコルチゾンとGHの補充では，高血圧，糖尿病，骨粗鬆症，悪性腫瘍を悪化させる可能性もあり，細やかな配慮が必要である。

▶下垂体機能低下症を引き起こす重要な関連疾患

1. Sheehan症候群

病態―分娩直後に起こるのか？

妊娠に伴う下垂体生理的腫大＋分娩時大量出血・循環虚脱が原因で，出産時後の乳汁分泌不全と無月経が診断に重要である。分娩直後発症は稀で，発症までに数年～10年単位の時間を要することが多い。

TRH刺激でのPRL反応低下はほかの要因による下垂体機能低下では稀であり，分娩時に大量出血があればTRH試験はよいスクリーニングになる。臨床的に尿崩症と診断できるのは稀であるが，潜在的な後葉機能低下の合併は多い。

画像の特徴

MRI画像では，急性期には非出血性腫大（T1で高信号，T2で低信号で，造影効果なし）を示すが，実際は慢性期に画像診断されることが多く，下垂体は萎縮し，empty sella所見である（しかし原発性empty sellaと違い，トルコ鞍のサイズが正常であることは鑑別になる）。

鑑別疾患

鑑別で重要なのは，妊娠期に併発しやすいリンパ球性下垂体炎（MRIで下垂体茎の肥大や著明な造影効果で鑑別容易）や下垂体腺腫に伴う下垂体卒中（分娩前後であれば鑑別困難）である。

2. リンパ球性下垂体炎（自己免疫性下垂体炎）

病態―好発時期と他の合併しやすい自己免疫疾患は？

前葉・後葉の障害で病理的にリンパ球性汎下垂体炎，リンパ球性漏斗下垂体後葉炎とわけることがある。また成因の分類では原発性/続発性に分けられ，続発性は下垂体近傍の疾患に伴う炎症の波及や全身疾患（IgG4関連，サルコイドーシスや肉芽腫，感染）などがある。

下垂体疾患の約1％で，女性に多い。前葉炎は妊娠末期，分娩前後（産褥期）に好発する。前葉炎主体であっても後葉に炎症が波及し，20％は尿崩症を認める。自己免疫疾患の合併も多く，橋本病などが多い。Addison病，1型糖尿病合併の報告例もある。そのためSheehan症候群との鑑別は重要である。

リンパ球性漏斗下垂体後葉炎は妊娠・分娩とは相関がないとされている。また抗下垂体抗体は原発性にも特異的ではなく参考所見である。

画像の特徴

急性期MRIでは下垂体は均等に左右対称性に肥大し，下垂体茎も種々の程度に肥大するが，偏位はなく，トルコ鞍の破壊変形もない。早期より充実性かつ均質に著明な造影

効果（early and well enhancement）となる。長期経過例では下垂体領域が empty sella となることもある。

　あくまで確実な診断は病理による生検であるが，生検のリスクとして永続する尿崩症に注意が必要である。実際は経時的な MRI や経過観察，ステロイドによる治療的診断で総合的に診断されるケースが多い。続発性や腫瘍性病変との鑑別が困難な際や視力・視野障害が進行する場合に減圧による症状改善も期待して生検を選択することもある。

治療

　治療としては，診断を十分吟味した上で，自己免疫疾患としてステロイド〔プレドニゾロン（PSL）1 mg/kg・体重の経口投与もしくはメチル PSL のパルス療法〕にて反応を観察する（治療的診断）。無効例では組織生検と減圧を目的として手術を行う。後葉炎主体の場合も薬理量のステロイドを投与するかは結論が出ていない（ステロイド大量投与で永続的な尿崩症の防止につながる場合がある）[1]。

3. IgG4 関連漏斗下垂体炎

　IgG4 関連疾患（血清 IgG4 高値と様々な罹患臓器への著明な IgG4 陽性形質細胞浸潤を特徴とする全身性，慢性炎症性疾患）病変は時間的・空間的多発性を特徴とする。他科にまたがることが多く，注目が集まっている。内分泌科にも紹介されることがあるため，整理しておく必要がある。

下垂体以外の罹患臓器

　中枢神経系では漏斗下垂体炎，肥厚性硬膜炎，脳内腫瘤性病変が知られている。

　それ以外の臓器では，涙腺・唾液腺〔Mikulicz 病，硬化性唾液腺炎，Küttner 腫瘍〕，眼窩（偽腫瘍），甲状腺（Riedel 甲状腺炎），肺（間質性肺炎），膵臓（自己免疫性膵炎），胆管（硬化性胆管炎），肝臓，消化管（炎症性偽腫瘍），腎臓（尿細管間質性腎炎），前立腺炎，後腹膜腔（後腹膜線維症），リンパ節，大動脈などの血管（リンパ形質細胞性大動脈炎/好酸球性血管中心性線維症），皮膚（偽リンパ腫），乳腺炎などがある。Mikulicz 病は Sjögren 症候群と混同しやすいため注意が必要である。

性差―下垂体炎

　内分泌領域では IgG4 漏斗下垂体炎がよくみられ，中高年に多く，男性に多い（男：女＝3：1）。

　前葉炎による前葉機能低下および後葉炎による尿崩症の両方を認める場合が多い。

表1 IgG4 関連疾患の臨床診断基準

①臨床的に単一または複数臓器に特徴的なびまん性あるいは限局性腫大，腫瘤，結節，肥厚性病変を認める
②血清学的に高 IgG4 血症（135 mg/dL 以上）を認める
③病理組織学的に以下の 2 つを認める 　Ａ．組織所見：著明なリンパ球，形質細胞の浸潤と線維化を認める 　Ｂ．IgG4 陽性形質細胞浸潤：IgG4/IgG 陽性細胞比 40%以上，かつ IgG4 陽性細胞が 10 個/HPF を超える

上記のうち，①＋②＋③を満たすものを確定診断群（definite），①＋③を満たすものを準確診群（probable），①＋②を満たすものを疑診断群（possible）とする
（文献 2 より引用）

診断基準

診断基準は今後変更があるかもしれないので注目しておくべきである。IgG4関連疾患包括診断基準としての診断アルゴリズムを**表1**[2]に示す。

日本では，まず血清IgG4＞135mg/dL，IgG4陽性細胞＞10個/HPF（IgG4/IgG＞40%）が特に診断で重要視されている。

その他，海外における確定診断の条件として，以下のように何種類か設けている。

①病理組織所見で単核球浸潤（リンパ球や形質細胞，IgG4陽性細胞＞10個以上/HPF）。

②MRIでリンパ球性下垂体炎所見＋組織学的に証明された下垂体以外の臓器病変がある。

③MRIでリンパ球性下垂体炎所見＋血清IgG4＞140mg/dL＋腫瘍やステロイド反応性の症状がある。

治療

治療はステロイドで速やかに改善するが，減量とともに再燃することがある。ステロイドによる良好な反応は診断を支持する参考所見にはなる。下垂体茎腫大の改善効果は著しく，前葉機能は一部回復がみられることがあるが，尿崩症はほぼ不変である。

4. 遺伝性下垂体疾患

先天性複合性下垂体ホルモン欠損症である。下垂体の発生・分化には多くの転写因子が必要である。下垂体前葉の5種類のホルモンが共通の前駆細胞から分化することがわかっている。遺伝子変異のある転写因子によって，障害されるホルモンが規定されるため重要である。

病態―*PIT-1*と*PROP-1*はどの細胞の分化に重要なのか？

とりわけ*PIT-1*（*POU1F1*），*PROP-1*（prophet of PIT-1）遺伝子異常を記憶しておきたい。特にこの2つは，下垂体発生の初期，前葉の分化において重要な転写調節因子である。異常は，常染色体劣性遺伝が基本である。**図1**に示すように，PIT-1蛋白質をコードしている*PIT-1*遺伝子はGH，PRL，TSH細胞の分化に重要である。

症状・所見

実際の*PIT-1*遺伝子欠損症例では，GH，PRLの分泌は完全に不全であるが，TSHの分泌不全はまばらである。胎生期の発育や出生体重に異常がないが，乳児期早期にGH分泌不全があれば，症状として発達障害が前面化する。

*PROP-1*は*PIT-1*の制御に関わり，GH，PRL，TSHに加えてLH/FSHの分泌も低下する。

MRI所見では，*PIT-1*遺伝子欠損の場合には下垂体低形成が多いが，*PROP-1*遺伝子欠損の場合は正常や腫大例もある。

5. ACTH単独欠損症

病態

先天性家族性でない青年，壮年期のACTH単独欠損症は原因不明だが，抗下垂体抗体陽性であったり，他の自己免疫疾患の合併などがあることから，リンパ球性下垂体炎

図1 下垂体神経幹細胞の分化

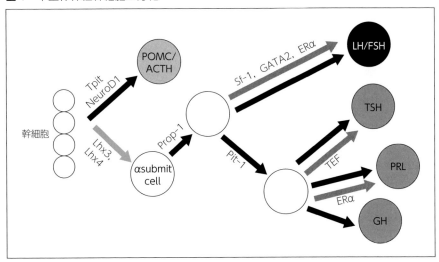

の末期像とも考えられている。

また，壮年期の ACTH 単独欠損症の原因の一部に ACTH 細胞の特異的転写因子（*T-PIT*）の遺伝子変異があることも留意したい。GH 分泌不全や TSH，PRL，LH/FSH の軽度上昇は続発性副腎皮質機能低下の改善により正常化する。なおこの現象は，コルチゾールが内因性に GH 促進や TSH，PRL，LH/FSH の抑制に一役買っていることも意味する。

男女差

中高年の男性に好発し，反復する低血糖発作，低ナトリウム血症を主体とする。年齢層で小児，青年，壮年と分けることもあるが，おおむね男性が多い（4：1）。男性と違い，女性の男性ホルモンの多くは ACTH 依存性に副腎から産生されるため，ACTH 分泌不全で，腋毛や陰毛の脱落が起こる。

画像の特徴

MRI 所見では，下垂体萎縮と empty sella であることが多い。CRH 試験や ITT での ACTH 分泌不全や迅速 ACTH 試験でのコルチゾール低反応/ACTH-Z 連続負荷試験での増加反応などで確認する。

6. 外傷や出血

病態—何%に下垂体機能低下がみられるのか？

頭部外傷・脳血管障害後の 20～40% に下垂体機能低下が認められたという報告がある[3]。小児期には発達障害など GH 分泌不全も予想外に多いことが注目されている。

発症後急性期の下垂体機能低下は一過性であることが多く，発症直後や急性期（7～14 日以内）のコルチゾールが 7.2μg/dL 未満の場合や副腎皮質機能低下所見あれば糖質コルチコイド補充を検討する。急性期に機能低下があっても時間とともに改善する例もある。真の下垂体機能低下症には数カ月以後となるため，少なくとも 1 年以内に下垂体機能評価が必要である。

7. 下垂体卒中

病態―全例症状が急激なのか？

よく，急激な頭痛，嘔吐，視機能障害が先行する臨床症候群のイメージがあるが，約半数は眼症状がなく，本疾患を疑うことが重要である。CTのみではなく，MRIの精査が重要である。多くは下垂体腺腫（マクロアデノーマが多い）をベースに梗塞/出血をきたすケースである。

試験問題では，頭部外傷，抗凝固療法開始後，巨大腺腫に対して，カベルゴリン（カバサール®）やブロモクリプチンメシル酸塩など内服後，下垂体機能負荷試験などが誘因として挙げられるが，実際は誘因が存在しない症例のほうが多い。

①ホルモン分泌障害は前葉機能障害（約50％）が多く，後葉障害（10％程度）は少ない。
②眼球運動障害としては動眼神経麻痺が多い。
③治療は症状が重いほど早期の手術が行われる。適切な治療により視機能障害は80～90％の症例で改善がみられる。

> **empty sella を Rathke 囊胞と勘違いする受験生が多いが，違いは？**
>
> ①下垂体に病変がない ➡ empty sella 症候群
>   empty sella は基本的に下垂体に病変がないとしているが，実際は10％に機能性下垂体腺腫が合併していることがある。
> ②下垂体に病変がある ➡ Rathke 囊胞（**図2**）[4]
>   すべての人間には下垂体前葉の内部に Rathke 囊という袋がある。出生時には閉鎖しているが，少数の人では囊胞の液体が残ったまま吸収されず，大きくなったり炎症を起こしたりすることがある。
>
> **図2** Rathke 囊胞のイメージ
>
>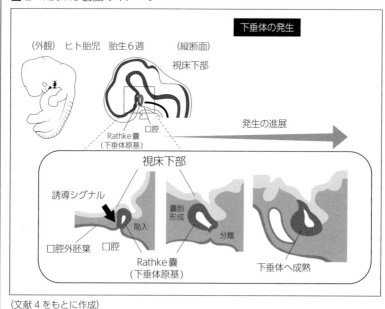
>
> （文献4をもとに作成）

Question

Q1 IgG4関連下垂体炎の特徴として合っているものはどれか，2つ選べ．

A：ステロイド投与でIgG4は低下しない．
B：血中IgEが上昇している．
C：後腹膜線維症を合併しやすい．
D：病変の生検でIgG4陽性細胞（5個/HPF）がみられれば診断できる．
E：血液IgG4が140mg/dL以上である．

正答 C, E

Q2 IgG4関連疾患に含まれないものはどれか．

A：後腹膜繊維症
B：Sjögren症候群
C：Riedel甲状腺炎
D：硬化性胆管炎
E：自己免疫性膵炎

正答 B

Q3 PROP-1転写因子により細胞分化が誘導されない細胞はどれか．

A：GH産生細胞
B：ゴナドトロピン産生細胞
C：TSH産生細胞
D：ACTH産生細胞
E：PRL産生細胞

正答 D

Q4 下垂体機能低下症について正しいものはどれか，2つ選べ．

A：PRLの分泌不全により男性では性腺機能低下を起こす．
B：頭部外傷は成人成長ホルモン分泌不全症の原因となりうる．
C：Sheehan症候群でもPRL分泌機能は保たれることが多く，TRH試験でPRLは正常反応を示す．
D：後天性のACTH単独欠損症は若年女性に多い．
E：自己免疫性下垂体前葉炎はしばしば妊娠時に発症する．

正答 B, E

文献

1) 平田結喜緒，他，編：下垂体疾患診療マニュアル．診断と治療社，2012，p181．
2) 厚生労働省難治性疾患克服研究事業奨励研究分野 IgG4関連全身硬化性疾患の診断法の確立と治療方法の開発に関する研究班：IgG4関連疾患包括診断基準2011．日内会誌．2012；101：795-804．
3) Fernandez-Rodriguez E, et al：Hypopituitarism Following Traumatic Brain Injury：Determining Factors for Diagnosis. *Front Endocrinol*. 2011；2：25.
4) 理化学研究所，名古屋大学：ES細胞から機能的な下垂体の3次元器官形成に世界で初めて成功—自己組織化技術で産生した下垂体の移植による再生医療の実現に向けて．理化学研究所HP，2011．

Picking Tool

PIT-1 ➡ **P** は PRL ／ **I** は IGF-Ⅰ から GH ／ **T** は TSH と覚える。

PROP-1 ➡ prophet of PIT-1 なので，**P** が追加。2つ目の **P** はゴナドトロピンの「ピ」として覚える。

〈empty sella〉

<u>トルコにはくもが陥入している空虚な町</u>がある。
　　　　くも膜下腔陥入による「空虚トルコ鞍」

<u>くもと町の間の障壁が弱い</u>ため，陥入したくもは<u>ずいっと町を圧排し，平たい町</u>となって
　トルコ鞍隔膜の脆弱性が原因　　　　　　　　　　　　　髄液成分下垂体圧迫，非薄化
いる。

そのせいか，町の人々は<u>ストレスで肥満気味</u>で<u>頭痛</u>を訴えている。
　　　　　　　　　　　中枢性肥満　　　頭痛

<u>エンプティ</u>と呼ばれるその町は，<u>多産を経験した中年女性が8割を占める。</u>
empty sella syndromeの特徴

第2章 間脳下垂体

6 TSH産生下垂体腺腫（TSHoma）

Key Question

症例：37歳男性。階段の上りにくさと息切れを感じ，頭痛も続くため総合病院を受診。甲状腺機能亢進症を疑われた。頭部スクリーニングMRIにて下垂体腫瘍を認め，精査・加療目的に入院となった。
画像所見：MRIでは，視交叉を上方に圧排するトルコ鞍部腫瘤を認めた。
所見：TSH 25.77 μU/mL，FT_3 7.4 pg/mL，FT_4 2.9 ng/dL。

この疾患について当てはまるものはどれか。

A：甲状腺ホルモン受容体 TRαの異常がみられる。
B：T_3に反応して TSH が上昇する。
C：TSH における血中αサブユニット比が低下する。
D：甲状腺腫大がみられる。
E：TRH 試験で TSH が上昇する。

Answer

D

解説

　TSH産生下垂体腺腫（TSHoma）は稀である。全下垂体腺腫の約1％を占めるにすぎないが，甲状腺ホルモン動態を理解する上で重要である。TSH産生下垂体腺腫の診断基準を詳細に把握する必要がある。実際の試験では，TSHにはα/βサブユニットがあること，TRにもTRαとTRβの2種類の受容体があることから混乱した受験生も多かった。この問題はSITSH（TSH不適切分泌症候群）であることを判断し，TSH産生下垂体腺腫と甲状腺ホルモン不応症（resistance to thyroid hormone：RTH）を鑑別できるかが問われている。

A：TSH産生下垂体腺腫が考えられるためあてはまらない。またRTHであったとしても，ほとんどがTRβの異常である。
B：正常下垂体は圧迫されており，T_3に反応してTSHが抑制されず上昇することはない。
C：TSH産生下垂体腺腫では血中のα鎖（サブユニット）濃度が上昇していることが多い。α-subunit/TSHモル比＞1.0である。
D：甲状腺腫大がみられることが多い。
E：正常下垂体は圧迫されており，TSHは上昇しない。実際の3者負荷試験を**表1**に示す。

表1 3者負荷試験

経過時間	0分	15分	30分	60分	90分	120分
TSH (μU/mL)	25.77	24.56	23.54	26.02	26.47	25.67
PRL (ng/mL)	8.1	29.7	30.9	21.8	15.3	14.2
ACTH (pg/mL)	24.8	59.7	72.1	53.4	28.3	19.7
F (μg/dL)	9.6	18.9	20.1	21.6	15.9	12.7
LH (mU/mL)	7.1	20.9	22.8	28.4	29.1	28.5
FSH (mU/mL)	35.3	41.4	47.1	52.6	54.9	59.7
GH (ng/mL)	1.50	3.60	3.60	1.80	1.20	1.30

Key Lesson

○甲状腺中毒症状があり血清 TSH 値が基準値内の場合は，SITSH（TSH 不適切分泌症候群）を疑う。
○SITSH は TSH 産生下垂体腺腫（TSHoma）と RTH（甲状腺ホルモン不応症）に分類される。
○いずれも抗甲状腺薬は決定的な治療として使えないことに注意する。

知識の整理

▶SITSH（TSH 不適切分泌症候群）の病態—代表的な 2 疾患の特徴

　甲状腺ホルモン高値だが，TSH は抑制されず（正常下限以上），不適切に分泌されている状態である。新生児期や全身性疾患，急性精神疾患や T_4 補充療法やその他の原因でも起こるが，病態として大事なのは以下の 2 種類である。

1. TSH 産生下垂体腺腫や異所性 TSH 産生腫瘍

　①TSH 自律分泌を認める。
　②軽微〜中等症の甲状腺中毒症状（動悸，頻脈，発汗，体重減少など，眼球突出は少ない）。
　③びまん性甲状腺腫大（約 94％にみられる）。
　④発症までの期間が長く 80〜90％は下垂体巨大症（マクロアデノーマ）である ➡ 視野障害や頭痛が起こる。TSH 値と下垂体腫瘍の大きさは相関がない。TSH 値で大きくなるのは甲状腺や甲状腺腫瘍である（ひっかけの選択肢として出される可能性が高い）。
　⑤30％に GH や PRL 同時産生を行うことが報告されている。
　⑥TRH 試験で TSH 無〜低反応（正常下垂体は圧迫されているため）。
　　マクロアデノーマであれば下垂体卒中に注意。また②に対する抗甲状腺薬/甲状腺切除/放射性ヨード治療は基本的に禁忌である：末梢の FT_3, FT_4 低下 ➡ TRH 上昇 ➡ さらなる TSH 上昇 ➡ 腫瘍増大から下垂体卒中のリスクを高める。
　⑦T_3 試験（通算 1 週間継続して 75μg/日を投与する）で TSH が抑制される。しかし外因性 T_3 の抑制反応は弱く，あくまで TSHoma と比較してという認識で覚えておく。

⑧ソマトスタチン負荷試験でTSHが抑制される。

⑨α-GSU（glycoprotein hormone α-subunit）高値。α鎖とβ鎖からなるTSH蛋白質において血中の遊離α鎖（サブユニット）濃度が上昇していることが多い。α-GSU/TSHモル比>1.0である（多くは2.0以上となる）。

⑩SHBG（sex hormone binding globulin）が高値となる。

⑪治療は手術が第一選択であるが，残存腫瘍や再発例にはソマトスタチンアナログ（保険適用外）投与や定位放射線治療などが使用される。TSH分泌抑制や腫瘍抑制効果も報告されており，術前投与がなされることもある。腫瘍組織に$SSTR2$，$SSTR5$遺伝子が発現していると効果が出やすい（SSTRはsomatostatin receptor）。

2. RTH（甲状腺ホルモン不応症）：Refetoff 症候群

①基本的に下垂体に対する甲状腺ホルモンの反応障害である。

②基本的に下垂体腺腫はない。

甲状腺ホルモンは全身性に作用するため，各臓器に甲状腺ホルモン受容体（thyroid hormone receptor：TR）がある。TRは標的細胞の核内に存在する核内受容体で，標的遺伝子の上流に結合しその発現を調節する転写因子である。RTH患者には，正常のTRαと片アリル由来の変異TRβが同時に存在している。異常TRはホルモンと結合できず，ドミナントネガティブに正常TRと競合し，働きを阻害する。TRαとβには，その臓器分布に違いがあり，異常TRの影響も臓器ごとに微妙に異なる。たとえば，心臓はα優位で，RTHでは頻脈がよくみられる。TRの異常を下垂体のみ下垂体型と全身型に分けると甲状腺機能亢進と甲状腺機能低下で分類しやすい。

③遺伝的疾患であり，85〜90%は，TRのβサブユニットの遺伝子異常（常染色体優性遺伝）➡確定診断。

なお，残りの症例における原因遺伝子は現時点では不明である。動物実験ではあるが，TRαの異常ではSITSHは起こらないとされている。

④小児では発達障害（低身長/骨年齢遅延/聴力障害）や注意欠陥多動障害（attention deficit hyperactivity disorder：ADHD）の原因となる。

⑤TRH試験でTSHが反応する：正常〜過剰反応（正常下垂体は保存されているため）

⑥TSHが自律性に分泌されているので理論的にフィードバックは無効であり，部分的に抑制が認められるRTHとの鑑別に有用である。

⑦ソマトスタチン負荷試験：無〜低反応。

⑧SHBG高値となる。

⑨基本的に対症療法や遺伝カウンセリングである。

甲状腺ホルモン値が高く，甲状腺腫があり，しばしば頻脈を認め，Basedow病と間違われて治療されることがよくある。不応状態を代償性に，甲状腺ホルモンの過分泌で補っているため，抗甲状腺薬や甲状腺摘除術を受けると機能低下症が増強され，病態としては悪化する。全身型ではSITSHで代償され治療を要しないことが多く，甲状腺機能低下ではレボチロキシンナトリウム（チラーヂン®S）を補充する。下垂体型では甲状腺機能亢進があっても，抗甲状腺薬は投与すべきでない（TSH産生が促進される）。

> **教科書でよくみられる TR 異常の説明**
>
> 教科書ではよく以下のように記載される。TRαとβの臓器分布に違いがあることを認識しなければ理解できない。
> - 下垂体型：下垂体 TR 障害のみが顕著であれば，TSH 亢進 ➡ 甲状腺機能亢進。
> - 全身型：下垂体や甲状腺を含む全身臓器の TR 障害も顕著 ➡ 甲状腺機能低下（しかし，SITSH で代償され，びまん性甲状腺腫以外の症状が現れないことも多い）。

Question　　　　　　　　　　　　　　　　　　　　鍵穴のマークは問題の難易度を示します。

 SITSH について正しいものはどれか，2 つ選べ。

A：T_3 による TSH のネガティブフィードバックの破綻により生じる。
B：診断として TSH は正常上限を超えていることが条件である。
C：下垂体性甲状腺機能亢進症のことである。
D：甲状腺ホルモン不応症は Refetoff 症候群とも呼ばれ，クレチン症の一亜型である。
E：甲状腺ホルモン不応症は一家系を除き，常染色体性優性遺伝形式をとる。

正答 A，E

解説
クレチン症は甲状腺ホルモンの欠乏による病態である。甲状腺ホルモン分泌はむしろ過剰だが，作用できない甲状腺ホルモン不応症とは本質的に異なる。

 甲状腺ホルモン不応症の診断と治療について，誤っているものはどれか。

A：外因性の T_3 に対する反応が弱い。
B：TRH 負荷試験で TSH 分泌反応がある。
C：85% 以上は TR の β サブユニット変異が原因である。
D：基本的に下垂体腺腫はない。
E：治療には甲状腺の摘除が有効である。

正答 E

第2章 間脳下垂体

7 高プロラクチン血症とプロラクチン産生腫瘍（PRLoma）

Key Question

症例：45歳女性。前年より月経異常，倦怠感が出現した。今年に入ってから無月経となったが，ストレスが強い生活をしていたため，その影響だと考え受診はしていなかった。視野欠損と頭痛を認め，総合病院の内分泌内科を紹介され受診したところ，下垂体MRIで4cmの下垂体腺腫が認められた。

血液所見：TP 6.6g/dL，Alb 3.8g/dL，AST 10U/L，ALT 8U/L，γGTP 17U/L，ALP 154U/L，LDH 111U/L，BUN 8mg/dL，Cre 0.50mg/dL，Na 141mEq/L，K 4.0mEq/L，Cl 102mEq/L，Ca 9.0mg/dL，IP 3.9mg/dL，HDL-Chol 35mg/dL，LDL-Chol 129mg/dL，TG 82mg/dL，FPG 91mg/dL，GH 0.30ng/mL，IGF-I 154ng/mL，LH 3.8mU/mL，FSH 5.1mU/mL，エストラジオール 43.2pg/mL，PRL 13,100ng/mL，TSH 2.16μU/mL，FT$_4$ 1.07ng/dL，ACTH 86.0pg/mL，コルチゾール 22.0μg/dL，ADH 1.6pg/mL。

ドパミン作動薬であるカベルゴリンによる治療を開始するが，まず患者に説明しておくべき合併症はどれか，2つ選べ。

A：Parkinson症状
B：髄液漏
C：下垂体卒中
D：心臓弁膜症
E：催奇形性

Answer

B，C

解説
巨大プロラクチン産生腫瘍（巨大腺腫）の治療や負荷試験に起こりうる合併症を理解する。
A：ドパミン作動薬なので，むしろParkinson症状は改善する。
B：正しい。
C：正しい。
D：慢性期の合併症である。
E：催奇形性は報告されていないが，妊娠が判明した時点で内服は中止する。

Key Question

高プロラクチン血症をきたさないものはどれか。

A：ハロペリドール
B：シメチジン
C：帯状疱疹
D：慢性腎不全
E：Basedow 病

Answer

E

解説

A：3 環系抗うつ薬はドパミン経路の遮断により高プロラクチン血症を引き起こす。
B：ヒスタミン H_2 受容体拮抗薬であり，抗潰瘍薬の一部はドパミン D_2 受容体に拮抗作用で働き高プロラクチン血症を引き起こす。
C：手術外傷や火傷，帯状疱疹などの胸壁疾患により，Th1～6 が刺激され，PRL 分泌が刺激される。
D：PRL のクリアランスが落ちるために高プロラクチン血症を引き起こす。
E：原発性甲状腺機能低下症であれば，内因性の TRH 産生が上昇し TSH と PRL 分泌を刺激するが，Basedow 病では高プロラクチン血症は呈さない。

Key Lesson

○下垂体のマクロ腺腫（1cm 以上）では TRH 試験や LHRH 試験が契機となって，下垂体卒中（出血）を起こすことがある。特に，鞍上進展を伴うマクロ腺腫や囊胞性成分を伴う腺腫に多い。
○高プロラクチン血症を引き起こす薬剤は確実に記憶する。

知識の整理

▶高プロラクチン血症の病態

　高プロラクチン血症により，乳汁分泌，性腺機能低下症，骨粗鬆症をきたす。若い女性に多く，第一選択はドパミン作動薬である（ただし，妊娠した場合は中止し，臨床症状経過をみる）。
　高プロラクチン血症の原因として，以下が挙げられる。
①視床下部・下垂体茎の病変によるドパミン分泌の分泌抑制。
②プロラクチン産生腫瘍（内服での治療が第一選択になる唯一の下垂体腺腫）。
③原発性甲状腺機能低下症 ➡ TRH 産生 ➡ TSH と PRL 分泌刺激。
④薬剤性：

- ドパミン D_2 受容体拮抗薬（抗潰瘍薬・制吐薬：シメチジン，スルピリド，メトクロプラミドなど / 向精神病薬：パロペリドール，イミプランなど）
- ドパミン産生を抑制する降圧薬メチルドパ，ベラパミルなど
- PRL 分泌を促進するエストロゲン製剤

⑤その他
- マクロ PRL 血症：PRL に対する IgG 型自己抗体との複合体が形成 ➡ 分子量が大きく分解が鈍る（マクロ PRL の生物活性は低いため臨床症状は乏しく治療は要しない）➡ クリアランス低下
- 慢性腎不全：PRL の分解が鈍るため ➡ クリアランス低下
- 胸壁疾患（手術外傷や火傷，帯状疱疹）：胸髄 Th1〜Th6 の刺激による。
- 異所性プロラクチン産生腫瘍（肺癌や腎癌）

　高プロラクチン血症をみた場合は，まず妊娠を否定し PRL 正常基礎値 20 ng/mL 以上であるかを確認する。薬剤性であれば 2 週間休薬して再度測定する。一般的に内分泌科では上記を鑑別しつつ，プロラクチン産生腫瘍を検索することが多い。

▶プロラクチン産生腫瘍（PRLoma）

1. PRLoma の鑑別と特徴—負荷試験に反応するのか？

　高プロラクチン血症のうち，プロラクチン産生腫瘍以外では PRL 基礎値が 200 ng/mL 以上になることは少ない。つまり，プロラクチン産生腫瘍以外では 200 pg/mL 以下（20〜200 pg/mL）であることが多い。術前検査では確定診断できないので，PRL 基礎値 200 ng/mL 以上かつ画像検査で下垂体に腫瘍を確認できれば，プロラクチン産生腫瘍である可能性が高い。腫瘍の大きさが PRL 値と相関するのはよく知られている。画像では T1 強調にて正常下垂体前葉に比較し造影されにくい特徴がある。ほかの病態と比較して，以下の特徴がある。

①プロラクチン産生腫瘍の 70% は TRH 刺激では反応しない。また GHRP-2 刺激は健常人では PRL 上昇させるが，プロラクチン産生腫瘍では反応しない。

②巨大腺腫にもかかわらず，PRL が 200 ng/mL 未満の場合，hook effect（検査系の問題で過剰な PRL が抗原抗体反応を阻害し偽低値を示す：稀釈して計測しなおすなどの処置が必要である）も疑う。

③不妊の原因となる。高プロラクチン血症 ➡ GnRH 抑制 ➡ LH，FSH は正常ないしは低値（生理活性低い）➡ エストロゲン，黄体ホルモン（プロゲステロン）が低値という視床下部性性腺機能低下である。また男性でも性腺機能低下症からの骨粗鬆症進行の原因となる。
女性は月経異常などで比較的見つかりやすいが，男性は性欲低下やインポテンツによる初発症状が多いが特異的症状とはとらえられず，マクロアデノーマ（1 cm 以上）で見つかることが多い。

④下垂体腫瘍のなかで現在，唯一薬物治療が第一選択である〔ドパミン作動薬（ドパミン D_2 受容体刺激薬）〕。

⑤ドパミン作動薬は基本カベルゴリン（0.25 mg を週 1〜2 回経口投与から開始し，最大用量は 1 回量上限 1.0 mg，最高用量 1 日 3.0 mg まで）である。カベルゴリンの奏効率について，PRL 正常化率や月経回復，腫瘍縮小は 80〜90% と目覚ましい。

⑥薬物治療は最低でも 2 年間を推奨され，MRI で腫瘍消失が確認できれば漸減・中止も可能である。しかし，中止後の寛解率は 20% 前後と再発も多い。

⑦慢性期の副作用にて心臓弁膜症（三尖弁，僧帽弁逆流症の報告例）があり，用量依存性の傾向がある。しかし，実臨床での投与量では問題のないレベルとする報告例が多い。ただし，年に1回の心臓エコーは推奨される。
⑧催奇形性は報告されていないが，妊娠が判明した時点で内服は中止する。
⑨1 cmを超えるマクロプロラクチン産生腫瘍（macro PRLoma）では，治療により，急性期の合併症として下垂体卒中や髄液鼻漏（髄膜炎）をきたす可能性があること，妊娠に伴う腫瘍増大により，症状の悪化に気をつける。
⑩下垂体卒中や腫瘍増大による圧迫症状（視野視力障害など）は緊急手術の適応になる。

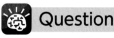

鍵穴のマークは問題の難易度を示します。

Q 高プロラクチン血症の原因となりにくい薬剤はどれか，2つ選べ。

A：メチルドパ　　　　D：エストロゲン
B：クロフィブラート　E：ブロモクリプチン
C：ハロペリドール

正答 B，E

〈高プロラクチン血症をきたす薬物の覚え方〉

高いプロは	3866で	メチャ苦労する。
高プロラクチン血症	3環系抗うつ薬, 86ペリドール, 6＝シックス→シメチジン	メチルドパ, クロルプロマジン, スルピリド

62

第2章　間脳下垂体

8　Cushing 病

Key Question

症例：60 歳男性。以前より，高血圧，高血糖を指摘されていたが，放置していた。体重増加と頭痛を主訴に来院。頭部 MRI にて下垂体腫瘍を認め，精査・加療目的に入院となった。
画像所見：造影 MRI では鞍部腫瘤 5mm 前後のやや造影不良を認めた。
所見：血中 ACTH 80.7pg/mL，血中コルチゾール 36.4ug/dL，少量デキサメタゾン（DEX）（0.5mg）抑制試験後の ACTH140pg/mL，血中コルチゾール 60.4ug/dL，下垂体静脈サンプリングにて ACTH の C/P 比 3.89 であった。

本症例において<u>誤っているもの</u>はどれか，2 つ選べ。

A：一晩大量 DEX8mg 抑制試験で血中コルチゾールは抑制される。
B：CRH 試験で ACTH は増加する。
C：胸腹部 CT を施行する。
D：経蝶形骨同下垂体腺腫摘出術が第一選択である。
E：副腎皮質ステロイド合成阻害薬はコルチゾール是正のために使用される。

Answer

D

解説

　下垂体からの ACTH 分泌異常による Cushing 病についての問題である。負荷試験の流れをおさえておく必要がある。ACTH 依存性 Cushing 症候群には下垂体腺腫からの ACTH 分泌異常による Cushing 病と，非下垂体性由来からの異所性 ACTH 症候群からなる。鑑別には下垂体静脈サンプリングが重要である。本問題は典型的であるが，Cushing 病での下垂体腫瘍はマイクロアデノーマが多く，画像ではわからないことも多いため，しばしば EAS との鑑別が重要になるためである。

A：本症例のような典型的な Cushing 病では抑制される。抑制がされない場合は EAS も疑う。
B：DDAVP 負荷試験でも反応する。
C：EAS や Cushing 症候群を疑うわけではないので誤りである。
D：正しい。
E：可逆性・速効性に強いメチラポンなどを使用する。高コルチゾール血症の是正に用いる。

Key Lesson

○ 0.5mg DEX 抑制試験でスクリーニング検査を行うこと。
○ 異所性 ACTH 症候群の鑑別には下垂体（海綿）静脈洞サンプリングが最も有用。
○ 治療の第一選択は TSS（治癒率平均 70～80%）。

知識の整理

▶ Cushing 病の病態・疫学

1. Cushing 病と Cushing 症候群の違いと割合

Cushing を考える際，日本においては全 Cushing を 100% として，
①ACTH 非依存性（副腎）を Cushing 症候群（50%以上）
②ACTH 依存性のうち，
・Cushing 病（下垂体性）が 40% 程度
・異所性 ACTH 症候群が 4% 程度
と考える。鑑別の詳細は 5 章を参照。

2. Cushing 病の特徴

・Cushing 病は女性に多い（1：4）。
・Cushing 病の 90% 以上はミクロアデノーマ（1cm 未満）である。
・頭部 MRI での下垂体腫瘍の検出率は 60 ～ 80% である。

> **異所性 ACTH 症候群の原因は？**
> 異所性 ACTH 症候群の原因は，肺小細胞癌（50%），気管支カルチノイド（16%）が主なものである。膵神経内分泌腫瘍，甲状腺髄様癌，褐色細胞腫などは稀でそれぞれ 2～6% にみられる。

3. 機能性下垂体腺腫（Cushing 病）と正常下垂体の違い

①日内リズム（朝高く，夜低い）が消失。
②コルチゾールに対する ACTH 抑制に部分抵抗性（DEX0.5～1.0mg ではなく 8mg でしか抑制できない）。
③CRH 受容体やバソプレシンの V_{1b}（V_3）受容体発現が多く CRH 負荷やデスモプレシン酢酸塩（DDAVP）負荷で ACTH が増加する（1.5 倍以上）。
ちなみに，異所性 ACTH 症候群では基本的に DEX 8mg も CRH 負荷も DDAVP 負荷も反応しない。

Cushing 病および異所性 ACTH 症候群の鑑別のゴールドスタンダード（唯一無二の検査）は下錐体静脈洞（IPS）または海綿静脈洞（CS）サンプリングである。重要なのは，サンプリングでの血中 ACTH の C/P 比（中枢側 / 末梢側比）である。
C/P 比 2 以上（CRH 負荷試験で 3 以上）なら Cushing 病，C/P 比 2 未満（CRH 負荷試験で 3 未満）なら異所性異所性 ACTH 症候群の可能性が高い。

診断基準における検査の数値の覚え方は？

症候や一般検査は基本なので割愛するが，診断の数字が覚えにくい。Cushing 病では内分泌検査について 5 の倍数で記憶するようにする。

①スクリーニングで，DEX 0.5mg，翌朝血中コルチゾール>5μg/dL。

②ACTH は，Cushing 病>10pg/mL および Cushing 症候群<10pg/mL という目安を立てておく。

③日内変動消失で，深夜のコルチゾール>5μg/dL。

④CRH または DDAVP 試験で，ACTH が前値の 1.5 倍以上。

⑤DEX 8mg により，翌朝の ACTH が前値の 0.5 倍以下（半分以下）。

⑥IPS または CS サンプリングで，ACTH 中枢側/末梢側（C/P）比>2。
　CRH 刺激後，ACTH 中枢側/末梢側（C/P）比>3（2＋3＝5 と記憶）。

ちなみに，偽性 Cushing 症候群（アルコール多飲やうつ病）では DDAVP 試験で反応しないことに注意する。

Cushing 病の予後は，死因としては日和見感染や血管障害（脳梗塞・心筋梗塞）が多い。

▶Cushing 病の治療

①第一選択は経蝶形骨洞手術（TSS）である。残存腫瘍があったり手術不能であれば，定位放射線（ガンマ・サイバーナイフ）で，放射線の効果が出るまで（半年後など遅効性である）は薬物療法を併用する流れが多い。完全に腫瘍が除去されれば，術後 1 週間以内に血中 ACTH（<10pg/mL），F（<1μg/dL）となり，F の補充療法（15 ～ 20μg/日）が半年～ 1 年ほど必要となる。

②薬物療法は今までドパミン作動薬やセロトニン作動薬などあったが，効果が限定的であるので，専門医としては，現在治験中の SSTR5 ソマトスタチンアナログ（pasireotide）について知っておくべきである（2022 年 1 月現在，保険適用申請中）。

③上記と並行して，患者の高コルチゾール血症の是正のための副腎皮質ステロイド合成阻害薬（メチラポン，ミトタン）を用いる。11β-水酸化酵素の特異的阻害薬であるメチラポンは，可逆性・即効性に優れており，外来でのコントロールでもしばしば使われる。

④最終手段は副腎全摘術であるが，生涯にわたるコルチゾールの補充やクリーゼのリスク，Nelson 症候群が問題となる。

Nelson 症候群とは？

医原性病態であり，Cushing 病の治療で副腎全摘術後に下垂体腫瘍の増大（視野障害を伴う）＋ACTH 上昇（色素沈着を伴う）を引き起こす病態である。発症としては副腎全摘術後 3 年以内が 50％を占める。発症の予知因子として Cushing 病の短い罹病期間＋術後 ACTH 高値がある。副腎術後は ACTH 測定や頭部 MRI を外来にて行うことで，早期に腫瘍の存在診断，治療を行うことが重要である。

第2章 間脳下垂体

9 尿崩症

Key Question

症例：46歳男性。5カ月前に突然強い口渇と多尿をきたした。冷水を好み，夜間でも5～6回の排尿を認める。皮膚と口腔粘膜は乾燥している。頭痛・視力障害や頭部外傷などの既往はない。また，薬剤服用歴などはない。
尿所見：糖（−），蛋白質（−），高張食塩水負荷後尿浸透圧 220 mOsm/L。
血清生化学所見：空腹時血糖 78 mg/dL，総蛋白質 7.5 g/dL，BUN 14 mg/dL，Cre 0.7 mg/dL，血漿浸透圧 290 mOsm/L。

①予想される検査所見はどれか。

- **A**：尿量 2,500 mL/日
- **B**：ADH（バソプレシン）投与後尿浸透圧 250 mOsm/L
- **C**：血清 Na 値 148 mEq/L
- **D**：MRI T1 強調画像での下垂体後葉の高信号
- **E**：空腹時尿浸透圧 180 mOsm/L

②バソプレシン（DDAVP または ADH）について正しいものはどれか，2つ選べ。

- **A**：ADH 投与により冠動脈の収縮による狭心症を誘発する危険性がある。
- **B**：ADH は血圧低下，低血糖，嘔吐，飲酒・喫煙などが分泌刺激になる。
- **C**：DDAVP は血中 ADH の測定にも影響を与える。
- **D**：DDAVP はその効果が切れないように投与量を調整する。
- **E**：ADH は視床下部の視索上核や室傍核で産生される。

Answer

① E

解説

　エピソードは典型的な尿崩症である。夜間尿や血漿浸透圧から心因性多飲症は否定的である。腎機能障害もなく，通常幼児期に発症する腎性尿崩症はやや否定的である。既往から続発性尿崩症も否定的である。したがって，中枢性尿崩症として解答する。なお，実際の症例で尿崩症が疑われた場合，もちろん負荷試験も重要であるが，尿崩症を引き起こす原因疾患として下垂体病変の有無を除外するために，早急に MRI 検査を行うべきであることを留意する。

A：尿崩症では，軽症でも尿量は 3,000 mL/日以上となる。
B：中枢性尿崩症は ADH にて尿浸透圧が改善する（通常は 300 mOsm/L 以上）。
C：口渇中枢に異常がなければ，飲水によって補正されるので血清 Na 値は正常〜軽度上昇にとどまる。
D：後葉の高信号は消失する。
E：中枢性尿崩症の原則として，血漿浸透圧（275〜288 mOsm/L）＞尿浸透圧であり，尿崩症の場合の尿浸透圧は通常 50〜200 mOsm/L である。

② A，E

解説

A：実際の負荷試験で ADH ではなく，DDAVP が使われる理由のひとつである。
B：ADH は主に血漿浸透圧で調節されるが，それ以外の刺激でも分泌増加する。ただし，アルコールは ADH 分泌抑制に働く。
C：ADH 測定に使う抗体と DDAVP はほとんど交叉反応を示さないため影響は無視できる。
D：効果がとぎれる時間帯の確保が重要であり，水中毒を防がなければならない。
E：ADH は視床下部の視索上核や室傍核で産生され，下垂体後葉より分泌される。

Key Lesson

□尿崩症の診断基準
　多尿：3,000 mL/日以上，尿浸透圧：300 mOsm/kg 以下（3 の倍数で記憶する）
○ DDAVP は点鼻製剤と経口製剤の特徴を把握する。水中毒を避けるため，DDAVP の効果が切れる時間帯（1〜2 時間/日）を確保することが重要である。

知識の整理

▶中枢性尿崩症の病態と多尿の診断基準

　視床下部の視索上核や室傍核で産生され，下垂体後葉より出る ADH（AVP）の合成，分泌が低下することで起こる。
　腎集合管での尿濃縮力の低下 ➡ 著明な水利尿（低張多尿），高張性脱水 ➡ ①または②をたどる。
　①代償機転として口渇・多飲になり，正常〜正常上限ナトリウム血症（140 mEq/L 後半）。
　②代償機転が働かず，高張性脱水が進行し，高ナトリウム血症（Na＞150 mEq/L）：視床下部の障害を合併している際に口渇中枢の異常があるケース。
　病因としては，特発性/家族性（常染色体優性遺伝 AVP 変異）/続発性（視床下部-下垂体異常）の 3 つである。続発性の関連疾患も試験に出やすい。炎症性疾患（リンパ球性漏斗下垂体後葉炎，結核），腫瘍（胚細胞腫，頭蓋咽頭腫，ランゲルハンス細胞組織球症奇形腫），肉芽腫性疾患（サルコイドーシス），外傷・手術をおさえておく。

症状は主に口渇からくる倦怠感や多飲・多尿（夜間も）からくる睡眠障害である。

多尿については診断基準にもあるように，軽症でも3,000 mL/日以上，尿浸透圧は300 mOsm/kg以下と3の倍数で記憶しやすい。

一般生化学所見については，ほとんどの場合，①の経過をたどり，やや脱水に傾くため正常～正常上限ナトリウム血症（140 mEq/L後半）/ヘマトクリットや尿酸も上昇傾向である。ただし，BUNについては，尿素の再吸収にADHが必要であり，脱水傾向でありながら低下傾向を示すことがあるため確実な指標ではない。

▶中枢性尿崩症の診断のための機能検査

多飲・尿崩症の診断フローチャートを図1[1]に示す。

1. 5%高張食塩水負荷試験

①ADH分泌反応の減弱または消失 ➡ 中枢性尿崩症。
②ADH分泌正常～高 ➡ 心因性多飲症。
③ADH分泌正常～軽度亢進 ➡ 腎性尿崩症。
ここで心因性多飲症のみが尿量減少/尿浸透圧上昇と鑑別する。

2. バソプレシン負荷試験（ピトレシン® 5単位）

①尿量減少/尿浸透圧300 mOsm/kg以上に上昇 ➡ 中枢性尿崩症。
②反応なし ➡ 腎性尿崩症。
ここでほぼ腎性尿崩症を鑑別できる。

図1 多尿・尿崩症の診断フローチャート

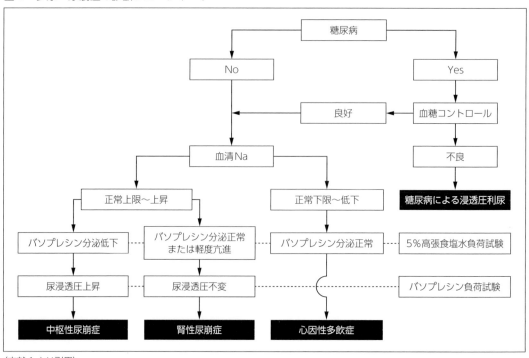

（文献1より引用）

3. 画像診断

画像所見では，MRI T1画像での下垂体後葉の高信号消失は重要である。

健常人でも高度の脱水が続けば，ADHの枯渇により後葉の高信号減弱・消失が認められることもあるので，あくまでも参考所見である。

▶中枢性尿崩症の治療

バソプレシン受容体の種類

治療はADH（AVP）補充であるが，①ペプチドホルモンでありV_2受容体を介した抗利尿作用時間は数分〜数十分と短い，②V_{1a}受容体を介した血管収縮/血圧上昇をきたす，という欠点がある。

そこで，AVP構造アナログであるDDAVP（アミノ酸を置換させて，従来のADHより作用時間延長/昇圧の副作用減弱したもの）が合成された。

数時間〜十数時間と作用時間が延長し，強力なV_2作用に加え，V_{1a}作用はきわめて軽度とされる。

バソプレシン受容体の3種類はきちんと理解したい（**表1**）[2]。

表1　バソプレシン受容体の種類

バソプレシン受容体 （V受容体）	部　位	作　用
V_{1a}	心筋または血管・大腸平滑筋	血圧上昇や蠕動運動促進
V_{1b}（V_3）	下垂体前葉	CRHによるACTH分泌の増強
V_2	腎集合管	cAMP上昇➡水チャネルAQP 2 を管腔側細胞膜へ移動➡水再吸収促進➡尿量減少

（文献2をもとに作成）

▶中枢性尿崩症の薬物療法

1. デスモプレシン点鼻薬

以下に投与方法と注意事項を述べる。

①デスモプレシンは1回2.5〜10 μgを朝・夕点鼻する。

②水中毒および低ナトリウム血症を回避するため1回2.5 μgから開始する。

③欠点として，以下が挙げられる。

- 鼻炎などの鼻粘膜障害時には吸収が低下する➡薬効が安定しない
- 投与手技が比較的難しい➡高齢者や小児，身体障害者，知的障害者など確実な投与ができないことがある
- 冷所保存が必要で，携帯性が悪い➡患者の社会的活動の障害となる

2. デスモプレシン経口薬（ミニリンメルト® OD錠）

デスモプレシン点鼻薬の10〜20倍量を経口投与すると，同様の抗利尿効果が得られるという事実があり，近年，中枢性尿崩症や夜尿症に適応になった経口薬への切り替えが増加している。

経口薬としてのメリットは，投与が簡便，室温保存可能，外出など携帯が容易，鼻炎

9　尿崩症　**69**

でも効果が減らないなどが挙げられる。デメリットは，点鼻薬と比べて細かい用量調節がしにくい点である。成人にとってはメリットのほうが多くなることが多い。

① 通常1日1回就寝前にデスモプレシンとして60μgから経口投与し，1日1～3回服用する。点鼻からの切り替えも，以前の用量によらず60μgから開始する。尿崩症の患者の平均的な使用量は120μg/日が一般的である。効果不十分な場合は，1日1回就寝前にデスモプレシンとして240μgに増量することができる。なお，1日服用量の上限は720μgである。
② 点鼻製剤 2.5μg 同等の量は 60μg である。比率は 1：24 程度（体内薬物動態は類似している）。
③ 本剤は水なしで服用する。口の中（舌下）に入れると速やかに溶ける。食後30分の服用は吸収を50%以上低下させる可能性があり，できるだけ避ける。投与2～3時間前から翌朝までの水分摂取はコップ1杯程度にする（水中毒を防ぐ）。
④ 作用持続時間は7～11時間で，睡眠時間に近い。

> **ミニリンメルト®について**
> 2012年5月に「夜尿症」の治療薬として発売され，同年12月に「中枢性尿崩症」の効能効果を承認された。2014年より切り替えが増加しており，経鼻製剤の問題点を解決しうる薬剤として期待されている（120μg錠・240μg錠の場合。60μg錠は2013年3月に発売）。

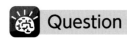 Question　　　　　　　　　　　　　　　　　　　鍵穴のマークは問題の難易度を示します。

 飲水・口渇について正しいものはどれか。

A：心因性多飲症患者の血中 Na 濃度は正常高値をとる。
B：口渇を感じる Na 値は AVP が分泌される Na 値より高い。
C：腎性尿崩症患者の血中 Na 値は正常低値である。
D：急激な血糖上昇により，血中 Na も増加する。
E：尿素は細胞膜を介した水の動きに影響を与える。

正答 B

解説
「のどが渇いた」と感じる以前に，脱水を防ぐため ADH（AVP）分泌が開始されている。

A：飲水ができる心因性多飲症患者では血中 Na が低値を示すことあっても高値を示すことはない。慢性的な 150mEq/L 以上の高ナトリウム血症が続く場合は口渇障害を疑う。
B：ADH 分泌のための血中 Na 濃度の閾値は 140mEq/L 前後である。口渇感を刺激するための血中 Na 濃度の閾値は 145mEq/L 前後である。
C：健常人の血中 Na 濃度は ADH の分泌閾値で推移する。尿崩症患者では血中 Na 濃度は口渇感閾値で推移するため，高値であることが多い。
D：血糖が 100mg/dL 上昇すると，血中 Na は 1.6mEq/L 低下すると言われている。
E：ブドウ糖などの大分子やアミノ酸，H^+，HCO_3^-，Na^+，K^+，Ca^{2+}，Cl^-，Mg^{2+}

などのイオン電荷は自由透過性がない。尿素やグリセロールなどの電荷をもたない小分子は自由透過性があり，影響は与えない。

 中枢性尿崩症をきたすのはどれか，2つ選べ。

A：胚細胞腫瘍
B：多発性骨髄腫
C：皮膚筋炎
D：サルコイドーシス
E：炭酸リチウム

正答 A，D

解説
炭酸リチウムは腎性尿崩症をきたすことがある。

文献
1) 肥塚直美，編：New 専門医を目指すケース・メソッド・アプローチ 内分泌疾患．第3版．日本医事新報社，2016，p46．
2) 日本薬学会：薬学用語解説，バソプレシン．
[http://www.pharm.or.jp/dictionary/wiki.cgi? バソプレシン]

第2章 間脳下垂体

10 抗利尿ホルモン不適合分泌症候群（SIADH）
低ナトリウム血症の鑑別

Key Question

症例：70歳男性。全身倦怠感と頭痛を主訴に来院。食欲不振だが下痢や嘔吐などはない。
身体所見：身長158cm，体重55kg，体温38℃，脈拍80/分，整。血圧128/75mmHg，心音と呼吸音に異常は認めない。腹部は平坦・軟で肝・脾を触知しない。下腿に浮腫を認めない。皮膚と口腔粘膜は湿潤している。項部硬直がある。
血液所見：WBC 14,570/μL（Neut 88.4%, Lymp 10.3%, Mono 5.6%, Eos 2.6%, Baso 1.0%），Na 119mEq/L，K 4.2mEq/L，Cl 103mEq/L，HDL-Chol 75mg/dL，LDL-Chol 120mg/dL，TG 84mg/dL，肝機能正常，腎機能正常，GH 0.10ng/mL，IGF-I 282ng/mL，LH 4.9mU/mL，FSH 11.6mU/mL，TSH 2.83μU/mL，FT$_4$ 1.16ng/dL，PRL 28.4ng/mL，ACTH 49.1pg/mL，コルチゾール 15.1μg/dL，PRA 0.6ng/mL/時間，FPG 84mg/dL，HbA1c 5.3%，IRI 22.2μU/mL，CPR 5.1ng/mL。
尿所見：Na濃度 56mEq/L，浸透圧 565mOsm/L。

治療として適切なものはどれか，2つ選べ。

A：維持液点滴静脈注射
B：1/2生理食塩水（生理食塩水500mL＋ブドウ糖液500mL）点滴静脈注射
C：電解質コルチコイド薬投与
D：500～1,000mL/日の水制限
E：抗菌薬の投与

Answer

D, E

解説

　髄膜炎に伴うSIADHである。国家試験レベルでも咳嗽や血痰から始まる肺炎や肺癌などに伴うSIADHが頻出されるが，薬剤性も含め原因は網羅しておくべきである。特に異所性ADH産生症候群は低ナトリウム血症の進行が速いため早急な対処が重要である。また，実際の診療で鑑別が困難となるSIADHと電解質コルチコイド反応性低ナトリウム血症（MRHE）は試験でも問われる。血漿浸透圧が低ければ，ADHは低値でも計測できること自体（不適切に分泌されていること）が異常であり鑑別に役に立たない。低ナトリウム血症の大半は高齢者であり年齢も鑑別に役に立たない。軽度の脱水があるかどうか，検査所見を常に注意深く読み取る必要がある。

A：維持補液は体液量のさらなる増加をまねくのみである。
B：体液量減少を伴う低ナトリウム血症には有効である。
C：体液量減少を伴う低ナトリウム血症には有効である。
D：SIADH 治療の基礎である。
E：所見から細菌性髄膜炎が疑われるため，低ナトリウム血症の治療と平行させ開始するべきである。

Key Question

症例：42 歳男性。痙攣発作で来院した。30 歳のときに幻覚妄想にて 6 カ月間の入院治療を受け，以後は抗精神病薬を服用し続けている。3 カ月前より大量の水分を摂取していた。診察時に痙攣はない。
血清生化学所見：Na 126 mEq/L, K 4.0 mEq/L, Cl 90 mEq/L, 血漿浸透圧 256 mOsm/L, 尿浸透圧 100 mOsm/L。

①次に行う処置として正しいものはどれか，2 つ選べ。

A：500〜1,000 mL/ 日の水制限
B：高張食塩水輸液
C：ブドウ糖輸液
D：食事中の食塩（10〜15 g/日）摂取の指導
E：ジアゼパム静注後，フェニトイン静注

高張食塩水負荷の開始 12 時間後，患者は四肢麻痺を起こし，意思疎通は口答では困難な状態となっている。意思疎通は眼球運動にて反応がある。

②この事象について誤っているものはどれか。

A：アルコール依存症に起こりやすい。
B：頭部 MRI T1 にて高信号，T2 で低信号の病変がみられる。
C：高張食塩水投与は Na 110 mEq/L 以下で，意識障害があるときに行うべきである。
D：Na 補正は 1 mEq/L/時，10 mEq/L/日程度が目安である。
E：症状として四肢麻痺や仮性球麻痺，閉じ込め症候群などの症状が起こる。

Answer

① B

解説
　低ナトリウム血症の鑑別である。抗精神病薬による薬剤性の SIADH と思われるが，通常尿浸透圧＞300 mOsm/L である。さらに，血漿浸透圧＞尿浸透圧の時点で否定でき，緊張や口渇感による水の多飲からくる心因性多飲症（水中毒）と判断する。
A：SIADH と心因性多飲症の治療の基礎である。

B：血中Na 110〜120mEq/L以下と高度低値の場合はNa＞125mEq/Lをまずは目標に高張食塩水を，ゆっくりと（24時間で10〜12mEq/Lの速度）投与する。急速な低ナトリウム血症の補正は浸透圧性脱髄症候群（旧 橋中心髄鞘崩壊症）の合併を引き起こす。
C：水中毒を悪化させる。
D：SIADHと心因性多飲症の治療の基礎である。
E：痙攣発作のためのジアゼパム投与，抗痙攣薬のフェニトインは現在痙攣がないので必要ない。

② B

解説

本来あってはならない事象であるが，急速な低Naの補正による浸透圧性脱髄症候群についての問題である。
A：アルコール依存症，栄養不良，またはその他の慢性消耗性疾患に起こりやすい。
B：逆。頭部MRI T1強調画像にて低信号，T2強調画像で高信号の病変がみられる。
C〜E：正しい。

> **仮性球麻痺とは？**
> 　大脳皮質と下位運動脳神経核〔舌咽/迷走/副/舌下神経核（Ⅸ〜Ⅻ）〕を結ぶ経路（皮質核路）の障害 ➡ Ⅸ〜Ⅻ脳神経障害 ➡ 軟口蓋・咽頭・喉頭・舌運動麻痺。主症状としては構音障害と嚥下障害を生じる（球症状）や錐体路徴候・原始反射・強迫笑・強迫泣などを伴うことが多い。

> **閉じ込め症候群とは？**
> 　水平注視を仲介する中枢を破壊・傷害する橋の出血や梗塞で起こるとされる。表情や動く，話す，などの意思伝達ができない覚醒および意識の状態である（ロックされている）。眼球運動で意思疎通はできる（瞬きや眼球動作にて）。

Key Lesson

> □SIADHの原因
> 　肺癌，肺炎，髄膜炎
> ○薬剤性SIADHの場合は，精神疾患による心因性多飲症との鑑別が重要である。
> ○AVP V$_2$受容体拮抗薬であるモザバプタン塩酸塩の保険適用や期間は今後改定があるかもしれないので注意する。

知識の整理

▶SIADH の病態

1. 水利尿不全

種々の非内分泌疾患が基盤でアルギニンバソプレシン（AVP，ADH）が過剰分泌され，腎集合尿細管での水の再吸収を亢進し，euvolemic（正常血液量）な低 Na 値になる病態である。日常診療でもしばしば遭遇し，試験でも頻出の疾患である。簡単に言えば，薄い血液であれば薄い尿が出るという作業がうまくできない状態である。

つまり，正常であれば，低血漿浸透圧（低ナトリウム血症）➡ ADH が抑制され，尿の最大稀釈を起こす（水利尿）➡ 低尿浸透圧（低ナトリウム尿症）になるはずが，ADH が抑制されないことで，低血漿浸透圧（低ナトリウム血症）にもかかわらず，正常〜高ナトリウム尿浸透圧症（高ナトリウム尿症，尿浸透圧 300mOsm/kg 以上）になるのである。

大原則として，低血漿浸透圧にもかかわらず，ADH が測定感度以上になることが重要である（低値だからと言って計測できていることが異常）。

診断基準の細かいところも試験では問われるため，SIADH の診断基準は確実に覚えておく。その他，AQP2 蛋白質は ADH 依存性のため SIADH では尿中 AQP2 の排泄が健常人より増加することも覚えておく。

2. SIADH の原因

SIADH は以下の原因が重要とされるので，おさえておく。
①悪性腫瘍：肺癌（小細胞癌），膵癌，十二指腸癌
②中枢神経：髄膜炎，脳梗塞・出血
③炎症：肺炎，肺結核
④薬剤：ビンクリスチン硫酸塩，シクロホスファミド，クロフィブラート，カルバマゼピン，プロトンポンプ阻害薬（PPI），抗癌剤のビンクリスチンや向精神病薬のカルバマゼピンは出題されやすい。

なお，ADH 分泌抑制作用としては，エタノール，ジフェニルヒダントインなどが原因となることがある。飲酒時に尿量が増えるのはエタノールによる ADH 分泌低下のためと考えられている。

3. 検査

①低ナトリウム血症：血清 Na 濃度は 135mEq/L を下回る
②血漿 AVP 値：血清 Na 濃度が 135mEq/L 未満で，血漿 AVP 濃度が測定感度以上
③低浸透圧血症：血漿浸透圧は 280mOsm/kg を下回る
④高張尿：尿浸透圧は 300mOsm/kg を上回る
⑤ナトリウム利尿の持続：尿中ナトリウム濃度は 20mEq/L 以上
⑥腎機能正常：血清クレアチニンは 1.2mg/dL 以下
⑦副腎皮質機能正常：早朝空腹時の血清コルチゾールは 6μg//dL 以上
以下，参考所見。
- 血漿レニン活性は 5ng/mL/ 時以下であることが多い
- 血清尿酸値は 5mg/dL 以下であることが多い

10 抗利尿ホルモン不適合分泌症候群（SIADH） 低ナトリウム血症の鑑別　**75**

・水分摂取を制限すると，脱水が進行することなく低ナトリウム血症が改善する

▶MRHE との鑑別

　低ナトリウム血症の大部分は高齢者であり，鑑別診断で困難なのは MRHE である。SIADH との臨床上の鑑別は脱水があるかどうかのみである。以下の MRHE の病態について把握しておきたい。
①高齢者における腎の Na 保持能低下による軽度の体重減少を伴う疾患である。
②ADH 亢進は体液量減少による二次的なものである。
③原因としては，以下が挙げられる。
　・腎臓の近位尿細管 Na 共輸送体での Na 再吸収減少
　・レニン活性が低値のままで RAA 系低下＋遠位尿細管でのアルドステロン反応低下
　・Na 摂取の低下
④治療は水制限ではなく，水分摂取のため，診断が重要である。

▶SIADH の治療

　SIADH は原因疾患の特定と同時に，低ナトリウム血症の治療が主体になる。
　血中 Na 110～120 mEq/L 以下と高度低値の場合は Na＞125 mEq/L をまずは目標に高張食塩水を，ゆっくりと（24 時間で 10～12 mEq/L の速度）投与する。フロセミドなどの利尿薬を併用すると改善がよい。
　Na＞125 mEq/L であれば，まずは水制限（500～1,000 mL/日）・塩分負荷（10～15 g/日）などを組み合わせる。
　試験でも問われる可能性はあるので，以下の①，②なども把握しておくこと。
①AVP V$_2$ 作用阻害薬：テトラサイクリン系抗菌薬のデメチルクロルテトラサイクリン塩酸塩 600～1,200 mg/日。厳格な水分制限を患者が受容できないときなどに使用可能。急性腎不全を引き起こす恐れがある。
②AVP V$_2$ 受容体拮抗薬：モザバプタン塩酸塩 30 mg/日。異所性 ADH 産生腫瘍の SIADH のみ使用可能，投与開始 3 日間で有効性が認められた場合に限り，最大 7 日間まで継続投与できることになっている。

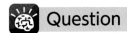

　SIADH をきたす薬剤はどれか，2 つ選べ。

　　A：オメプラゾール　　D：ペニシリン
　　B：ビンクリスチン　　E：炭酸リチウム
　　C：エタノール

正答　A，B

第2章　間脳下垂体

11 遺伝性下垂体腫瘍

Key Question

遺伝性下垂体腫瘍・家族性下垂体腫瘍と関連が乏しい遺伝子はどれか。

A：*AIP*
B：*RET*
C：*CDKN1B*（p27^{Kip1}）
D：*PRKAR1A*
E：*MEN1*

Answer

B

解説

A：芳香族炭化水素受容体に相互作用する蛋白質（AhR-interacting protein）をコードする遺伝子で，家族性下垂体腺腫（Familial isolated pituitary adenoma：FIPA）または家族性成長ホルモン産生腺腫（isolated familial somatotropinoma：IFS）の重要遺伝子である。
B：MEN 2の原因遺伝子であり，下垂体腫瘍との関連は乏しい。
C：MEN 1の一部症例の原因として，*CDKN1B*や*CDKN2C*遺伝子の変異が報告されている。
D：プロテインキナーゼAの制御サブユニット（cAMP-dependent protein kinase A regulatory subunit 1α）をコードし，Carney complex（多発性内分泌腫瘍，心粘液腫，色素斑）を引き起こす。
E：50％に下垂体腫瘍を合併する。副甲状腺過形成（98％），膵内分泌腫瘍（60％）の合併を起こす。

Key Lesson

○遺伝性下垂体腫瘍・家族性下垂体腫瘍について，下垂体腫瘍の家族発生はMEN 1がほとんどを占めることや，Carney complex，FIPA，IFSがあることを把握する（**表1**）[1]。
○特徴として，*MEN 1*や*AIP*遺伝子などによる成長ホルモン産生腺腫はソマトスタチンアナログを含め，治療抵抗性を示すことは重要である。

表1 遺伝性下垂体腫瘍・家族性下垂体腺腫

疾　患	MEN 1	Carney complex	FIPA/IFS
対象遺伝子	*MEN 1*（11q13.1）	*PRKAR1A*（17q24.2）	*AIP, PRKAR1A, MEN 1, CDKN1B*（p27^Kip1）etc
下垂体腺腫発生割合	50%（PRLoma 40%, 非機能性 30%, GH 腺腫 12%）	12%（ほぼ GH 腺腫/PRLoma）	*AIP* の場合は 15〜50%（PRLoma や GH 腺腫）
遺伝子浸透率	（50 歳までに）98%	98%	*AIP* の場合は 30%
多い死因	悪性膵内分泌腫瘍胸腺カルチノイド	心粘液腫	

MEN 1：多発性内分泌腫瘍症 1 型, FIPA：家族性下垂体腺腫, IFS：家族性成長ホルモン産生腺腫,
PRLoma：プロラクチン産生腫瘍, GH 腺腫：成長ホルモン産生腺腫
（文献 1 をもとに作成）

文献

1) 平田結喜緒, 他, 編：下垂体疾患診療マニュアル改訂第 2 版. 診断と治療社. 2016.

第2章 間脳下垂体

12 成人成長ホルモン分泌不全症（AGHD）

Key Question

成人成長ホルモン分泌不全症（AGHD）について誤っているものはどれか。

A：重症成人成長ホルモン分泌不全症に対するGH治療で耐糖能は増悪する。
B：高LDLコレステロール血症などの代謝障害がみられる。
C：頭蓋内器質性疾患の合併もしくは既往歴，治療歴があれば重症GH分泌不全の診断のための負荷試験は1つのみで十分である。
D：細胞外液量が低下する。
E：骨密度低下や内臓脂肪の増加がみられる。

Answer

A（ただし，今後変化する可能性もある）

解説
A：一時的にインスリン抵抗性が増悪するが，長期的には内臓脂肪減少に伴う代謝改善で耐糖能の指標が改善することが多い。薬剤添付文書では糖尿病患者ではGH治療は認められていないが，今後変わる可能性もある。
B：正しい。
C：正しい。GHを含め，複数の下垂体ホルモンの分泌低下があることなども同様である。
D：正しい。血圧が低下する。GHには抗Na利尿効果があり，GH分泌不全では体内水分量の低下➡細胞外液量低下する。
E：正しい。

Key Lesson

□ GH投与の基本的な禁忌
　糖尿病患者，悪性腫瘍患者，妊婦
□ AGHDの診断で重要な機能試験（4つ）
　①ITT，②GHRP-2，③アルギニン，④グルカゴン負荷試験

知識の整理

▶ AGHD の疾患概念

一般に，GH 分泌は加齢に伴い低下するが，60 歳以上でも思春期の 25% 程度の分泌がある。あまりに GH 分泌能が落ちてくると，内臓脂肪増加，脂質異常症などから動脈硬化関連のリスクが高まる。重症 AGHD は GH 補充療法の治療対象となる。

▶ AGHD の診断

1. 重要な機能試験と成人で使えない試験

GH 分泌の評価で重要となる機能試験は，ITT（インスリン低血糖），GHRP-2 負荷試験，アルギニン負荷試験，グルカゴン負荷試験の 4 つである。まず推奨されているのは，ITT 試験と GHRP-2 負荷試験である。小児のクロニジン負荷試験や L-DOPA 負荷試験は成人では偽低反応が多く使えないことに留意する。GHRP-2 負荷試験を除けば，その他の負荷試験では GH>3ng/mL 以上の増加を示せれば正常とされる。

重症 AGHD を満たす判定基準は，
- GHRP-2 負荷試験を除く負荷試験 ➡ GH 頂値 1.8ng/mL 以下 ➡ 陽性
- GHRP-2 負荷試験 ➡ GH 頂値 9ng/mL 以下 ➡ 陽性

である。通常，4 つの試験のうち 2 つ以上が陽性で AGHD と診断される。しかし，以下の 2 つの条件を満たす場合は 1 つが陽性でも AGHD と診断できる。

①頭蓋内器質性疾患の合併または既往歴，治療歴（Sheehan 症候群の既往歴が試験問題に頻出される）。

②GH を含め複数の下垂体ホルモンの分泌低下があること。

細かい基準は多いが，病型として「重症」と判定されるには上記の判定値が重要である。

ITT が禁忌となる場合は？

虚血心疾患または痙攣発作をもつ患者では ITT は禁忌である。問題文はよく読むこと，実際の臨床でも既往歴の聴取はしっかりと，既往があれば使用しにくい。

---

2. GH 分泌刺激試験における注意事項

GH 分泌刺激試験で低反応を示すことがあるため注意が必要な事項を以下に挙げる。
- 甲状腺機能低下症：甲状腺ホルモン補充中
- 中枢性尿崩症：DDAVP による管理中
- 薬剤投与中：糖質コルチコイド，α 受容体拮抗薬，β 刺激薬，高ドパミン作動薬，抗うつ薬，抗精神病薬など

なお，栄養障害，肝障害，コントロール不良な糖尿病，甲状腺機能低下症などがある場合は，特に注意する。

▶ AGHD の治療

GH 投与

GH 投与は（3μg/kg/日）と少量から始め，IGF-I 値をみながら 4 週ごとに増量する。成人に比べ，小児のほうが必要投与量は多い（成人のほうが GH に対する感受性が

高く，投与開始初期は浮腫や関節痛などの副作用があることもある）。

適応
現在では，重症 AGHD と診断された場合のみが治療対象となる。

副作用
「有害事象は体液貯留が多い」（手足の浮腫や手根管症候群，関節痛）が，治療継続中に消失することが多い。特にテストステロン補充も体液貯留を増大するので併用患者は注意が必要である。

禁忌
GH 投与禁忌は，糖尿病患者，悪性腫瘍患者や妊婦である。

GH 投与に伴う他のホルモンの変動
①副腎皮質ホルモンの必要量の増加
②甲状腺ホルモン必要量の増加（中枢性甲状腺機能低下症の顕在化を起こす）
③経口エストロゲン投与中は IGF-I 作用の低下により GH 投与必要量が増大する。

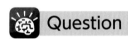Question　　　　　　　　　　　　　　　鍵穴のマークは問題の難易度を示します。

AGHD の診断でまずすべき重要な刺激試験はどれか，2 つ選べ。

A：アルギニン試験　　　　D：グルカゴン試験
B：インスリン低血糖試験　E：ブドウ糖負荷試験
C：GHRP2 負荷試験

正答　B，C

第2章 間脳下垂体

13 中枢性摂食異常症（特にAN）

Key Question

『New 専門医を目指すケース・メソッド・アプローチ 内分泌疾患（第3版）（日本医事新報社）』CASE 28 を解いておく。

Key Lesson

○中枢性摂食異常症（特に AN）の飢餓におけるホルモン動態を整理しておく。特に，骨粗鬆症および低ゴナドトロピン性無月経について復習しておく。

知識の整理

▶中枢性摂食異常症の分類

　95％が女性である。中枢性摂食異常症は，神経性食欲不振症（anorexia nervosa：AN）と神経性大食症（bulimia nervosa：BN）に分けられる。

　AN では著しい体重減少と無月経が認められる。一方，BN では，短時間での過食に対し自己嘔吐や下剤・利尿薬を使うため正常体重である。

　多彩な内分泌異常を示し，血清 T_3 や IGF-I は栄養マーカーとして有用である。再栄養時にはリフィーディング症候群に注意する。低身長や骨粗鬆症には，体重の回復が最も重要である。

　ここでは AN に限定し解説する。

▶AN の診断基準

　AN の診断基準は，①30歳以下，②やせ原因となる器質疾患がない，③無月経，④食行動の異常，⑤ボディイメージの障害，⑥3カ月以上の標準体重からの80％以下継続（既往も含む）がある，という条件がある。標準体重の70％以下は高度の栄養不良とされる。

　なお，AN における死亡率は 6〜20％と高い（飢餓による低血糖や心不全，感染症による）。

▶入院の適応

　以下の緊急入院の適応が重要である。

①全身衰弱のエピソード（起立や階段を上るのが困難）
②低血糖や不整脈/心不全，電解質異常，腎不全，感染などの合併症
③標準体重の55％以下のやせ

▶重篤なやせにおける特徴的な生化学所見

重篤なやせにおける特徴的な身体所見やホルモンの動態についての問題は頻出である。

①ANの50％でGH分泌が上昇する（低栄養のためIGF-Iが低値となり，ネガティブフィードバックによりGH高値）

②low T_3 syndrome

③体重減少により視床下部性の無月経が起こる（標準の85～90％回復し数カ月後に月経は再来する）
  • LHおよびFSHは低値（低ゴナドトロピン）
  • GnRH試験では遅延低下反応である
  • やせのため，脂肪組織からのレプチン分泌が低下し，性腺の刺激が落ちる
  • ストレスによりCRH分泌を促進や，GnRH基礎分泌量とパルス頻度の減少も無月経に拍車をかける

④ACTH/コルチゾールは基礎値上昇（内因性のCRH上昇により）
  偽性Cushing病：コルチゾール日内変動の消失やDEXの抑制が利きにくい（ストレスやうつ病と同等）

⑤慢性の低血糖でインスリン分泌は低下し，高カロリー輸液で高血糖のリスクが出てくる

⑥やせのため，血清総グレリンが高値

⑦偽性Barter症候群：嘔吐や下剤・利尿剤の乱用で，脱水や低カリウム血症 ➡ レニンおよびアルドステロン上昇

⑧ANの25％は骨粗鬆症である。最大の危険因子はBMI 16未満の低体重期間である。骨形成因子のIGF-I低下と，骨吸収抑制のエストラジオール（E_2）低下が重要とされている。骨形成抑制が主体と考えられている。多くの患者が血中25(OH)D低下があり，栄養状態にもよる，二次性副甲状腺機能亢進症を示すこともある。栄養状態の改善が最も重要であり，骨粗鬆症の薬物療法は確立されていない。
  下垂体機能低下症との鑑別は，GH，ACTH，コルチゾールで十分である。また，血清T_3やIGF-Iは，同じ体重でも栄養状態の改善か悪化を判断できるので有用である

13 中枢性摂食異常症（特にAN）

第3章

甲状腺

　甲状腺疾患は比較的理解しやすい領域であり，一般外来でも診療する機会が多く，勉強しやすい。Basedow病の薬物治療の副作用やクリーゼの診断基準などは当然おさえておく必要があり，易問も多いので落としてはならない。

第3章 甲状腺

1 Basedow病

Key Question

Basedow病のフォローにおいて投薬量調整の最も重要な指標はどれか。

- **A**：TSH
- **B**：FT_4
- **C**：ALP
- **D**：LDL-Chol
- **E**：ALT

Answer

A

解説

最も基本的なことである。下垂体に異常がなければ（中枢性甲状腺機能異常がない場合）TSHが最重要指標となる。
- **A**：最も鋭敏な指標である。
- **B**：専門外ではこちらを指標にする。誤りもときどきみられる。
- **C～E**：あくまでも参考所見である。

Key Lesson

○甲状腺中毒症のスクリーニングや治療薬の指標として最も鋭敏なのはTSHである。
□単位：TSH（μU/mL），FT_3（pg/mL），FT_4（ng/mL）

甲状腺中毒症の疾患概念は？

Basedow病が最も多く，無痛性甲状腺炎が続く。
Basedow病でも抗TSH受容体抗体（TSH receptor antibody：TRAb）陰性の例が稀に存在すること，また無痛性甲状腺炎でもTRAb陽性の例があることに注意する。両者を確実に鑑別するには甲状腺シンチグラフィ（^{123}I/99mTcO4⁻）が必要である。
^{123}I：シンチグラフィで使用される放射性ヨードであり，検査前に1週間のヨード制限が必要。
99mTcO4⁻：^{123}Iの代わりによく使用される。和名はテクネチウム。ヨード同様，甲状腺に取り込まれ甲状腺機能を反映する。検査前にヨード制限が必要でない。

知識の整理

▶Basedow 病の病態

TSH 受容体（TSH receptor：TSHR）刺激型抗体により，甲状腺濾胞細胞の増殖と甲状腺ホルモン合成が更進する臓器特異的自己免疫疾患である。甲状腺腫，甲状腺機能亢進症に伴う症状，眼症状，皮膚症状，手指先端変化（ばち指）などがある。

1. 頻度と男女差

400 人に 1 人，女性に多い（1：4）。好発年齢は 20 ～ 30 歳であるが，高齢化に伴い 70 ～ 80 歳代も増えている。

2. 生化学所見およびその原因

①総コレステロールの低下（LDL 受容体遺伝子の刺激で LDL 低下，アポ A-Ｉ刺激で HDL 低下，LPL を介して TG 上昇など特徴はおさえておく）。
②ALP 増加
- 甲状腺中毒症が数カ月続いた後に起こることが多く，骨代謝亢進のため骨型 ALP が増える。
- 閉経後と同様の骨形成/破骨サイクルの高回転型となる。
- 10%の骨量が減少し，大腿骨頸部骨折のリスクが有意に上昇する。
③低クレアチンキナーゼ（CK）血症もしくは低クレアチニンホスホキナーゼ（CPK）血症（腎クリアランスの増加による）。
④食後 30～60 分後の高血糖（食物吸収が速くなるため）。

3. T_3 toxicosis

他科もしくは一般内科から紹介される際，FT_4 は低値～正常値であるが TSH が抑制されたままで Basedow 病の症状がまだ軽減しないとコンサルトされることはよくある。Basedow 病には FT_3 のみ高値であるという「T_3 toxicosis」という病態があることを把握しておく。

別名「FT_3 優位型 Basedow 病」とも呼ばれ，Basedow 病の約 10%にみられる。甲状腺腫が大きく，TRAb で抗甲状腺薬による寛解が得られにくいという特徴がある。原因としては甲状腺内の脱ヨード素酵素活性の変化によるものと考えられているが確立していない。

上記コンサルトにて，FT_3 も同時に計測せず経過をみてしまうと，FT_4 が低いという理由だけで，安易にレボチロキシンナトリウム（チラーヂン® S）を補充すると，かえって Basedow 病を遷延・悪化させることになりかねない。

▶Basedow 病の診断基準

1. TSH の重要性

TSH が最も鋭敏な指標であることは肝に銘じる。Basedow 病のコントロールの場合，FT_4/FT_3 が基準値範囲内にあっても TSH はそれらを正常に調節するため，最初に変動する。

また TSH は抑制されるのに一定期間を要するため，無痛性/亜急性甲状腺炎などの

1 Basedow 病　**87**

破壊性甲状腺炎の初期において，FT_4 が非常に高値でも TSH は抑制されていないことがある。血液検査の評価の際には甲状腺機能亢進状態の期間などを想像するためにも病歴の聴取が重要である。

> **TSH についての豆知識**
> ①中枢性甲状腺機能低下症では，TSH の糖鎖付加反応（TRH が重要）に異常があるため，生理活性の低い TSH が産生される。
> ②血中 TSH 濃度は高いのにもかかわらず，FT_4 正常という「マクロ TSH 血症」（本章 11 節参照）という疾患がある。

2. 自己抗体からの診断

TRAb（TSH 受容体抗体）と甲状腺刺激抗体（thyroid stimulating antibody：TSAb）については，どちらも陽性になりうるが感度・特異度は TRAb のほうが高い。第 3 世代の高感度 TRAb 測定法では未治療 Basedow 病の 95% 以上が TRAb 陽性である。無痛性甲状腺炎や亜急性甲状腺炎でも TRAb 陽性例はあるがごく稀である。抗甲状腺ペルオキシダーゼ（TPO）抗体や Tg 抗体は慢性甲状腺炎（橋本病）の診断マーカーではあるが，Basedow 病でも組織学的に慢性甲状腺炎を伴っていることが多く陽性になりやすい。

3. ガイドラインにみる診断基準

表 1 に『バセドウ病の診断ガイドライン』[1] の診断基準を抜粋する。

ほとんどのケースで，シンチグラフィまではしないため，外来では「確からしい Basedow 病」で治療している。確定診断には，シンチグラフィの重要性を忘れてはならない。

表 1　Basedow 病の診断ガイドライン

臨床所見
　①頻脈，体重減少，手指振戦，発汗増加などの甲状腺中毒症所見
　②びまん性甲状腺腫大
　③眼球突出または特有の眼症状
検査所見
　①FT_4，FT_3 のいずれか一方または両方高値
　②TSH 低値（0.1 μU/mL 以下）
　③抗 TSH 受容体抗体（TRAb）陽性，または甲状腺刺激抗体（TSAb）陽性
　④典型例では放射性ヨウ素（またはテクネシウム）甲状腺摂取率高値，シンチグラフィでびまん性

- - - - -

1) Basedow 病
　臨床所見の 1 つ以上に加えて，検査所見の 4 つを有するもの
2) 確からしい Basedow 病
　臨床所見の 1 つ以上に加えて，検査所見の①〜③を有するもの
3) Basedow 病の疑い
　臨床所見の 1 つ以上に加えて，検査所見の①と②を有し，FT_4，FT_3 高値が 3 カ月以上続くもの

- - - - -

【付記】
1. コレステロール低値，ALP 高値を示すことが多い。
2. FT_4 正常で FT_3 のみが高値の場合が稀にある。
3. 眼症状があり TRAb または TSAb 陽性であるが，FT_4 および TSH が正常の例は euthyroid Graves' disease または euthyroid ophthalmopathy と言われる。
4. 高齢者の場合，臨床症状が乏しく，甲状腺腫が明らかでないことが多いので注意する。
5. 小児では学力低下，身長促進，落ち着きのなさなどを認める。
6. FT_3（pg/mL）/FT_4（ng/dL）比は無痛性甲状腺炎の除外に参考となる。
7. 甲状腺血流増加・尿中ヨウ素の低下が無痛性甲状腺炎との鑑別に有用である。

（文献 1 をもとに作成）

4. Basedow 病の関連疾患

試験問題では様々なパターンで Basedow 病と絡めて出題される。

筋力低下を主訴とする場合（甲状腺中毒性ミオパチー）
①近位筋優位な筋力低下（階段を上れない）
②CK が上昇しない（生検では非特異的な筋原性変化のみ）

四肢麻痺を主訴とする場合（甲状腺中毒性周期性四肢麻痺）
①40 歳までの若年男性に多い（10：1）
②左右対称の下肢，近位筋優位な筋力低下
③知覚・意識障害はなし
④発作時のみ低カリウム血症が多く，アルカローシスは起こりにくい
⑤非発作時の K 値は正常
⑥尿中 K 排泄は低下（尿細管も代謝亢進のため再吸収活発化するため）
⑦甲状腺ホルモン過剰状態での高炭水化物摂取後，激しい運動後，飲酒後に起こりやすい
⑧数分から数日継続し自然軽快することが多い
⑨起因としては筋肉のイオンチャネルの障害や，甲状腺ホルモンの Na-K-ATPase 活性化➡インスリン作用増大➡K を細胞内に取り込む，などが考えられる

眼症を主訴とする場合（甲状腺眼症）
①眼窩組織（眼瞼，涙腺，外眼筋，球後脂肪組織）の自己免疫性炎症疾患。
②Basedow 病の 10～20％にみられる。橋本病でもみられることがある。
③上眼瞼の後退（50～70％）が最もみられる症状である（交感神経過緊張で Muller 筋が収縮するため）。
④眼球運動の制限：内直筋と下直筋が障害した場合➡眼球の左右・上下運動が障害。
⑤複視：特に下直筋が最初に障害➡上方注視で複視。
⑥名前のついた徴候：
- Dalrymple 徴候：白目が強調（上眼瞼の後退➡虹彩の周りの強膜が見える）
- Graefe 徴候：白目が強調（上眼瞼の後退➡下方視で上眼瞼の動きが遅れる➡上眼瞼と黒目の間に白目が残る）
- Moebius 徴候：外眼筋の線維化➡両眼輻輳失調
- Stellwag 徴候：（上眼瞼挙筋および下眼瞼筋の緊張増加➡瞬目が減少（数分間に 1 回）

⑦基本的には禁煙と抗甲状腺薬にて眼症の悪化を防ぎ改善を期待する。
⑧CAS（clinical activity score）での活動性眼症が強い場合はステロイドパルス（500～1,000mg/日を 3 日間 3 クール）と放射線療法（1～2Gy×10 回）などで治療する。
⑨ステロイド投与は総量 8,000mg（8g）/日以下とすることが推奨される（重篤肝障害の報告があるため）。
⑩危険・増悪因子として，喫煙，アイソトープ治療（甲状腺破壊で一時的に TRAb が上昇し，眼症悪化する），Basedow 病治療経過中の甲状腺機能低下症（TSH 上昇が眼症悪化につながる），が挙げられる。

粘液水腫が主訴の場合（EMO 症候群）

①圧痕を残さない皮膚の膨隆。

②自己免疫機序によるグリコサミノグリカン（ムコ多糖）の沈着。また，グリコサミノグリカンの沈着が主体となり，前面に出る病態を EMO 症候群と言う。

③下腿全体が硬く腫れる前脛骨粘液水腫（pretibial myxedema）

④眼球突出（exophthalmos）

⑤肥大性骨関節症（hypertrophic osteoarthropathy），ばち指

高齢者の場合（apathetic Basedow 病）

①高齢者の場合は Basedow 病の症状および症候に乏しく，甲状腺腫も小さいケースが多い。

②食欲不振や体重減少，心房細動や心不全などの循環器症状で発見されることが多い特徴がある。

1 型糖尿病を合併した場合〔自己免疫性多内分泌腺症候群（APS）〕

Basedow 病が 1 型 DM を合併することはめずらしくなく，その際は自己免疫性多内分泌腺症候群（autoimmune polyglandular syndrome：APS）を思い浮かべる必要がある。

5. Basedow 病の鑑別疾患

FT$_4$ 高値/TSH 低値の場合，Basedow 病との鑑別が必要となる。

重要なのは破壊性甲状腺炎と妊娠初期一過性甲状腺機能亢進症（GTH）である。

破壊性甲状腺炎：一過性に TRAb が陽性になることもある（TSAb は陰性）。

無痛性甲状腺炎：通常は自己抗体陰性であるが陽性になることもある。シンチグラフィの取り込みはなし。中毒症は 3 カ月以内におさまる。

出産後甲状腺炎：出産後 1 年以内に生じる無痛性甲状腺炎である。シンチグラフィの際は一時的な断乳が必要である。TRAb は陰性が原則である。

薬剤性甲状腺炎：インターフェロンやアミオダロンが原因となることが多い。

亜急性甲状腺炎：有痛性であり，鑑別は比較的容易である（後述）。

GTH：TSH と同じ α 鎖をもつ hCG の一時的な高濃度状態による甲状腺機能亢進症である。一般に妊娠 16 週までの基準値は FT$_4$：0.9～1.9 ng/dL，16 週以降は FT$_4$：0.5～1.3 ng/dL とされる。

6. その他の鑑別疾患

Plummer 病

シンチグラフィでびまん性に集積する Basedow 病と異なり，明瞭な結節を認める。

非自己免疫性甲状腺機能亢進症

TSH 受容体自体の獲得型遺伝子変異である。TRAb 陰性でも甲状腺機能亢進し，シンチグラフィではびまん性に描出される。

SITSH

中枢性の甲状腺機能亢進だが TSH が抑制されない病態。

▶Basedow 病の治療

　Basedow 病治療の 3 本柱は，①薬物治療，②アイソトープ治療（^{131}I 内用療法），③手術療法である。日本では欧米と異なり，①の薬物治療が主体である。欧米では②のアイソトープ治療が主流である。放射線についての理解や国民性などの違いがひとつの理由であろう。

1. 薬物療法

抗甲状腺薬

　TPO に対する Tg のチロシン残基のヨード化を特異的に阻害し，ホルモンの産生と分泌を抑える。抗甲状腺薬には，チアマゾール（MMI）とプロピルチオウラシル（PTU）の 2 種類がある。

(1) 適正量

①アドヒアランスすべてにおいて，妊娠 15 週までを除き MMI が推奨される。授乳では，MMI は 10mg/日以下，PTU なら 300mg/日以下では問題ない。15 〜 20mg/日 MMI を使用する場合は，MMI 服用後，乳汁中濃度が高い 6 時間程度（可能なら 12 時間程度）は人工栄養とする。

②MMI の少量投与（5〜15mg/日）は MMI 30mg/日，もしくは PTU 投与より安全である。初期投与量は FT$_4$ 値で変更する（目安≦5ng/dL なら MMI 15mg/日，測定範囲上限なら 30mg/日）。MMI 30mg の場合，15mg に比べると薬疹などの副作用が多い。MMI が増量しにくい場合はヨウ化カリウムを組み合わせるケースも多い。

③薬物投与期間は 2 年程度を目安とし，減量・中止の目途が立たない場合は他の治療への切り替えも考慮する。

④抗甲状腺薬の最小投与量（2 日に 5mg）で 6 カ月以上 TSH も含め euthyroid であれば，中止した場合の寛解率は 80％以上である。

⑤中止時に TRAb は陰性の場合でも 30％が再発，TRAb 陽性の場合でも 30％寛解する。

⑥寛解しにくい条件
- 機能亢進が強く，甲状腺腫が大きい場合
- T$_3$ toxicosis（T$_3$/T$_4$≧2.5）
- 若年者（特に小児は寛解率 30％前後で治療に 3〜6 年かかるとされる）
- 喫煙や精神ストレスは増悪因子である

(2) 副作用

①副作用発現

　MMI は投与量に相関するが PTU は相関しない。

②時期

　副作用は 3 カ月以内に出ることが多く，開始当初から 2 カ月間は 2〜3 週間ごとにチェックするべきである。

③皮疹（蕁麻疹）

　副作用として最も多く報告される。抗ヒスタミン薬で改善しない場合は別の抗甲状腺薬，もしくはステロイドを併用する場合もある。

④肝機能障害

　未治療の Basedow 病や甲状腺機能の改善でも軽度の肝機能障害はみられるため，

1 Basedow 病　**91**

薬剤開始前に肝機能をチェックしないと薬剤性かわからなくなる。重症肝障害はMMI よりも PTU で頻度が高い。

ALT が 150 以上であれば➡ウイルス性肝炎の検査もしておく。

Bil が 3 以上であれば➡重症肝障害（0.1％）と判断し抗甲状腺薬治療はあきらめ，無機ヨードに切り替えつつ，他の治療を模索する。

⑤無顆粒球症

抗甲状腺薬治療 3 カ月以内に起こりやすい。最も注意を要する副作用のため，最初の 3 カ月は 2 週間ごとに白血球/ 好中球の検査を行う。

好中球数＜500/μL が定義であり，頻度は 0.1～0.5％程度である。

発症は発熱と咽頭痛のエピソードが基本である。

無顆粒球症とわかれば，抗甲状腺薬治療は速やかに中止し，無機ヨードに切り替えつつ，他の治療を模索する。

交叉反応があるためもう一方の抗甲状腺薬への切り替えが禁忌なのは基本である。

⑥ANCA 関連血管炎

他の副作用と違い，服用開始後 1 年以上で起こりやすい晩発性の特徴がある。

発症は発熱，関節痛，筋肉痛から始まり，臓器障害を伴う場合は肺や腎臓が代表的で，空咳，血尿などの所見があるというエピソードが基本である。

MMI よりも PTU で起こりやすく，用量に依存しないことが特徴である。

PTU 長期投与例の MPO-ANCA 陽性の頻度は 4～40％であるが，ステロイドの治療の対象となるのは肺（肺出血）や腎臓（急性進行性糸球体腎炎）などに臓器障害を伴う場合である。対処は無顆粒球症と同じである。

抗甲状腺薬による MPO-ANCA 関連血管炎については，

・抗甲状腺薬による血管炎は，再発は非常に稀

・症状の重篤度と MPO-ANCA 値は相関しない

・服用量と発症頻度は相関しない

といった大原則を覚えておく。

⑦その他

非特異的な多発関節炎（1～2％），再生不良貧血，インスリン自己免疫症候群（MMI に多い）などが報告されている。

無機ヨード（ヨウ化カリウム）

過剰な無機ヨードが有機化を抑制し甲状腺ホルモン合成分泌を阻害する作用を利用する。これを Wolf-Chaicoff 効果と言う。その効果の影響か，甲状腺内の血管分布減少や濾胞細胞の縮小，腺組織の固化などを起こす。

Wolf-Chaicoff 効果は，正常甲状腺では投与後 1 日以内に現れ，10 日以内にエスケープ（効果が減弱，消失すること）する。Basedow 病ではエスケープが起こりにくいため長期間使用できる。

ヨウ化カリウム丸 1～2 丸/日の使用が多い（1 丸あたり約 40mg のヨードが含まれる）。単独での寛解率は 40％前後と報告されている。

(1) 適応

①抗甲状腺薬が副作用で使えなくなった場合

②抗甲状腺薬と組み合わせて高い治療効果をねらう場合（MMI 30mg より MMI 15mg＋ヨウ化カリウム 1 丸のほうが治療効果は高いという報告がある）

③甲状腺手術の 1～2 週間前

　甲状腺の術中出血を減らす，あるいは手術までに甲状腺機能を抑制することが期待できる。可能であれば抗甲状腺薬も併用していく。

④アイソトープ治療を行うまでのコントロール

⑤甲状腺クリーゼ

(2) 注意点

　乳汁に移行するので，授乳婦には注意する。

β遮断薬

　Basedow 病には効かないが，患者の動悸などの症状を初期にとる必要がある場合に使用する。

禁忌

①基本的に妊婦には禁忌として覚えておく。

②β_1 選択性かそれ以外かに注意する。

- アテノロール，メトプロロール酒石酸塩（β_1 選択性）：気管支喘息は慎重投与。
- プロプラノロール塩酸塩（β_1 非選択性）：気管支喘息，DKA，高度房室ブロックが禁忌。

基本，禁忌である妊婦にはラベタロール塩酸塩/アテノロールが必要であれば処方可能となっている。授乳婦であればプロプラノロール塩酸塩/メトプロロール酒石酸塩が適している。しかし，あくまでも添付文書では，基本は避けることになっているため，使用する症例は吟味する必要がある。気管支喘息の既往の聴取は重要である。

2. アイソトープ治療（^{131}I 内用療法）

　甲状腺機能亢進を確実に治す（甲状腺を焼きつくして機能低下にする）方法とされ，10 年以内に 50%以上が甲状腺機能低下症になる。

　外来治療では 500MBq（13.5mCi）までが限度である。

　^{131}I ヨードカプセルを 1 回服用するだけであるが，甲状腺への取り込みが重要なので，カプセル服用前後の抗甲状腺薬の休薬期間やカプセル服用後（甲状腺組織破壊による）における甲状腺機能亢進症状が強く出るため，全身管理が重要となる。

適応

①薬物治療が重篤な副作用などで使用できず，かつ手術が難しい場合（手術拒否，心臓や肝臓病で不耐性がある場合）。

②手術後に再発した場合。

③甲状腺腫が大きく，再発を繰り返すような場合。

禁忌

①妊婦や妊娠の予定が半年以内にある女性や授乳婦。

②18 歳以下の若年者（若年者には発癌の可能性がまだ完全に否定できないため）。

③活動期や重度の甲状腺眼症がある場合。

3. 手術療法

適応
①Basedow病に甲状腺癌（悪性が多い）を合併した場合。
②妊娠中に副作用で薬物療法が困難な場合（手術は妊娠中期に行われる）。

副作用
①確実で早いが，反回神経麻痺，副甲状腺機能低下の合併症もありうる。
②亜全摘術では再発がありうる。

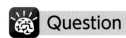

鍵穴のマークは問題の難易度を示します。

 抗甲状腺薬によるANCA関連血管炎について正しいものはどれか。

A：P-ANCAの染色パターンは人工産物である。
B：抗甲状腺薬に関連するのはPR3-ANCAである。
C：多発血管炎性肉芽腫はMPO-ANCAと関連する。
D：抗甲状腺薬を中止しても血管炎は長期化する。
E：MPO-ANCAが陽性になれば，ほとんどの症例で血管炎を発症する。

正答 A

解説
A：正しい。アルコール固定後にP-ANCA対応抗原は核周辺に移動するため，このような染色パターンとなる。
B：抗甲状腺薬によるANCA関連血管炎（壊死性半月体形成性腎炎など）ではMPO-ANCAが陽性になる。
C：多発血管炎性肉芽腫はPR3-ANCAと関連する。
D：抗甲状腺薬を中止すれば血管炎は早期におさまる。
E：MPO-ANCAが陽性になっても必ずしも血管炎は発症しない。また血管炎がおさまってもMPO-ANCAはしばらく陽性が続く。

 抗甲状腺薬について，正しいものはどれか。

A：MMIの初期投与量はできるだけ最大用量30mg/日から始める。
B：授乳婦には原則，MMIは少量でも使用できない。
C：無顆粒球症の発症に関してMMIは用量依存性がある。
D：重症肝障害はMMIのほうがPTUより多い。
E：無顆粒球症は使用後6カ月以降で起きやすい。

正答 C

文献
1) 日本甲状腺学会，編：バセドウ病の診断ガイドライン．甲状腺疾患診断ガイドライン2021（2021年6月7日改定），2021．
 [http://www.japanthyroid.jp/doctor/guideline/japanese.html#basedou]

第3章 甲状腺

2 block and replace

Key Question

症例：40歳女性。Basedow病初回治療のこの症例にMMI 20 mg/日を投与し，2カ月でeuthyroidになった。継続すると甲状腺機能低下症状が前面に出現し，血液検査を行った。
検査所見：TSH：6.0 μU/mL，FT$_4$：0.70 ng/mL，TRAb 19 U/L。

今後の対応として適切なものはどれか。

A：MMI中止とする。
B：KIに変える。
C：MMI+LT$_4$に変更する。
D：PTUに変更する。
E：副腎皮質ステロイドを加える。

Answer

C

解説
　出題者の意図としては「実際にBasedow病の外来診療をしたことがあるかどうか」を問われていると思われるが，エビデンスが確立されているわけではないので良問とは言いにくい。
A：中止ではなく減量であれば正解でもよいと思われる。
B：MMIが副作用なく効果があるため，変更の意味はない。
C：block and replace（療法）であり，実際の診療でよく行われている。
D：MMIが副作用なく効果があるため，変更の意味はない。
E：クリーゼがある場合などは検討される。

Key Lesson

○ block and replaceとは，Basedow病の外来治療において，MMIは効果良好であり，薬物治療で寛解まで可能と判断されるが，MMIを中止してしまうと肝心のTRAbの陰性化ができないため，MMIは継続しつつ，LT$_4$を少量補充し，FT$_4$/TSHのバランスを保つという考え方である。

第3章 甲状腺

3 高齢者のBasedow病

Key Question

症例：70歳女性。2週間前より全身倦怠感，下腿は浮腫を伴っているが非圧痕性浮腫であった。
身体所見：身長153cm，体重40kg，血圧98/50mmHg，脈拍86/分・整。
血清生化学所見：総コレステロール210mg/dL，TG 145mg/dL。

甲状腺疾患の場合，予想される正しい所見はどれか，2つ選べ。

A：TSH 低値
B：FT₃ 低値
C：FT₄ 高値
D：CK 高値
E：ALP 低値

Answer

A，C

解説
　ほとんど臨床所見だけで，Basedow病か橋本病かを判断させる問題である。低中性脂肪血症があることを見逃さなければよいが，非圧痕性浮腫がBasedow病でもみられる場合があることに注意すべきである。実際の試験の画像では，皮膚がだぶだぶで象皮病（非圧痕性浮腫の末期でも同様の所見になることがある）のようにも見えるが，進行した圧痕性浮腫のようにも見えた。Basedow病では圧痕性浮腫も非圧痕性浮腫も起こりうる。非圧痕性浮腫➡慢性甲状腺炎と短絡的に判別するのではなく，臨床所見からapathetic Basedow病の診断を間違えないようにという出題者の意図であろう。
A：Basedow病の所見である。
B：甲状腺機能低下症の所見である。
C：Basedow病の所見である。
D：甲状腺機能低下症の所見である。
E：Basedow病では高値を示すことが多い。

Key Lesson

○高齢者ではBasedow病の症状・症候に乏しく，甲状腺腫も小さい。甲状腺腫の頻度は60％程度で，Basedow病全体での頻度99％に比べると低いと言える。

○体重減少は高齢者の Basedow 病の 95%にみられる。

○ Basedow 病における心房細動は全体の 30%程度であるが，高齢になるほど高頻度で発症する。また，精神的に無力状態となることもあり，別名，無欲性・仮面性顔貌 Basedow 病とも呼ばれる。

> **高齢者の Basedow 病の特徴は？**
> ①甲状腺腫や甲状腺中毒症状は前面に出ない。
> ②食欲不振や体重減少，心房細動/心不全など循環器症状で発見されることが多い。
> 　➡ apathetic Basedow 病と呼ばれる由縁である。

知識の整理

甲状腺機能低下症のみならず，甲状腺機能亢進症でも浮腫を認めることがある。甲状腺機能亢進症のなかでも，Basedow 病では自己免疫機序により特殊な浮腫性病態が生じる場合がある。

▶ 高齢者の Basedow 病の病態

1. 圧痕性浮腫（pitting edema）

様々な疾患が原因で血管内から間質への水の移動や水と Na の貯留により起こる。以下は，その代表的な原因疾患である。
①Basedow 病：糖，脂肪，蛋白質，Fe が過剰に代謝亢進➡貧血や低アルブミン血症からの心不全による浮腫。
②副腎性 Cushing 症候群：Na の体内貯留が亢進される。
③原発性アルドステロン症：Na の体内貯留が亢進される。

2. 非圧痕性浮腫（粘液水腫）（non-pitting edema）

非圧痕性浮腫は間質の蛋白濃度が増加するリンパ浮腫やムコ多糖が増加する甲状腺機能低下症などが代表的である。

Basedow 病

自己抗体が病変部位にある線維芽細胞を刺激し，プロテオグリカンを大量に産生させていることが原因とされている。甲状腺機能低下症とはまったく違うメカニズムによってグリコサミノグリカン（ムコ多糖）が作られている。

教科書的には，前脛骨粘液水腫（ムコ多糖類が前脛骨部の皮下に溜まり，脛の前部の皮膚がオレンジの皮のように，こぶ状に発赤して厚くなる）と記載される。剛毛，毛嚢が目立つこともあり，オレンジのように見える。

橋本病

ムコ多糖は一般的には甲状腺機能低下症で生じる物質である。甲状腺機能低下症では甲状腺ホルモン産生が低下するため，代謝が滞りムコ多糖類が蓄積する。下肢前脛骨部や足背に多くみられ，なかには象皮病様にまで膨らむ症例もある。顔の浮腫は粘液水腫

3 高齢者の Basedow 病　**97**

顔貌とも言われる．

リンパ浮腫
　乳癌や子宮癌浸潤，リンパ節切除，放射線治療によるリンパ液の停滞で生じる．晩期には甲状腺機能低下症の粘液水腫と同じく，圧迫痕が残らない．

 Question　　　　　　　　　　　　　　　　　　鍵穴のマークは問題の難易度を示します．

 若年者と高齢者の Basedow 病の特徴について正しいものはどれか．

A：甲状腺腫は約 60％にみられ，若年者の Basedow 病よりも頻度が多い．
B：体重減少は高齢者の Basedow 病では 90％以上にみられる．
C：高齢者の Basedow 病は躁状態になりやすい．
D：若年者の Basedow 病では消化器症状が前面に出やすい．
E：Basedow 病の浮腫は圧痕性浮腫のみである．

正答　B

第3章 甲状腺

4 妊娠初期一過性甲状腺機能亢進（GTH）

Key Question

症例：不妊治療を受けている35歳女性。ここ3カ月間生理がなく，1カ月前からの動悸，発汗で受診。

検査所見：TSH 0.01 μU/mL, FT_3 5.2 pg/mL, FT_4 1.9 ng/mL。

この時点で調べるものはどれか，2つ選べ。

A：尿中hCG
B：TPO抗体
C：TRAb
D：サイログロブリン
E：甲状腺のシンチグラフィ

Answer

A，C

解説

　GTHとBasedow病合併妊娠の鑑別について問われているのは明らかである。Basedow病の合併があるかどうかを簡便に調べる方法としては抗体の測定である。仮にBasedow病が存在した場合（Basedow病合併妊娠）も抗体価を調べることで，新生児一過性甲状腺機能亢進症のリスクや，妊娠中に抗甲状腺薬の投与をすべきかの指標になる。

A：妊娠の確認は必須である。
B：必須ではない。
C：Basedow病の鑑別に必須である。
D：必須ではない。
E：Basedow病の確定診断に重要だが，患者が妊娠している場合は禁忌にあたる。

Key Lesson

○妊娠可能年齢の女性でBasedow病を疑う場合は，GTHを疑い，妊娠反応を必ずチェックする。

知識の整理

▶GHTの病態

妊娠10週をピークに胎盤からhCGが分泌される。TSHと同じα鎖をもつhCGの一時的な高濃度により，甲状腺のTSH受容体を刺激するため，特に妊娠第1期（7〜15週）にFT$_4$が一時的に高値，TSHは軽度低下を示す。妊娠中・後期は，FT$_4$値は非妊娠時に比べてやや低値を示す。

1. 原因

妊娠中に必要な甲状腺ホルモン量は非妊娠時の25〜50%増加する（**図1**，**表1**）[1]。エストロゲンの増加によってサイロキシン結合グロブリン（TBG）が増加し，血中T$_4$は増加する。

胎児の中枢神経発育にはT$_4$が重要である。しかし胎児甲状腺が完成し，自力でT$_4$生成できるのが18〜20週とされ，それ以前は母体からのT$_4$が胎盤を経由して中枢神経分化を手助けするのである。よって，橋本病合併妊娠などで妊娠20週以前に母体FT$_4$が低値であれば，レボチロキシンナトリウム補充が必要になる。

図1 妊娠中の甲状腺機能検査値の変動

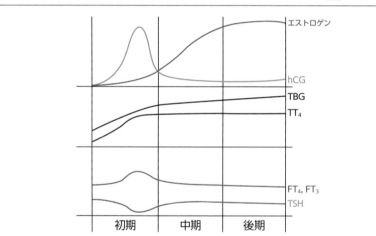

妊娠中は甲状腺ホルモン必要量が30〜50%増大する。
妊娠初期からエストロゲンが徐々に上昇し，肝臓でのTBG合成を促進する。hCGが甲状腺を刺激し甲状腺ホルモン産生を増加させる。TSHは軽度減少し，結合型甲状腺ホルモン（TT$_3$，TT$_4$）は著明に上昇し，遊離型甲状腺ホルモン（FT$_3$，FT$_4$）は軽度上昇する。hCGはその後低下し，FT$_3$，FT$_4$も減少する。TSHは妊娠初期には少し低下し，その後は元に戻る。
➡妊娠中にFT$_4$は低下する傾向にあるがTSHはほとんど変動しない。

（文献1より引用）

表1 妊娠初期一過性甲状腺機能亢進症（GTH）

35歳多胎妊娠例	FT₄ (ng/dL)	FT₃ (pg/dL)	TSH (μU/mL)	Tg (ng/mL)
妊娠12週	5.63			
妊娠14週	6.45	19.17	0.00	
妊娠15週	3.95	16.39	0.02	240
妊娠18週	1.88	5.30	0.01	83
妊娠20週	1.35	3.33	0.02	52
基準値	1.01～1.67	2.26～4.15	0.32～4.12	<30

FT₄ 基準値は？
- 一般に妊娠16週までの基準値 ➡ FT₄ 0.9～1.9 ng/dL
- 16週以降の基準値 ➡ FT₄ 0.5～1.3 ng/dL

Question

鍵穴のマークは問題の難易度を示します。

症例：Basedow病にてMMI 5mg/日でコントロール中の35歳女性。妊娠14週で再来院。MMIはきちんと内服できている。

検査所見：

	FT₄ (ng/dL)	FT₃ (pg/mL)	TSH (μU/mL)	TRAb (%)
非妊娠時	1.28	3.05	1.35	12
妊娠10週	2.06	5.21	0.06	3.9
妊娠14週	1.8	4.9	0.01	2.2
基準値	1.00～1.70	2.25～4.15	0.30～4.12	<10

今後の薬剤投与の方針として正しいものはどれか。

A：MMI 5mg/日を継続する。
B：MMI 10mg/日へ増量する。
C：MMIをいったん中止とする。
D：Basedow病が再燃したと説明し，妊娠は断念するよう促す。
E：PTUに切り替えるのは禁忌である。

正答 **B**

解説

妊娠7～15週はGTHである。単純に，TSHは低下傾向なのでBasedow病が再燃していると考えた場合，MMI増量（もしくはPTUに切り替え増量）となる。しかし，妊娠7～15週で分泌されるhCGはTSHを抑制するため，妊娠初期のTSH低下は必ずしもBasedow病再燃とはならない。Basedow病合併妊娠で7～15週のBasedow病コントロール評価を行う場合は，TSHではなく，FT₄の推移で判断し，基準値上限を下回らないようコントロールする。すなわち，この患者ではあえて増量せず，現量を維持するのが適当である。

➡ Basedow病のコントロールはTSHで予測するのが基本であるが，Basedow病合併妊娠7～15週はhCGの影響もありその限りではない。

文献

1) 日本甲状腺学会臨床甲状腺カレッジ委員会：甲状腺疾患と妊娠．バーチャル甲状腺カレッジ．
[http://www.thyroid-college.jp/]

第3章 甲状腺

5 妊娠とBasedow病

Key Question

妊婦に抗甲状腺薬を使うときの胎児への副作用における組み合わせで正しいものはどれか。

A：無機ヨード―頭皮欠損
B：メルカゾール®―ANCA関連血管炎
C：PTU―2型糖尿病
D：メルカゾール®―臍腸管瘻奇形
E：PTU―多指症

Answer

D

解説

MMI（メルカゾール®）関連奇形としてはこれまで，後鼻孔閉鎖症，食道閉鎖症，気管食道瘻，頭皮欠損症，臍腸管異常，臍帯ヘルニアが報告されている[1]。

欧米からの報告では，後鼻孔閉鎖症，食道閉鎖症，気管食道瘻，頭皮欠損が多いが，わが国では，臍腸管異常，臍帯ヘルニアの報告が多いことが特徴である。

薬剤の内服量，妊娠初期の甲状腺機能亢進と奇形について関連は認めない。

A：頭皮欠損はMMIで問題となる。
B：ANCA関連血管炎はMMIよりPTUで問題となる。
C：関連報告はない。
D：正しい。
E：関連報告はない。

Key Lesson

○ MMI関連奇形は，後鼻孔閉鎖症，食道閉鎖症，気管食道瘻，頭皮欠損症，臍腸管異常，臍帯ヘルニアの報告がある。MMIの内服量や妊娠初期の甲状腺機能亢進と奇形とは関連は認めないとされる。

知識の整理

　妊娠と Basedow 病については，専門医として最も相談を受ける可能性が高い。放置すると，早産・流産，妊娠高血圧症候群，低出生体重児の可能性を引き起こすこともあるため，早期の介入が必要である。試験でも細かいところが問われる。

▶ 病態

1. 基本的事項

①TRAb は胎盤を通過するため，胎児も甲状腺機能亢進症になるリスクがある（特に TRAb≧10U/L のとき）。しかし，抗甲状腺薬も胎盤を通過するため，母体とともに胎児への治療が可能となる。

②アイソトープ治療は禁忌である。また，手術は多くの患者が忌避するため，治療は薬物療法が主体になる。まず，妊娠初期を乗り切る必要があるが，やはり薬剤の副作用が課題となる。

2. Basedow 病合併妊娠での薬剤と副作用

①MMI と PTU の胎盤通過性に差はない。

②現時点では，妊娠初期 15 週未満に限り PTU や無機ヨードの使用が推奨されている[2]。特に妊娠 6 週〜10 週の時期は，胎児への MMI の影響が否定できないため，PTU を第一選択とする。妊娠初期以外は MMI の使用が基本である。これは妊娠初期の抗甲状腺薬使用による全国調査において，PTU ではなく MMI 使用のほうで 1〜3％（健常者妊娠の先天異常率と同等）に先天異常が認められたからである。因果関係が 2017 年現在でもはっきり証明されていないため，今後変更される可能性もあるが，どのような先天異常が起こったのかは，知識として試験で問われることもある。

③患者には，因果関係がないことを伝えていたとしても尋ねられる場合がある。覚えておくべきなのは，臍腸管関連奇形（後鼻孔閉鎖または食道閉鎖または気管食道瘻または臍ヘルニア），頭皮欠損症である。

▶ 治療

1. 妊娠中のコントロール

①健常人妊婦でも起こる GTH と Basedow 病の併存には注意を要する。妊娠初期（16 週まで）には FT_4（甲状腺ホルモン）正常値の 1.5〜2 倍まで上昇することがあり，むやみに抗甲状腺薬で正常値に戻すことは，胎児の発育に悪影響を与える。逆に妊娠後期では胎児への免疫抑制効果が強まり，Basedow 病が安定し抗甲状腺薬を減量できる場合がある。

②妊娠中は非妊娠時の基準値の上限に合わせるのが基本である。胎児は母体よりも甲状腺機能がやや低めであるため，これでバランスがとれている。➡薬物療法の副作用が出なければ，順調に薬物を減量しつつ無事出産となるが，その後の経過観察が重要となる。

2. 出産後の注意点

再燃

妊娠後期には安定する Basedow 病であるが，出産後に再燃しやすい（30〜40％）。

また，無痛性甲状腺炎も出産後，特に 3~8 カ月後には同頻度で起こるとされる。そのため，Basedow 病再燃なのかどうかの判断には妊娠中の抗体価の上昇を確認する必要がある。再燃の場合は TRAb が先行して上昇することは稀で，突然上昇する場合がほとんどである。つまり，FT_4 や FT_3 が上昇しはじめてきた時期の TRAb では，無痛性甲状腺炎と Basedow 病再燃の区別はできないことになる。

なお，出産後は授乳婦である場合がほとんどであり，シンチグラフィの検査はできない。➡実質診断できないため，患者の症状に注意して 2 週ごとにチェックする。

授乳婦への薬物の選択

授乳婦でも MMI 10mg/日，PTU 300mg/日以下であれば授乳制限の必要はない。なお，MMI よりも PTU のほうが乳汁に移行されにくい（約 1/10）。

また，乳汁中濃度は血中濃度とともに変動し，乳汁中に薬剤が濃縮されることはない。

服用量が上記を超える場合は，乳汁中濃度が高い服薬後 6 時間程度は授乳を中止し，人工栄養とすることが勧められる。

MMI や PTU が使用できない場合には無機ヨードを使うが，無機ヨードは少量でも新生児に一過性甲状腺機能低下症を引き起こすため断乳が必要となる。

出生児の甲状腺異常の有無

出生児について，新生児甲状腺機能低下症（いわゆるクレチン症）に注意する。

活動性低下（嗜眠），食欲減退，筋緊張低下，便秘，巨舌，臍ヘルニアなどの症状から始まり，治療のタイミングが遅れると，知能障害，低身長になる疾患である。すべての新生児は，新生児マススクリーニングとして出生後に甲状腺ホルモン検査を行い，TSH 高値，甲状腺ホルモンの低値がないかチェックされる。

原因として，胎児期の発生異常による無形成，低形成のほかに母親の抗甲状腺剤の内服や，過剰な海藻類の摂取・過剰なイソジン消毒・胎児造影検査といったヨード過剰なども挙げられる。

また，新生児（一過性）甲状腺機能亢進症にも注意する。代謝活発となるため，心拍や呼吸数が増加，神経過敏，体重減少（食欲増加にもかかわらず）などの症状がみられる。母親が妊娠中に Basedow 病にもしくは妊娠前に Basedow 病の治療を受けていた場合，新生児（一過性）甲状腺機能亢進症にかかることがある。母親の体内でつくられた自己抗体が胎盤を移行して，胎児甲状腺を刺激するため，母親同様甲状腺ホルモンの血中濃度が上昇する。母親から胎盤を移行してきた抗体が新生児の血流中に存在するのは数カ月だけなので，多くは一過性である（治療もその数カ月のみでよい）。

パークロレイト放出試験とは？

クレチン症の頻度は，出生 3,000~4,000 人に 1 人である。主な原因は甲状腺の発生異常であるが，ホルモン合成障害も 10~20% を占める（この場合，甲状腺用量は正常または過形成）。甲状腺ホルモン合成障害の中には，①甲状腺へのヨードの取り込み，② Tg 上のチロシン残基へのヨードの結合（ヨード有機化），③ヨードチロシンの縮合，④ホルモン合成に利用されなかったヨードチロシンの脱ヨード化などの各段階における障害がある。ホルモン合成障害では，甲状腺ペルオキシダーゼ（TPO）の分子異常などによるヨード有機化障害の頻度が高い。ヨード有機化障害ではパークロレイト放出試験が陽性となるため，パークロレイト放出試験が重要な検査となる。クレチン症において，^{123}I シンチグラフィとパークロレイト放出試験の組み合せで「病型診断」を行うことができる[3]。

---

5 妊娠と Basedow 病　**105**

小児におけるパークロレイト放出試験の実例：^{123}I カプセル内服 4 時間後に 0.4g KClO$_4$ を経口摂取し，その 60 分後（^{123}I 内服 5 時間後）の摂取率が 50%，120 分後の摂取率が 40% であり，パークロレイトによる放出率はそれぞれ 25%，35% と計算された（放出率 20% 以上の場合に放出試験陽性と判定される）。

3. Basedow 病コントロール不良の場合，妊婦に及ぼす影響

母体

①妊娠高血圧症候群（子癇前症）や心不全を起こしやすい。妊娠高血圧症候群を合併しない限り母体の死亡率は高くない。

②妊娠中の甲状腺クリーゼは，稀ではあるが起こりうる。

胎児

①発育遅延，死産，早産，新生児死亡が増加する。

②胎児および新生児甲状腺機能亢進症を引き起こす可能性がある。
　TRAb は胎盤を通過するため母体の TRAb が高値の場合（＞10U/mL）➡ 胎児の甲状腺が TRAb で刺激されることにより起こりうる。

③妊娠中における抗甲状腺薬などの過剰投与例では薬の胎盤移行による胎児甲状腺機能低下症の危険もある。

4. 妊娠中の Basedow 病薬物治療の実際

①妊娠中は Basedow 病の病勢が軽くなることが多く，TRAb の低下と必要とする抗甲状腺薬の減量，あるいは中止をもたらす場合もある。

②妊娠初期の抗甲状腺薬治療は催奇形性の点から PTU が望ましい。胎児にとって，妊娠 4～7 週は絶対過敏期，8～15 週は相対過敏期と言われ，特にこの時期に注意する必要がある。

③MMI 服用中で妊娠希望の患者には，3 カ月間 PTU に変更して，重篤肝機能障害や無顆粒球症などの副作用が起こらないことを確認してから妊娠するように指導する。

④副作用のために PTU を使用できない MMI 服用中の患者に妊娠が判明した場合，MMI を中止し無機ヨードへの変更を行う。なお，妊娠中期以降は MMI に戻すことが可能となる。
　しかし，無機ヨードの安易な使用は，新生児一過性甲状腺機能低下症の原因となる。新生児一過性甲状腺機能低下症報告は MMI 奇形の報告よりも当然多く，新生児マススクリーニングにて TSH 高値となり発見されている。ヨードの感受性は個人差が大きく，少量のヨード治療で安全であるかは結論が出ていない。
　なお，Basedow 病合併妊娠で無機ヨードを使う場合は，次のように，MMI や PTU の使用が困難で甲状腺機能亢進のコントロールがつかない状況を想起すればよい。
　・母体の甲状腺機能亢進が重篤で，クリーゼ切迫で母児共に危険な場合
　・母体の甲状腺機能亢進のコントロール不良により，新生児の中枢性甲状腺機能低下症が危惧される場合（TSH 上昇がみられず新生児マススクリーニングで見逃される可能性もある）

⑤妊娠 20 週くらいまでは母体の FT$_4$，TSH を 1～2 カ月に 1 回測定し，施設の基準値内にコントロールする。MMI，PTU 服用中の妊婦では妊娠 20 週以降，FT$_4$ を基準値上限くらいにコントロールする。ただし，妊娠高血圧や糖代謝異常や早産な

どの母体合併症がある場合は，基準値内のコントロールを目指す。
⑥妊娠中は母体の TRAb を 2〜3 カ月に 1 回は測定し，新生児 Basedow 病の発症を予測する。妊娠初期に TRAb が測定範囲上限近くにある場合は，あらかじめ小児科が併設されている産科を紹介することが望ましい。妊娠後期に高値を示す場合では新生児 Basedow 病を発症することがあるため注意が必要である。
⑦抗甲状腺薬治療中の患者が妊娠した場合，妊娠中 TRAb は減少するが，出産後また増加する例が多い。
⑧甲状腺中毒症の妊婦で動悸が強い場合，妊娠中でも使用できる薬剤として，αβ 遮断薬（ラベタロール塩酸塩）があるが，血圧降下に注意が必要である。
ラベタロール塩酸塩は『高血圧治療ガイドライン 2019』では使用可能となっているが，添付文書では妊娠中は，十分なインフォームドコンセントを行い，緊急時にやむをえない場合以外には投与しないことが望ましいとされている。
⑨授乳中ではプロプラノロール塩酸塩，メトプロロール酒石酸塩，ラベタロール塩酸塩が推奨されている。

Question

鍵穴のマークは問題の難易度を示します。

Q1 MMI 15 mg/日で治療中の Basedow 病妊婦（妊娠 6 週）が外来相談にきた場合の正しい指導はどれか。

A：妊娠継続を断念してもらう。
B：MMI を継続する。
C：PTU へ変更する。
D：すべての薬剤を中止する。
E：無機ヨードに変更する。

正答 **C**

Q2 抗甲状腺薬による催奇形性が最も問題になる時期はどれか。

A：妊娠 2 週まで
B：妊娠 4〜12 週まで
C：妊娠 13〜20 週まで
D：妊娠 20〜28 週
E：妊娠 30〜40 週

正答 **B**

解説
妊娠 8 週以降であれば PTU への切り替えの意義は意見が分かれる（MMI による奇形報告は妊娠 6〜10 週であるため）。

文献
1) 日本甲状腺学会：妊娠初期のチアマゾール投与に関する注意喚起について．
[http://www.japanthyroid.jp/doctor/information/index.html#ninshin]
2) 日本甲状腺学会, 編：バセドウ病の診断ガイドライン. 甲状腺疾患診断ガイドライン 2021（2021 年 6 月 7 日改定），2021．
[http://www.japanthyroid.jp/doctor/guideline/japanese.html#basedou]
3) 原田正平：先天性甲状腺機能低下症. 小児内科. 2002；34：626-634.

第3章 甲状腺

6 不妊症と甲状腺機能低下

Key Question

症例：FT$_4$ 1.40 ng/dL で来院した 28 歳女性。不妊外来のスクリーニングで TSH 4.5 μU/mL であった。

紹介を受けた患者に対して最も<u>不適切</u>な対応はどれか。

- A：1 カ月後再検する。
- B：卵管造影を施行されたことがあるか確認する。
- C：TSH≦5 μU/mL なので問題ないと帰す。
- D：TPO 抗体を測定する。
- E：下垂体の精査を行う。

Answer

A

解説

潜在性甲状腺機能低下症について問われている。胎児甲状腺は妊娠 20 週頃に完成すること，妊娠中の母体の甲状腺機能低下症は児の発育遅延をもたらすこと，甲状腺ホルモンは出産後も児の脳神経系の成長を促すことなどをおさえておく。

- A：潜在性甲状腺機能低下症と不妊についてはエビデンスも蓄積しつつあり，安易な経過観察は不適切である。
- B：卵管障害は不妊の原因になるため重要である。
- C：ただし，妊娠を希望する場合は TSH≦2.5 μU/mL が推奨される。
- D：橋本病の鑑別として重要である。
- E：TSHoma の鑑別になる。

Key Lesson

○不妊症の場合はまず TSH を検査し，潜在性甲状腺機能低下症の場合は TSH≦2.5 μU/mL になるように少量の甲状腺ホルモンの補充を考慮する。

知識の整理

▶不妊症の場合の橋本病および潜在性甲状腺機能低下症の治療

顕性の状腺機能低下症では，妊孕性の低下，流産や早産のリスク，妊娠高血圧症の増加など報告があり，積極的な治療を必要とするが，潜在性の甲状腺機能低下症の場合についてはいまだ議論がされている。TSH≧2.5μU／mLでTPO抗体陽性である妊娠はハイリスクとする報告もある。

排卵障害を認める不妊症かつ潜在性甲状腺機能低下症の患者に，レボチロキシンナトリウム補充療法を行うと60％が妊娠に成功したという報告もあり，積極的に治療を行う必要性が注目されている。潜在性甲状腺機能低下症の場合はTSH≦2.5μU/mLになるように少量の甲状腺ホルモンの補充を行うことが現在のコンセンサスとなっている[1]。

ただし，抗甲状腺自己抗体は陽性で甲状腺機能は正常な「橋本病疑い」の場合，不妊症の治療としてレボチロキシンナトリウムを補充することの意義はまだ確立していない。妊娠後は甲状腺機能低下症を起こす可能性があり，定期的な検査が必要とされている。

Question 鍵穴のマークは問題の難易度を示します。

甲状腺機能低下症妊婦の治療で誤っているものはどれか。

A：妊娠中は母体の甲状腺ホルモンの必要量が増加する。
B：妊娠中は母体のTSH濃度が参考値下限から2.5μU/mLぐらいになるようにレボチロキシンナトリウムの量を調整する。
C：出産後は母体のレボチロキシンナトリウムの必要量は減少する。
D：レボチロキシンナトリウムを服用しながらの母乳栄養は問題とならない。
E：FT_4は母体から胎盤を通過せず胎児に移行しない。

正答 E

文献
1) 荒田尚子：橋本病―妊娠・出産後の管理．日甲状腺会誌．2013；4：40-46．

第3章 甲状腺

7 無顆粒球症

Key Question

症例：40歳女性。3カ月前より疲れやすさを自覚し，1カ月前より動悸と息切れがあるため，当院を受診。甲状腺は腫大しており，精査の結果Basedow病と診断され（FT_3 9.2 pg/mL，FT_4 3.20 ng/dL，TSH<0.08 μU/mL），MMI 20 mg/日を投与された。2週間後より，咽頭痛と39℃の発熱を認め救急受診。

血液検査：WBC 2,050/μL（Neut 4.3％，Lymp 69.8％，Mono 15.9％，Eos 12.5％，Baso 0.6％），RBC 479万/μL，Hb 11.4 g/dL，Plt 15.0万/μL，CRP 9.2 mg/dL。MMI中止の上，内分泌科へ紹介受診となった。

MMI中止後，まず行うべき対応として最も正しいものはどれか。

- **A**：無菌室入院の上，G-CSFを使用する。
- **B**：無菌室入院の上，広域をカバーする抗菌薬を使用する。
- **C**：無機ヨードを使用する。
- **D**：プレドニゾロンを使用する。
- **E**：外来にて咽頭炎として内服による抗菌薬を投与する。

Answer

B

解説

　無顆粒球症＋発熱を伴うBasedow病の症例である。非常に難しい問題であり，無顆粒球症についてすべて知っておくべきである，という出題者の意図がくみ取れるが，考え方によっては不適切問題であるとも考えられる。さらに，白血球（WBC）と好中球（Neut）の割合によってG-CSFの投与をどうするかについてのコンセンサスを知ってほしいとの意図も感じられる。

- **A**：好中球数<500/μLになっているため使用も考慮されるが，まず行うのは**B**である。
- **B**：最も重要である。
- **C**：まず行うべきことではない。
- **D**：禁忌である。
- **E**：禁忌である。

Key Lesson

○無顆粒球症と判明したら，抗甲状腺薬は中止し，入院して抗菌薬の投与を行い，顆粒球の回復を待つのが基本である．典型例では，顆粒球絶対数がほぼゼロであるが，定義上は顆粒球数＜500/μL も無顆粒球症としている．赤血球数および血小板数は通常正常値を示すが，原因医薬品によっては汎血球減少傾向となる場合もある．骨髄所見は発症後の時期により異なるが，顆粒球系の低形成と成熟障害を認めることが多い．

知識の整理

▶無顆粒球症の診断基準

①抗甲状腺薬治療を開始する際には，必ず治療前の白血球数と顆粒球数を測定する．
②顆粒球減少症は，顆粒球数 1,000/μL 未満，無顆粒球症は顆粒球数 500/μL 未満と定義される．さらに細かく，軽症無顆粒球症（顆粒球数 100～499/μL），重症無顆粒球症（顆粒球数 100/μL 未満，多くはゼロ）に分類できる．
③少なくとも抗甲状腺薬治療開始 2～3 カ月間は，2～3 週間ごとに白血球数と顆粒球数を来院時に測定する．白血球数が正常値を示す無顆粒球症もあるため，必ず顆粒球数と一緒に測定すべきである．
稀に，抗甲状腺薬服用開始 1 年以上経ってから無顆粒球症を起こすことがあるため，抗甲状腺薬の服用中は，定期的に白血球数と顆粒球数を測定することが望ましい．
④無症状期に見つかる無顆粒球症があるため，症状だけに頼っていては発見が遅れることがある．
⑤顆粒球減少症（顆粒球数 1,000/μL 未満）と診断したら，抗甲状腺薬を中止する．また，抗甲状腺薬の中止後も顆粒球数が減少する例があるため，無顆粒球症に準じた対策を講じる必要がある．無顆粒球症の診断がついたら，抗甲状腺薬を中止，無機ヨードまたは複方ヨード・グリセリン（ルゴール液）を（場合によっては β 遮断薬も）投与し，薬物以外の治療を模索する．

▶無顆粒球症の治療

1. 医薬品によって起こる無顆粒球症の治療での重要事項

①疑わしい医薬品は即時服用中止する．
②発熱している場合，血液培養を含めた細菌学的検査を行い，広域スペクトラムの抗菌薬を十分量用いた感染症の治療を直ちに開始する（無菌室入院にて）．
③好中球数は被疑薬中止後 1～3 週で回復するが，これには個人差があり，G-CSF 投与を行うこともある．
④Basedow 病のコントロールとして抗甲状腺薬を中止した後は，無機ヨードまたはルゴール液を（場合によっては β 遮断薬も）投与しておくことを忘れてはならない．Basedow 病に対する治療を手術やアイソトープ治療に切り替えるために，甲状腺機能をできる限り正常に保つ必要があるからである．

> **抗甲状腺薬を中止するのは顆粒球数がいくつになったとき?**
>
> 薬剤添付文書上は白血球数が正常域にあっても減少傾向があれば中止すべきであるとしている。成書によっては,顆粒球数が 1,500/μL 未満で中止としているが,日本甲状腺学会のコンセンサスおよび実地臨床では 1,000/μL 未満としている。
>
> 経過中に 1,000/μL 未満の顆粒球減少症のため抗甲状腺薬を中止後,顆粒球数がさらに減少するタイプは無顆粒球症に移行しやすいことを念頭に置いておく。

2. G-CSF 投与

G-CSF の使用に関する報告では,①好中球数の回復が早まる,②抗菌薬の使用量が減る,③入院期間が短縮する,との理由から本薬の使用が勧められている。

筆者個人の見解として,個人差もあるが,無顆粒症であれば原則入院管理の上で G-CSF を使用すべきと考える。一方,日本甲状腺学会や論文の情報から「顆粒球数によって G-CSF 投与を考慮する」(あまりに重症であれば投与は無意味である)という考え方もある。

顆粒球減少症(顆粒球数 1,000/μL 未満)および軽症無顆粒球症(顆粒球数 100〜499/μL)の場合

可能なら G-CSF(75μg,または 100μg)1 回投与を試みる。G-CSF を皮下注投与し 4〜6 時間後の顆粒球数が 1,000/μL を超えていれば,顆粒球数は自然に増えてくることから,入院や追加の G-CSF 投与は必要ないと考える。4〜6 時間後の顆粒球数が 1,000/μL 未満であれば,顆粒球数は抗甲状腺薬を中止しても減り続けると考え,入院の上,感染症の治療を行う必要がある。軽症無顆粒球症(顆粒球数 100〜499/μL)の段階では,G-CSF 治療に対して反応しやすいため,顆粒球数が 1,000/μL を超える(無顆粒球症からの回復と定義する)まで G-CSF 治療を続けるほうがよいと考える。

重症無顆粒球症(顆粒球数 100/μL 未満,多くは 0)の場合

G-CSF 治療に反応しないため,G-CSF の投与は行わず,入院の上,感染症に対する治療を行いつつ,顆粒球数が回復してくるのを待つ。通常,顆粒球数が回復するには 7〜14 日を要する。海外の報告によれば,高用量の G-CSF(200〜300μg)を投与すると重症無顆粒球症に対しても効果があるとされるが,日本の場合は,保険適用外の制約があり,やや非現実的である。

> **感染症の危険性は顆粒球数がどれくらいになってから?**
>
> 顆粒球数が 100/μL 未満の場合,有意($p<0.05$)に感染症の頻度が高いとする報告があり,顆粒球数 100/μL 未満の場合には,特に感染症に対して厳重な注意を要する。G-CSF の効果が期待できない場合も多く,感染症対策が主体になる。

3. ステロイド投与

無顆粒球症にステロイドを使用するのは,あまり一般的ではない治療と思われる。甲状腺機能のコントロールもねらっての治療なのか,無顆粒症の免疫学的機序をねらってなのか見解も分かれる。

過去の報告では,抗甲状腺薬による無顆粒球症に対して副腎皮質ホルモン内服は効果があったとされるが,一方で否定的な報告もある。重篤な感染症を引き起こしているときに,まず投与すべきものではないと考える。

第3章 甲状腺

8 無痛性甲状腺炎と亜急性甲状腺炎の鑑別

Key Question

症例：38歳男性。非有痛性の甲状腺腫のため紹介され来院。
血液検査：TSH 0.01 μU/mL，FT$_4$ 3.5 ng/mL。

鑑別のため測定するものはどれか，2つ選べ。

A：TPO抗体　　　D：Tg抗体
B：Tg　　　　　　E：血沈
C：CRP

Answer

A，D

解説
　無痛性甲状腺炎と亜急性甲状腺炎の鑑別として疼痛の有無はもちろん，無痛性甲状腺炎が橋本病を基礎として起こる場合が多いことが問われている。問題文からは，Basedow病も考えたいが，選択肢からは無痛性甲状腺炎と亜急性甲状腺炎の鑑別が意図されている。このような短い文章で出題者の意図を読み解く問題も実際の試験では散見される。
A：橋本病の診断に必要である。
B：甲状腺癌の再発のフォローなどに対して行う。
C：亜急性甲状腺炎を疑う際に計測する。
D：橋本病の診断に必要である。
E：亜急性甲状腺炎を疑う際に計測する。

Key Lesson

○無痛性甲状腺炎は原則として橋本病を基礎としての経過中に一過性で起こる。Basedow病の寛解期に生じることもある。また，出産数カ月後に発生しやすい（出産後甲状腺炎）。無痛性甲状腺炎の再発はめずらしくない。

知識の整理

▶無痛性甲状腺炎の病態・診断基準・治療

① Basedow 病についで多く，甲状腺中毒症の20～30％を占める。基礎病変として橋本病があり，甲状腺自己抗体（TPO 抗体，サイログロブリン抗体）が陽性であることが多い。散発性の無痛性甲状腺炎と出産後甲状腺炎は病態が橋本病と同一視されている。その理由は甲状腺自己抗体陽性や病理でリンパ球浸潤がみられるためである。しかし，亜急性甲状腺炎に特徴的な巨細胞や橋本病に特徴的な線維化まではみられない。

②甲状腺腫は甲状腺機能正常化後も残存することが多い。

③甲状腺機能中毒症状は3カ月以内に改善し，一定の甲状腺機能低下の後に，そのほとんどは正常化する。

④出産後甲状腺炎は出産後3カ月前後に起こりやすく（妊婦の2～20％），次の出産後も繰り返すことが多い。ほかに，Cushing 病術後，薬剤性でも起こりうる。

⑤薬剤が原因の無痛性甲状腺炎では，インターフェロン製剤，IL-2 製剤・GnRH 誘導体製剤，炭酸リチウム，アミオダロン塩酸塩などにより誘発される。

⑥ほとんどの例で Tg 抗体や TPO 抗体が陽性である。TRAb 陽性も稀にみられる。

⑦ Basedow 病との鑑別にはシンチグラフィとエコーが有用である。

⑧無痛性甲状腺炎による甲状腺中毒症については，対症療法で1カ月様子をみればホルモン値，症状ともに安定してくる。

⑨無痛性甲状腺炎から移行した甲状腺機能低下症については，一部の例で永続性となり，T_4 製剤の補充が必要な場合がある。

▶亜急性甲状腺炎の病態・診断基準・治療

①上気道炎に続く，甲状腺局所の圧痛があれば疑う。甲状腺に自発痛，圧痛をきたす原因として最多である。

②ウイルス関連の疾患と考えられているが，HLA-Bw35 など免疫反応の異常も原因として示唆されている。

③患者は40歳代の女性が多い（1：10）。また，季節的には夏に多くみられる。

④甲状腺は腫大し，硬結部に一致して圧痛があり，エコーにて一致した不整な低エコーが認められる。痛みが経過中に移動することがある（creeping pain）。

⑤炎症所見〔赤沈亢進（＞100mm/1時間），CRP 上昇，WBC 軽度上昇〕が確認される。

⑥あくまで参考所見ではあるが，T_3/T_4 比＜20（ng/μg）であり，Basedow 病は逆である（T_3/T_4 比＞20）。

⑦急性期はシンチグラフィでの取り込みが低下する。

⑧病理では多核巨細胞を認める。

⑨ TPO 抗体，Tg 抗体陽性であれば橋本病の急性増悪も考えられる。

⑩軽少であれば NSAIDs，重症であればステロイド（20mg から開始し，減量しながら2カ月ほどで終了）を使用。2～4カ月で自然治癒することが多い。

⑪亜急性甲状腺炎による甲状腺機能低下症については，一部の例で永続性となる（15％）。

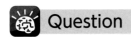

 甲状腺中毒症の原因となりにくいのはどれか。

　A：無痛性甲状腺炎　　　D：スニチニブ
　B：亜急性甲状腺炎　　　E：hCG
　C：ヨウ素不足

正答　C

解説
　ヨード過剰は甲状腺中毒症の原因となる。分子標的薬である VEGFR チロシンキナーゼ阻害薬では甲状腺機能低下症や破壊性甲状腺中毒症を起こすこともある。

〈亜急性甲状腺炎は夏に多い〉

　　亜っつい　　　夏
　　亜急性甲状腺炎は　夏に多い

8　無痛性甲状腺炎と亜急性甲状腺炎の鑑別

第3章 甲状腺

甲状腺クリーゼ

Key Question

症例：57歳女性。近医で糖尿病治療をしている。インスリン強化療法にてHbA1c 8.2％とコントロール不良であった。1カ月前から動悸と息切れがあるため，内分泌科を受診した。甲状腺は腫大しており，精査の結果，Basedow病と診断された（FT$_3$ 11.2pg/mL，FT$_4$ 4.20ng/dL，TSH＜0.08μU/mL，TRAb 25U/L）。MMI 15mg/日を投与されたが，2週間後，嘔吐・下痢を主訴にて来院。体温38.1℃の発熱，血圧90/59mmHg，脈拍143回/分，心収縮期雑音を認めた。

生化学所見：FT$_3$ 15.2pg/mL，FT$_4$ 5.20ng/dL，TSH＜0.01μU/mL，T-Bil 1.2mg/dL，GOT 291U/L，GPT 235U/L，γ-GTP 143U/L，WBC 9,800/μL（Neut 80％，Lymp 24％，Mono 3％）。

①まず投与すべき薬剤はどれか，2つ選べ。

A：アセトアミノフェン　　D：プレドニゾロン
B：インダシン坐薬　　　　E：セフェム系抗菌薬
C：アセチルサリチル酸

急性期を脱し，ヨウ化カリウム丸100mg/日に変更したところ，肝機能は改善した。4月4日，GOT 28U/L，GPT 43U/L，γ-GTP 69U/L。同月7日，FT$_3$ 3.17pg/mL，FT$_4$ 1.21ng/dL，TSH＜0.1μU/mL。改めて本人に確認したところ，MMIを内服して1週間後から，腹部違和感と皮膚瘙痒感があり，自己中断していたとのことであった。

②今後の治療方針として正しいものはどれか，2つ選べ。

A：無機ヨードに加え，MMIを10mg/日より再開する。
B：今後の治療としてMMI使用はできないと説明し，放射線治療もしくは手術療法を行う。
C：PTUのほうが肝機能障害は少ないことを説明し，切り替える。
D：無機ヨードのみでコントロールしていくと説明する。
E：糖尿病のコントロール悪化も原因のひとつとして再度教育を行う。

① A，E（A，D）

解説

　甲状腺クリーゼに肝機能障害が合併した症例。実際の試験では，この症例が感染症合併しているのかどうかで，選択肢としてプレドニゾロンを選ぶのか，抗菌薬を選ぶのかで迷うところであろう。問題文も微妙で，感染と断定しにくかった記憶がある。基本的には甲状腺クリーゼであり，内服も開始されていることから，クリーゼの要因として「感染」を考えてほしいという出題者の意図があったと考えられる。

　非常に難解であるが，選択肢に複数のNSAIDsを用意しているということからも，NSAIDsには様々な種類があり，アセトアミノフェンが安全で使いやすいことの理解を促す問題のように思われる。

　実臨床であれば，BPも低く，相対副腎不全を考え，ヒドロコルチゾン（ステロイド）抗菌薬にて対応も十分に考えられる。

A：解熱鎮痛剤として推奨される。
B：酸性NSAIDsであり推奨されない。また，現在は販売されていない。
C：酸性NSAIDsであり，またアスピリンは遊離型甲状腺ホルモンを増加させるため禁忌。
D：感染が否定できないので，まず投与すべき薬剤ではない。
E：感染が示唆されクリーゼの誘因の可能性があるため，まず投与すべきである。

② A，E

解説

　甲状腺クリーゼに肝機能障害が合併した症例，Basedow病治療でしばしば遭遇する事象である。ポイントは，肝障害を考えるとき「本当にMMI（メルカゾール®）による肝機能障害と考えてよいか」である。成書では，未治療Basedow病のうち35％にAST（GOT），ALT（GPT）の高値がみられるとある。MMIで治療し，甲状腺機能が1～3カ月で正常値化する際，代謝の改善に伴ってさらにAST，ALTの上昇がみられ，患者の10％でALTが100U/L以上を示す。ALTが150U/L以下の場合，薬の副作用の可能性が低くMMI治療を継続してもよいとされる。もちろんPTUに切り替えてもよいが，副作用は用量依存性で，肝障害の割合もMMIより2～5倍多い。日本甲状腺学会でも基本的にはMMIを推奨している。以上を患者に説明した上で切り替えるべきである。

A：注意深く，肝機能を継続的に管理し，GPT＜150U/Lで，T-Bil値の上昇がなければMMIを継続する。
B：まだMMI使用不可と決めるのは早い。
C：切り替えはよいが，PTUのほうが肝機能障害の副作用報告は多い。
D：自己抗体高値を示すことから，根本的治療ではない。その他の治療を模索すべきである。
E：クリーゼの誘因として糖尿病ケトアシドーシス予防は重要である。

> **NSAIDsの種類は？**
>
> サリチル酸系〔アスピリン（バファリン®）〕，プロピオン酸系〔ロキソプロフェンナトリウム（ロキソニン®）〕，イブプロフェン），酢酸系（ジクロフェナクナトリウム，インドメタシン），COX-2阻害薬〔コキシブ系（セレコックス®）〕，塩基性〔チアラミド塩酸塩（ソランタール®）〕，ピリン系（スルピリン），非ピリン系〔アセトアミノフェン（カロナール®）〕など
>
> ショック，消化性潰瘍，急性間質性腎炎，喘息といった副作用があるため，鎮痛効果を期待しない場合（NSAIDsの解熱目的）の使用は敬遠される。特に，救急部門では解熱目的のジクロフェナクナトリウム（ボルタレン®），インドメタシンナトリウム（インダシン®）の使用を中止し，アセトアミノフェンの坐薬に切り替えが主流である（例：インフルエンザの際に解熱目的でアセトアミノフェン以外のNSAIDsを使用すると，アセトアミノフェンを使った場合に比べて，脳炎，脳症による死亡率が高くなる可能性が示唆されている）。

Key Lesson

> □甲状腺クリーゼの禁忌
> - アスピリン投与（遊離型甲状腺ホルモンを増やす）
> - 心不全時にβ遮断薬の過量静脈投与：心停止の危険
> - 気管支喘息合併患者にβ遮断薬の投与：喘息重積の危険（代わりにベラパミル塩酸塩などのCa拮抗薬を使用する）
> - ヨウ化カリウムを抗甲状腺薬MMIより先に投与

知識の整理

▶甲状腺クリーゼの病態

甲状腺機能亢進症が重症化した状態のことで，心不全，不整脈，高体温などを伴い，放置の場合，致死率は10％以上であり，早期の臨床診断で疑診の段階から治療を開始することが重要である。

甲状腺クリーゼでも甲状腺機能低下症クリーゼ（粘液水腫性昏睡；myxedema coma）は最近ほとんどみられないが，生命を脅かす重篤な状態であり，以下にその特徴を記しておく。

① 致死率は30～40％である。高齢の女性に多くみられ，甲状腺機能低下症（主に橋本病，原発性であればおおむねTSH＞20μU/mL）が長期に及び，薬剤や感染症を契機に起こされた中枢神経障害（低体温，呼吸不全，循環不全による）が問題となる。低換気のため，血中CO_2濃度は高い。
② 冬に多い（寒冷が誘発因子）。
③ 精神状態低下（嗜眠），低体温，低血圧，低Na，低換気（呼吸性アシドーシス）などの症状がみられる。
④ リチウムやアミオダロン誘発性甲状腺機能低下症が原因になることもある。
⑤ 鑑別疾患は橋本脳症である。

⑥治療は中等量までのT$_4$製剤（初期投与量は100μgで十分）と少量のT$_3$製剤とされている。

⑦副腎不全合併の場合，T$_4$単独投与は相対的副腎不全を引き起こすので，ACTHおよびコルチゾールはチェックする。

▶甲状腺クリーゼの診断基準

甲状腺機能亢進に伴う甲状腺クリーゼの診断基準は，日本版および海外版にある特徴，両方をおさえておく必要がある。

1. 日本版[1]

確定診断は甲状腺中毒症の存在（FT$_3$もしくはFT$_4$の高値）が必須項目であり，さらに次に挙げる症状のうち，「中枢神経症状＋他の症状項目1つ以上」，もしくは「中枢神経症状以外の症状項目3つ以上」を満たすことが条件である。

①中枢神経症状

②発熱（＞38℃）

③頻脈（＞130/分）

④心不全症状〔肺水腫，NYHA（New York Heart Association）分類Ⅳ度〕

⑤消化器症状（嘔吐，下痢，T-Bil＞3mg/dLに伴う黄疸）

中枢神経症状はクリーゼの臓器症状では特異的かつ最多であるため重視されている。

代表的な症状とは，不穏/せん妄，傾眠，昏睡，JCS 1以上/GCS 14以下であり（興奮などの非特異的な症状は除く），ほかにも様々な症状がある。

2. 海外版[2]

海外版（Burchら）では，発熱，中枢神経症状，消化器症状，循環器症状（頻脈，心不全，心房細動）に加え，誘因の存在（糖尿病ケトアシドーシスなど）という項目がある。これらの項目の重症度を細かくして，10～30点と各症状の度合いに点数をつけ（たとえば，心拍数も110回と130回で点数が違う），61点以上は確定診断，24点以下は可能性が低いと判断する（**表1**）[3]。

甲状腺機能検査が必須になっていないこと，症状のGradeを細かく分けて点数化していること，頻脈と心不全症状を循環器症状にまとめ，さらに心房細動を別枠にしていること，誘因の存在も加えていることが日本版と異なっている。

▶甲状腺クリーゼの治療

①まず，抗甲状腺薬を大量投与（MMI 20mgもしくはPTU 250mgを6時間ごと）する。

②抗甲状腺薬投与後1時間以上間隔をあけて，無機ヨード（50mgを6時間ごと）を投与する。

③T$_4$からT$_3$の変換を抑制する作用のあるβ遮断薬やステロイドを投与する（相対的副腎不全の予防にもなる）。

④全身管理（輸液，呼吸循環管理，解熱・感染であれば抗菌薬投与）を行う。

表1 甲状腺クリーゼ診断基準のスコア表

症状			点数
体温調節	体温（℃）	37.2〜37.7	5
		37.8〜38.2	10
		38.3〜38.8	15
		38.9〜39.3	20
		39.4〜39.9	25
		40.0〜	30
中枢神経症状	なし		0
	軽度（興奮）		10
	中等度（せん妄，精神異常，傾眠）		20
	高度（痙攣，昏睡）		30
消化器症状	なし		0
	中等度（下痢，悪心，嘔吐，腹痛）		10
	高度（黄疸）		20
循環器症状	脈拍数	99〜109	5
		110〜119	10
		120〜129	15
		130〜139	20
		140〜	25
	心不全	なし	0
		軽度（下腿浮腫）	5
		中等度（両下肺野のラ音）	10
		高度（肺水腫）	15
	心房細動	なし	0
		あり	10
誘因の存在	なし		0
	あり		10

評価
　61点以上　　確定診断（highly likely）
　45〜60点　　強く疑う（likely）
　25〜44点　　切迫症状（impending）
　24点以下　　可能性が低い（unlikely）
（文献3より引用）

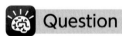

Question　　　　　　　　　　　　　　　　鍵穴のマークは問題の難易度を示します。

甲状腺クリーゼの診断に寄与する所見として誤っているのはどれか。

A：抗TSH受容体抗体（TRAb）7.0IU/L　　**D**：体温 39.0℃
B：脈拍 135回/分　　　　　　　　　　　**E**：肺水腫
C：JCS 30の意識障害

正答 A

文献

1) 日本甲状腺学会：甲状腺クリーゼの診断基準. 第2版.
   [http://www.japanthyroid.jp/doctor/img/crisis2.pdf]
2) Burch HB, et al：Life-threatening thyro- toxicosis:thyroid storm. *Endocrinol Metab Clin N Am*. 1993；22：263-277.
3) 肥塚直美, 編：New 専門医を目指すケース・メソッド・アプローチ 内分泌疾患. 第2版. 日本医事新報社, 2011, p91.

第3章 甲状腺

10 放射線と甲状腺癌

Key Question

放射線と甲状腺癌について正しいものはどれか。

A：外部被曝で甲状腺癌リスクは増えない。
B：10mSv以上で甲状腺癌のリスクは高くなる。
C：福島原発事故では県外に避難した住民も全員継続して検査されている。
D：チェルノブイリ原発事故はセシウムが主な原因だった。
E：小児の甲状腺は放射線感受性が強い。

Answer

E

解説

A：原子爆弾による放射線被曝を含めた7種類の放射線外照射に関するメタ解析の研究や治療目的の頸部放射線外照射でも甲状腺癌のリスク上昇が報告されている。
B：有意に増加するのは100mSvからである。
C：2011年3月11日時点に18歳以下であった福島県民のうち、県内移住者などが対象である。
D：^{131}Iとセシウムである。
E：正しい。2011年の福島第一原子力発電所事故から6年が経過しており、今後、甲状腺癌患者の増加が予測される。

Key Lesson

○放射線誘発による甲状腺癌は組織学的に大半が乳頭癌である。
○甲状腺癌が有意に増加する放射線の被曝量は100mSV以上である。

知識の整理

▶放射線被曝による甲状腺癌の病態

放射線被曝による甲状腺への影響は，大量被曝後の組織障害による機能低下症（確定的影響）と，低線量被曝による晩発性発癌リスクの増加（確定的影響）に大別される。放射線被曝歴とその詳細聴取が重要であり，甲状腺被曝線量推計が重要である。

放射線被曝歴としては，外部被曝あるいは放射線ヨウ素による内部被曝があり，いずれも 100 ～ 200mSv 以上の線量に依存して発癌リスクの増加が疫学的に検証されている。

放射線誘発による甲状腺癌は組織学的に大半が乳頭癌である。

若年者の甲状腺濾胞細胞は放射線感受性が高く，被曝後の潜伏期が短い小児甲状腺癌は，その遺伝子変化や臨床像が成人発症の甲状腺癌とは異なる。

1. 成人発症の甲状腺癌との違い

①触診では進行癌しか発見できず，成人以上にエコー診断による結節異常に対する穿刺吸引針生検と細胞診が重要とされる。

②典型的な乳頭癌よりも，硬化タイプで線維化や石灰化の強い例が多い。また，1cm 以下の結節でも早期に頸部リンパ節への転移や肺転移を起こす頻度が高い。

③*RET/PTC* 遺伝子の再配列が高頻度に観察される。一方，*BRAF* 遺伝子の再配列も報告されているが，成人発症甲状腺乳頭癌に多い *BRAF* 遺伝子の突然変異はきわめて少ない。*BRAF* 遺伝子異常の頻度は，放射線誘発性のものと散発性の小児乳頭癌との間で差はない。

BRAF 遺伝子異常の頻度が小児から若年成人，さらに成人期と，年齢とともに増加すること，*RET/PTC* 再配列異常の頻度は低下することなどから，同じ乳頭癌でも小児と成人ではその発症遺伝子異常の内訳が異なることが強調されている。

④早期発見にもかかわらず所属リンパ節転移や肺転移が多く，進行型が 50%以上なのに対し，術後の ^{131}I 大量療法での治療成績が良好で死亡率は低いという特徴がある。

2. 原発事故と放射線障害

1986 年，ウクライナ（旧ソビエト連邦）のチェルノブイリ原子力発電所が人類史上最悪の原発事故を引き起こし，^{131}I，セシウムの曝露および土壌汚染を介した食物連鎖などで，放射線による内部被曝という甲状腺特異的な被曝をもたらした歴史は誰もが知るところである。そして，2011 年 3 月 11 日，日本で起こった東日本大震災における福島第一原子力発電所事故（以下，福島原発事故）で，新たに両者の比較も含め注目が集まった（**表 1**）[1]。チェルノブイリ原発事故に比べて，福島原発事故では原子炉本体の爆発はなく，そのため放出された放射性物質の量が約 1/10 であったとされている。甲状腺被曝は平均で 20mSv とチェルノブイリの 1/10 以下で，甲状腺癌を誘発する可能性のある 100mSv に達する例はなかった。もともと日本人には潜在的ヨウ素不足がなく，早期の避難と放射性物質の食品規制が早くから行われたことで被曝を低く抑えることができたとされる。

10 放射線と甲状腺癌 **123**

表1 チェルノブイリ原発事故と福島原発事故の比較

	チェルノブイリ原発事故	福島原発事故
原子炉本体の爆発	あり	なし
放出された放射性物質の総量	520万〜1,400万TBq	45万〜90万TBq
^{131}I放出量	170万TBq	16万TBq
セシウム137放出量	8.5万TBq	1.5万TBq
急性放射線障害による死亡	50人	0人
放射性の甲状腺被曝	平均500mSv,最高5,000mSv	20〜82mSv(避難区域内1歳児)
		8〜24mSv(避難区域外成人)
国民全体の甲状腺集団線量	296万7千(人・Sv)	9万9千(人・Sv)
放射性物質の食品規制(初期)	なし	あり
潜在的ヨウ素不足	あり	なし
セシウム被曝	10〜20mSv(低汚染地区)	平均5mSv未満
	50mSv以上(高度汚染地区)	
住民の避難基準	5mSv/年以上	20mSv/年以上
平均寿命の変化	著しい低下(7年)	未定

(文献1より引用)

文献

1) 黒木良和:福島原発事故について. 日本先天異常学会.
[http://jts.umin.jp/nuclear_accident.html]

第3章 甲状腺

11 潜在性甲状腺機能低下症/マクロTSH血症

Key Question

症例：20歳男性。近医にて甲状腺機能低下症としてチラーヂン®Sを補充されている。服薬はしていたが，自覚症状はなくしばらく病院には行っていない。当院来院時の採血結果を示す。

血液検査：TSH 25μU/mL，FT_4 1.5ng/mL。

<u>不適切</u>な対応はどれか。

A：PEG法で再測定を行う。
B：検査キットを換えて再測定を行う。
C：1カ月後に再検する。
D：服薬内容の確認を行う。
E：TPO抗体およびTg抗体を測定する。

Answer

C

解説

　潜在性甲状腺機能低下症の症例である。選択肢からは，マクロTSH血症も鑑別にあげることが出題者の意図と思われる。FT_4は正常であるが，TSHは高値であり，ホルモンのフィードバック機構の異常も考慮すべきである。150kDa以上の異常なTSH産生を念頭に置いて，PEG（ポリエチレングリコール）法などの測定方法を検討する。また，橋本病の鑑別をしておくことで，今後レボチロキシンナトリウム投与の是非についての考慮が可能である。

A：正確なTSHの測定に有用である。また，マクロTSH血症鑑別に利用できる。
B：正確なTSHの測定に有用である。
C：症状が悪化する可能性がある。
D：重要である。
E：橋本病，SITSHの鑑別に有用である。

Key Lesson

○ FT_4 が正常，TSH が著明な高値を示す潜在性甲状腺機能低下症例では，マクロ TSH 血症を想起する必要がある。

知識の整理

▶潜在性甲状腺機能低下症の病態

FT_4 が基準範囲内で TSH が基準値を超えていることが前提である。潜在性甲状腺機能低下症は軽度の原発性甲状腺機能低下症，すなわち軽度の甲状腺ホルモンの不足状態を示唆している。

臨床上，遭遇する機会の多い疾患であり，患者は一般人口の 3.3～4.7％を占める。

なお，逆に「潜在性甲状腺機能亢進症（潜在性甲状腺中毒症）」という病態もあり，喫煙者などに多い。Basedow 病や Plummer 病などの甲状腺機能亢進症や破壊性甲状腺中毒症，薬剤服用，妊娠初期などにみられる。TSH＜0.1μU/mL で高齢者の心疾患合併例や閉経後女性の骨粗鬆症例では，抗甲状腺薬や放射線ヨード治療を考慮するケースもある。

▶潜在性甲状腺機能低下症の診断基準

1. 甲状腺機能低下症の鑑別

FT_4 が低値であれば甲状腺機能低下症と診断する。同時に測定した TSH が高値であれば原発性甲状腺機能低下症，低値または正常なら中枢性甲状腺機能低下症と診断する。

TSH が高値でも FT_4 が正常範囲内のものは潜在性甲状腺機能低下症と定義される。

原発性甲状腺機能低下症

原発性甲状腺機能低下症の原因として，次の 3 つの項目が挙げられる。
①自己免疫性：慢性甲状腺炎（橋本病）であり，原因として最多である。その他，TPO 抗体や Tg 抗体陽性が一般的だが阻害型 TRAb によるものもある。
②医原性：甲状腺術後，頸部放射線照射後，Basedow 病 [131]I 治療後など。
③先天性：甲状腺無形成，甲状腺ホルモン合成障害。

中枢性甲状腺機能低下症

下垂体～視床下部の障害による甲状腺機能低下症である。

甲状腺ホルモン不応症

①SITSH（TSHoma を除く）：標的臓器の TR に甲状腺ホルモンが作用しない。
②*MCT8* 異常：T_4 から T_3 への代謝（SBP2 異常）や標的臓器への運搬供給がうまくいかない。

2. 潜在性甲状腺機能低下症の診断ポイント

NTI (non-thyroidal illness), low T_3 syndrome, 副腎皮質機能低下症, 視床下部

性甲状腺機能低下症でも潜在性甲状腺機能低下症と同様の異常をきたすことがあるため鑑別が必要であり，甲状腺ホルモン補充療法を開始して TSII が改善中の一時期も潜在性甲状腺機能低下症から除外する。

潜在性甲状腺機能低下症はほとんどが無症候性である。

軽微だが，慢性の甲状腺ホルモン不足による障害が生じる可能性がある。うつ状態や認知障害，冠動脈疾患の進展，脂質代謝異常，心機能異常，妊娠経過や胎児発育への影響が考えられる。ただし，多くの相反する研究結果が報告されており，エビデンスは不十分である[1]。甲状腺ホルモン不足を是正することにより，これらの異常を改善または回避できる可能性はあるが，治療の有効性についてのエビデンスも不十分である。

▶ 潜在性甲状腺機能低下症の治療

1. 治療適応

①一過性の潜在性甲状腺機能低下症は原則として治療対象としない。

②妊娠中および妊娠希望の場合。妊娠経過や胎児発育に障害をもたらす可能性があることから，速やかに治療を開始する（治療目標 TSH≦2.5μU/mL）。

③自己抗体強陽性の橋本病や ^{131}I 内用療法後など，潜在性甲状腺機能低下症の持続や悪化が予想される場合，積極的な治療対象となる。

④自覚症状，脂質代謝異常，冠動脈疾患，心機能低下がみられる場合。治療により改善が期待できる。

⑤TSH が>10μU/mL の場合。原則，積極的な治療対象となる。ただし，年齢や上記（①～④）の状況も踏まえた考慮が必要となる。特に 85 歳以上の高齢者では NTI や生理的変化の可能性を考え，治療開始の判断を慎重にする。また，10μU/mL 以下でも治療することはある。

2. 治療方法

補充にあたっては，過剰に補充することのないよう血中 TSH 値の定期的モニターが必要である。

▶ マクロ TSH 血症

マクロ TSH は TSH が IgG と結合した 100kDa 以上の大分子 TSH であり，クリアランスの低下から高 TSH 血症をきたす病態である。潜在性甲状腺機能低下症の一部も含まれている可能性がある。

マクロ TSH の生物活性は低いことから，血清の遊離 TSH 値が正常であれば薬物治療は不要とされている。

以下は，橋本病に合併したマクロ TSH 血症の症例である。

75 歳女性。甲状腺機能低下症の臨床症状は認めず，FT_4 1.4ng/dL，TSH 361μU/mL と著明な高値であった。抗 TPO 抗体，Tg 抗体陽性で橋本病による潜在性甲状腺機能低下症が考えられた。

PEG 法でγグロブリン分画を沈殿すると TSH の 99.6％が沈降，IgG を結合する Protein G カラムに 99.3％が結合し，ゲル濾過上ほぼすべての TSH が 150kDa 以上の大分子分画に溶出された。以上の結果からマクロ TSH 血症と診断した。

レボチロキシンナトリウム投与により，FT_4 1.6ng/dL，TSH 154.1μU/mL と TSH は低下傾向を示した。血中脂質プロファイルや，CK 値などに変化は認めなかった。

11 潜在性甲状腺機能低下症/マクロ TSH 血症 **127**

通常マクロTSHの生物活性は低いと報告されているが，本症例では，ネガティブフィードバックによる分泌調節を一部受けているものと考えられた．FT₄正常でTSHが著明な高値を示す潜在性甲状腺機能低下症例ではマクロTSH血症を想起する必要があることが示唆された．

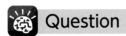

 潜在性甲状腺機能低下症について正しいものはどれか，2つ選べ．

A：手足のしびれや難聴の原因となることがある．
B：血中TSHが10μU/mL以上から絶対的に補充療法の対象である．
C：TSHとFT₄の血中濃度で診断する．
D：妊娠や不妊治療の場合はなるべく補充療法を行わずに経過をみる．
E：85歳以上の高齢者では心機能改善目的のため積極的に補充療法を行う．

正答 A，C

文献
1) 磯崎収：潜在性甲状腺機能異常．2010；日内会誌．99：707-712．

第3章 甲状腺

12 薬剤誘発性甲状腺機能異常
（漢方，健康食品と甲状腺）

 Key Question

症例：20歳代女性，TRAb陰性。この2週間で体重が5kg減少した。甲状腺腫大はない。
血液検査：FT_3 6.2 pg/mL，FT_4 0.4 ng/mL，TSH 0.01 μU/mL。

最も考えられるものはどれか。

A：LT_4製剤（チラーヂン®S）内服
B：合成LT_3製剤（チロナミン®）内服
C：Basedow病
D：無痛性甲状腺炎
E：漢方薬（日本製）

 Answer

B

解説
　薬剤性の甲状腺疾患についての問題である。問題文の情報が少ないが，実際の試験ではこのように出題された。出題者の意図として，おそらく中国製の健康食品や海外のサプリメントへの注意喚起が含まれているものと考えられる。
A：FT_4は上昇していない。
B：最も考えられる。合成T_3製剤（リオチロニンナトリウム）は粘液水腫性昏睡などの特殊な疾患以外には使用されない。乾燥甲状腺製剤は製剤ごとの甲状腺ホルモン量が一定していない。
　中国製の健康食品などにはT_3が含まれているものもあるため注意が必要である。
C：TRAb陰性であり考えにくい。
D：FT_4が上昇していない。甲状腺腫大もない。
E：日本で扱う漢方薬はほとんどが医薬品であり，厚生労働省の厳しい規格のもと，原料や成分がチェックされているので甲状腺ホルモンは含有されない。

 Key Lesson

○海外の「やせ薬」には，乾燥甲状腺製剤として，ウシやブタなどの甲状腺の抽出物が入っている場合があり，服用によるT_3 toxicosisの発症にも注意する。

知識の整理

▶薬剤誘発性甲状腺機能異常の病態

原因薬剤は次の通りである。
①抗甲状腺薬
②無機ヨード（稀に甲状腺機能亢進を起こすこともある）
③抗不整脈薬でのアミオダロン塩酸塩（100 mg 中 37 mg のヨードを含む）
④インターフェロン製剤，G-CSF
⑤抗躁薬での炭酸リチウム
⑥CYP3A4 誘導する薬剤：抗結核薬のリファンピシン，睡眠薬のフェノバルビタール
⑦GnRH 誘導体製剤
⑧エストロゲン製剤
⑨抗癌薬として見直されているサリドマイド
⑩分子標的治療薬でのスニチニブリンゴ酸塩
⑪胃薬（PPI や H_2 受容体拮抗薬），鉄剤，コレスチラミンなど
②に関連して，ヨードの過剰摂取は甲状腺機能低下症を誘発することが知られており，ヨード摂取の多い国（日本）では甲状腺機能低下症になりやすく，反対にヨード欠乏地域では甲状腺機能亢進症になりやすい。④に関しては自己免疫性機序が考えられる。⑪は T_4 製剤の吸収を阻害する薬剤である。

▶薬剤誘発性甲状腺機能異常の治療

甲状腺機能低下症の治療には，不足している甲状腺ホルモンの補充を行う。
薬剤誘発性の甲状腺機能低下症は可逆性であり，基本的に甲状腺機能低下症はマイナーな副作用とみなし，もとの薬剤〔アミオダロン塩酸塩，ポビドンヨード（イソジン® ガーグル），インターフェロン製剤，炭酸リチウムなど〕は続行のまま，T_4 製剤を追加することが多い。なお，インターフェロン誘発性甲状腺機能低下症の場合，甲状腺濾胞の破壊が進行しすぎると，非可逆性になることもある。

甲状腺ホルモン補充薬

現在，甲状腺ホルモン補充薬として化学合成物の T_4 製剤，T_3 製剤と乾燥甲状腺製剤の 3 種類がある。

合成 T_4（LT_4）製剤：レボチロキシンナトリウム（チラーヂン® S）

半減期は約 7 日（内服を中断しても，すぐに血中甲状腺ホルモン濃度は低下しない）。T_4 製剤の 70～80% は小腸から吸収される。また，血清 T_3 の約 80% は吸収された T_4 が変化したものであるため，補充療法は合成 T_4 製剤だけで十分である。なお，空腹時に服用したほうが吸収率は良い。
注意事項として，T_4 製剤の吸収を妨げる薬物〔コレスチラミン（コレステロール低下薬），鉄剤，亜鉛・アルミニウム製剤（胃薬）など〕との併用には注意が必要である。服用間隔を 2 時間以上あけて服用する。

合成 T_3 製剤：リオチロニンナトリウム（チロナミン®）

経口内服の場合，ほぼ 100% が速やかに吸収され，血中濃度は 2～4 時間後にピーク

に達する．血中半減期は約1日と短いため，血清 T_3 濃度は内服後の時間によって変化し，一定ではない．粘液水腫性昏睡など特殊な状況以外では使用されない．

乾燥甲状腺製剤：乾燥甲状腺末（チラーヂン® 末，現在販売中止）

ウシ，ブタなどの甲状腺の抽出物であり，製剤ごとの甲状腺ホルモン量が一定していない．

乾燥粉末としての生薬を用いる漢方薬において，中国などの健康食品には含有されている場合もあるが，日本で流通している漢方薬に含有されてはいない．

乾燥甲状腺粉末は 1965 年頃からやせ薬として乱用されており，海外の健康食品として独自に輸入されている．詐病性甲状腺機能亢進などの健康被害で問題になる．実例として，「やせ薬」と謳い体重減少をあおった中国製ハーブサプリメントをインターネットで購入し約3カ月間摂取したところ，甲状腺中毒症を発症し，摂取中止により改善した報告もある．サプリメントを分析の結果，T_3，T_4，TSH および甲状腺組織が検出された．

Question

鍵穴のマークは問題の難易度を示します．

甲状腺機能低下症の原因とならない薬剤はどれか．

- A：Ca 拮抗薬
- B：炭酸リチウム
- C：スニチニブ
- D：エストロゲン製剤
- E：サリドマイド

正答 A

甲状腺機能低下症の原因と関与が乏しい薬剤はどれか，2つ選べ．

- A：アミオダロン
- B：リドカイン
- C：スタチン製剤
- D：エストロゲン製剤
- E：PPI

正答 B，C

第3章 甲状腺

13 Plummer 病

Key Question

Plummer 病について正しいものはどれか，2つ選べ．

- A：手術で寛解する．
- B：*BRAF* 変異が関与している．
- C：MMI は禁忌である．
- D：^{131}I 内用療法で寛解するのには長期間要する．
- E：無機ヨード治療も確実に効果がある．

Answer

A，D

解説
- A：正しい．
- B：関与しているのは乳頭癌である．
- C：術前コントロールに使用される．
- D：正しい．
- E：無機ヨードについては一貫した見解は得られていない．症例によっては使用する場合もある．

Key Lesson

○ Plummer 病の治療は手術または ^{131}I 内用療法または PEIT である．
○ 手術前に抗甲状腺薬＋β遮断薬を使うこともある．

知識の整理

▶ Plummer 病の病態

甲状腺中毒症の 0.2％ とされ，女性に多い（1：10）．ヨード不足の地域に多く，日本

では少ない。Basedow病に合併することがあり、Marine-Lenhart症候群と呼ぶ（Basedow病の2～3%にみられる）。

▶Plummer病の診断基準

結節はT_4よりもT_3分泌が多く、50%はT_3 toxicosisである。甲状腺自己抗体は基本的に陰性である。

シンチグラフィでのhot noduleの特定が確定診断に重要である。エコーで一致した腫瘤も確認しておく。

▶Plummer病の治療

治療は手術または^{131}I内用療法またはPEIT（percutaneous ethanol injection therapy）である。手術前に抗甲状腺薬＋β遮断薬を使うこともある。

1. ^{131}I内用療法

放射線抵抗性であり、Basedow病よりも放射線を大量に必要とする。hot noduleに摂取されやすく、治療後の甲状腺機能低下を起こしにくい。

2. PEIT

簡便ではあるが、腫瘍内部の血流を消失させ、85%の成功率を誇る治療法として、今後の増加が予測されている。

13 Plummer病

第3章 甲状腺

14 甲状腺腫瘍
BRAF 遺伝子，画像診断

Key Question

症例：橋本病で5年前から腫瘍指摘，1年前から嗄声，1カ月前から喘鳴が現れてきた80歳女性。触診では甲状腺部に圧痛はない。
検査所見：euthyroidであり，Tg値の上昇なし。エコー所見を示す（**図**）。

最も考えられる診断はどれか。

A：乳頭癌　　　　　　D：悪性リンパ腫
B：濾胞癌腹部　　　　E：未分化癌
C：髄様癌

図　エコー所見

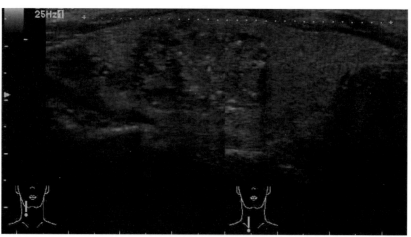

Answer

A

解説

　微細多発石灰化，低エコー，境界不明瞭，縦横比高値，被膜外進展，rim状石灰化の断裂，リンパ節転移などは（特に乳頭癌の）甲状腺悪性腫瘍を強く疑うエコー所見である[1]。特に微細多発石灰化は乳頭癌に特徴的であり，本問で最も考えられるのは乳頭癌である。

Key Lesson

○甲状腺悪性腫瘍の頻度・エコー所見の特徴を把握しておく。

知識の整理

甲状腺腫瘍には良性の腫瘍と悪性の腫瘍（癌）があり，良性腫瘍のほとんどは濾胞腺腫である。甲状腺癌には乳頭癌，濾胞癌，未分化癌，髄様癌，その他悪性リンパ腫がある。

▶甲状腺腫瘍の病態

特筆すべきは，乳頭癌が 85％，濾胞癌は 9％ と分化癌だけでほぼ 94％ を占めることである（図1）。重要な疾患の頻度と特徴だけおさえておく。

図1　甲状腺悪性腫瘍の分類

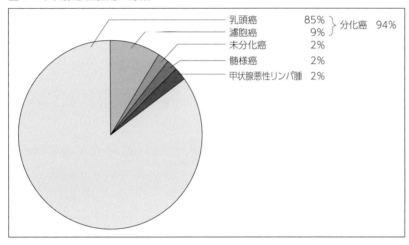

▶甲状腺腫瘍の診断基準

基本的にエコーガイドでの穿刺吸引細胞診が重要である。

乳頭癌の診断は比較的容易であるが，濾胞癌は難しく，吸引細胞診での確定診断は数％である。微少浸潤型濾胞癌と濾胞腺腫の鑑別は Tg 1,000 ng/mL 以上や大きさが 4 cm 以上などあれば疑って手術して判断することが多い。

髄様癌は C 細胞（傍濾胞細胞）由来であり，遺伝性は 30～40％ である（常染色体優性）。試験では多発性内分泌腫瘍 2 型（MEN 2）に絡めて出題される。MEN 2A および 2B に高率に合併する。*RET* 遺伝子が原因遺伝子である。血中カルシトニン，CEA の上昇，病理でのアミロイド沈着は国家試験レベルである。

リンパ腫は甲状腺腫瘍の 2～3％ で，橋本病が発生母体となることが多い。B 細胞性がほとんどである

▶甲状腺結節（腫瘤）エコーの診断基準

甲状腺結節（腫瘤）のエコー診断基準を**表1**[2]に抜粋する。エコー所見として客観的評価の中から有用性が高い（明らかなもの）を「主」とし，主所見に比べ有所見率の統計学的差異が低い所見を「副」としている。特に，悪性所見を呈する結節の多くは「主」を呈し，乳頭癌，濾胞癌，髄様癌，悪性リンパ腫未分化癌などで認められるのに対し，良性所見を呈しうる悪性疾患としては，微少浸潤型濾胞癌および10mm以下の微小乳頭癌・髄様癌・悪性リンパ腫などがあることも付記することで，従来の診断基準が乳頭癌に的を絞ったものである点を回避している。

表1 甲状腺（腫瘤）エコー診断基準

	形状	境界の明瞭性・性状	内部エコー		微細高エコー	境界部低エコー帯
			エコーレベル	均質性		
良性所見	整	明瞭平滑	高～低	均質	（−）	整
悪性所見	不整	不明瞭粗雑	低	不均質	多発	不整／なし

付記
①エコー所見として客観的評価の中から有用性が高い（明らかなもの）を「主」とした。また，悪性腫瘍の90%を占める乳頭癌において特徴的であるが，主所見に比べ有所見率の統計学的差異が低い所見を「副」とした。
②内部エコーレベルが高～等は良性所見として有用である。
③粗大な高エコーは良性悪性いずれにもみられる。
④所属リンパ節腫大は悪性所見として有用である。
⑤良性所見を呈する結節の多くは，腺腫様甲状腺腫，濾胞腺腫である。
⑥悪性所見を呈する結節の多くは，乳頭癌，濾胞癌，髄様癌，悪性リンパ腫，未分化癌である。
⑦良性所見を呈しうる悪性疾患は，微少浸潤型濾胞癌および10mm以下の微小乳頭癌・髄様癌・悪性リンパ腫である。
　1）微少浸潤型濾胞癌は，良性所見を示すことが多い。
　2）10mm以下の微小乳頭癌は，境界平滑で高エコーを伴わないことがある。
　3）髄様癌は，甲状腺上極1/3に多く，良性所見を呈することがある。
　4）悪性リンパ腫は，橋本病を基礎疾患とすることが多く，境界明瞭，内部エコー低，後方エコー増強が特徴的である。
⑧悪性所見を呈しうる良性疾患は，亜急性甲状腺炎，腺腫様甲状腺腫である。
　1）亜急性甲状腺炎は，炎症部位である低エコー域が悪性所見を呈することがある。
　2）腺腫様甲状腺腫では，境界部エコー帯を認めない場合や境界不明瞭なことがある。
（文献2より引用）

▶甲状腺腫瘍の治療

①分化癌の手術は甲状腺亜全摘＋患側のリンパ節郭清＋術後にレボチロキシンナトリウム補充でTSH抑制（腫瘍増大を防ぐ）。散発性の髄様癌もそれに準じるが，MENや家族性の場合は悪性度が強いため全摘となる。
②PEITが有効なのは再発する甲状腺嚢胞とPlummer病，二次性副甲状腺過形成である。
③化学療法は未分化癌と悪性リンパ腫に行うが効果は薄い（CHOP，R-CHOPなど）。
④放射線医療では外照射は未分化癌，悪性リンパ腫に有効，^{131}I内用療法は分化癌（主に濾胞癌）での遠隔転移に有効である。

▶転移などの検索は？

乳頭癌はリンパ行性転移が多く，濾胞癌は血行性転移が多いことに注意する。
①分化癌の遠隔転移 ➡ ^{123}Iシンチグラフィ
②未分化癌や悪性リンパ腫 ➡ Gaシンチグラフィ

▶予後の注意点

①分化癌で遠隔転移がある場合の予後悪性因子として，高齢（若年のほうが治癒しやすい）である，腫瘍が 5 cm 以上である，皮膜外浸潤であることが挙げられる。
②乳頭癌，濾胞癌は，30〜50 歳に多く，10 年生存率は約 80〜90% である。
③髄様癌では MEN 2B の予後が悪いため，3 歳までに予防的手術を行うことが推奨される。
④悪性リンパ腫の予後はよい（10 年生存率は約 70%）。
⑤未分化癌は基本的に手術の難しいケースが多く，化学療法や放射線療法の効果も乏しく，1 年生存率は 20% 以下，平均生存期間は 6 カ月と予後も悪い。

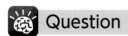

鍵穴のマークは問題の難易度を示します。

 甲状腺悪性腫瘍について正しいものはどれか。

A：乳頭癌は血行性転移が多い。
B：濾胞癌が最多である。
C：髄様癌の 1/3 は遺伝性である。
D：未分化癌には化学療法・放射線療法により予後が良い。
E：悪性リンパ腫は橋本病の合併が多い。

正答 E

 甲状腺髄様癌で上昇する血中因子はどれか，2 つ選べ。

A：サイログロブリン　　D：CA19-9
B：カルシトニン　　　　E：CEA
C：AFP

正答 B, E

文献
1) 手塚康二，他：P-NET の現状と今後の展望．日内分泌・甲状腺外会誌．2015；32：247-252.
2) 日本超音波医学会用語・診断基準委員会，平成 20・21 年度結節性甲状腺腫診断基準検討小委員会：甲状腺結節（腫瘤）超音波診断基準．*J Med Ultrasonic*. 2011；38：27-30.

第 4 章

副甲状腺
（Ca，P 代謝，骨代謝疾患含む）

ここ数年で骨代謝改善薬が大幅に update されたのに伴い，骨粗鬆症の診断基準，治療ガイドライン，ステロイド性骨粗鬆症の診断基準など改訂が多くみられた。今後もガイドライン改訂には注意すべきである。骨代謝疾患は，腎機能の低下している高齢者も多く，治療の選択が特に重要になっていることから，全体的に難易度も高い。

第4章 副甲状腺（Ca，P代謝，骨代謝疾患含む）

1 原発性副甲状腺機能亢進症（PHPT）
その他の副甲状腺機能亢進症も含む，FHH

Key Question

症例：80歳女性。健康診断で高カルシウム血症を指摘された。以前より血清ALP高値を指摘されていたが，近医の腹部エコーにて肝・胆道系に異常なく経過観察されていた。腰痛を自覚し，整形外科受診した際に，骨粗鬆症を指摘され，高カルシウム血症も指摘された。

身体所見：意識清明，身長151.6cm，体重42.8kg，体温36.1℃，脈拍57回/分 整，血圧122/56mmHg，頸部腫瘤なし，胸腹部異常なし。

検査所見：Alb 3.7mg/dL，AST 26U/L，ALT 20U/L，ALP 440U/L，BUN 17mg/dL，Cre 0.5mg/dL，Ca 10.4mg/dL，P 3.1mg/dL，Mg 2.2mg/dL，intact PTH 140pg/mL，尿中Ca/尿中Cre比：0.29，Cca/Ccr（FECa）2.0%，％TRP 84%，eGFR 67mL/分/1.73m^2，腰椎骨密度（DXA法）；YAMの60%，^{99m}Tc-MIBIシンチグラフィ，PET-CT，頸部エコーの画像を示す（**図**）。
心エコーでは著明な左心機能低下を認め，また軽度の認知症もあることから，本人および家族とも積極的には手術を望んでいない。

①現時点で選択できる適切な治療方法はどれか，2つ選べ。

A：経口ビスホスホネート製剤内服による経過観察。
B：局所麻酔により副甲状腺腫瘍を摘除する。
C：ビスホスホネート静注投与を1カ月に一度繰り返す。
D：CaSR受容体の異常であり治療は不要である。
E：保険診療で認可されたシナカルセトにて血清Caを調節する。

②本病態の手術適応基準において誤っているものはどれか。

A：血中Caが正常上限の1mg/dL以上上昇している。
B：クレアチニンクリアランス（Ccr）50mL/分以上を満たしている。
C：50歳未満である。
D：脆弱性骨折の既往がある。
E：尿管結石の発作が頻発している。

図　MIBIシンチ，頸部エコー，PET-CT

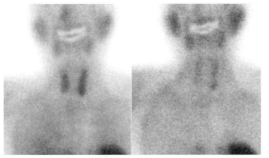

MIBIシンチ　　＜早期相＞　　　　　　＜後期相＞

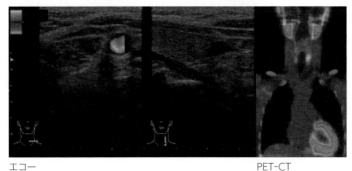

エコー　　　　　　　　　　　　　PET-CT

☞巻頭カラー口絵

 Answer

① A，E

解説

　検査所見からPHPTと判断できる。左の副甲状腺腫瘍が同定できており，1腺の腫大から腺腫が疑われる。原則として手術が第一選択であるが，本症例は高齢女性であり，患者の全身状態や全身麻酔による手術に消極的であり，副甲状腺摘出術不能例と言える。

A：PHPTの骨粗鬆症にも骨密度増加や骨代謝マーカー抑制効果は示されている。血清Caの低下効果は静注でなければ期待できない。しかし本症例では骨粗鬆症が主な問題点であり，手術が選択できなければ，保存的な内服治療で経過観察も考慮できる。

B：局部麻酔による副甲状腺腫瘍の摘除は，海外とは異なり日本ではあまり普及していないことに加え，本症例では軽度の高カルシウム血症もあり，患者からの希望もないリスクの高い外科手術は適切ではない。

C：PHPTで全身状態や高齢であることを理由に手術不能の場合，さらに高度の高カルシウム血症であれば血清Ca濃度を下げる必要がある。効果は4週しか継続しないため，定期的に行う必要がある。本症例はそこまで高カルシウム血症が高度ではない（補正 10.7 mg/dL）。

D：Cca/Ccr（FECa）1.0％未満で腎機能がなければ家族性低カルシウム尿性高カルシウム血症（FHH）を考慮するが，本症例では否定できる。FHHはPHPTと酷似しているが，一般には骨や腎機能に与える影響は軽度である。

E：2014年2月よりシナカルセト塩酸塩は副甲状腺癌ならびに副甲状腺摘出術不能，

または術後再発のPHPTにおける高カルシウム血症に対する治療薬として使用可能となった。Ca感知受容体（calcium sensing receptor：CaSR）を直接刺激し，PTH分泌を低下させるため，病態に適した治療とも言える。

② B

解説

A：正しい。
B：腎機能低下（Ccr＜60 mL/分）である。
C：正しい。
D：正しい（骨粗鬆症の診断を満たす）。
E：NIHガイドライン[1]では2008年に高カルシウム尿症は除外されたが，付随する症状が継続すれば考慮される。

Key Lesson

○ PHPT，特に無症候性PHPTはNIHガイドラインでも手術適応が明示されているため，確実に記憶しておかなければならない（**表1**）[1]。

表1 無症候性原発性副甲状腺機能亢進症の手術適応基準

①血中Ca濃度	・正常上限より1.0 mg/mL以上の上昇
②骨 閉経前 and 50歳未満の男性はZ-scoreを用いる	・若年正常骨密度平均値からの－2.5SD（標準偏差）未満〔骨密度測定部位（腰椎，大腿骨，頸部，前腕）は問わない〕 ・既存椎体骨折の存在
③腎	・Ccr 60 mL/分未満 ・尿中Ca排泄量400 mg/日以上 ・腎結石リスクが高い（尿路結石，石灰化症の存在）
④年齢	・50歳未満

いずれか1つを満たせばよいとされるが，これら推奨要件の根拠となる明確なデータは示されていない。経過観察を望まない，あるいは適さない患者の状況も重要である。
（文献1より引用）

各種パラメーターの正常値は？

① intact PTH ➡ 10～65 pg/mL
②血清Ca ➡ 8～10 mg/dL（血清Caの50％はAlbと結合している）
③血清P ➡ 2.5～4.5 mg/dL

知識の整理

▶原発性副甲状腺機能亢進症（PHPT）の病態

2,000人に1人の割合で，特に閉経後の女性で頻度が高い（1：3）。副甲状腺の腫瘍化または過形成により，PTHが自律的かつ過剰に分泌される病態である。臨床病型としては，骨病変を伴う骨型，尿路結石や腎結石を伴う腎型，それらを伴わない化学型，

化学型のなかでも自覚症状のない無症候性に分けられる。国家試験などでは骨型での頭蓋骨の脱石灰化像（salt and pepper skull）や手指骨の骨膜下骨吸収像〔稀に長管骨の褐色腫（brown tumor）〕などが出題されやすい。

1. 原因別でみる特徴

①腺腫：全体の80%を占め最多である（単発80～90%，多発5～10%）。

②過形成：全体の15%（複数肥大が多い）であり，血中Ca値は正常上限にとどまることが多い。過形成は，多発性内分泌腫瘍症（MEN）の部分症を疑う。副甲状腺の腫瘍化には，細胞周期調節遺伝子のサイクリンD1の*CCND1*遺伝子転座による過剰発現や*MEN 1*遺伝子異常が関わる。

③癌：全体の1～2%。癌抑制遺伝子*p53, RB*（retinoblastoma），*CDC73*の遺伝子変異があると記憶する。

2. PTH過剰による病態

①骨吸収・骨形成促進：高回転型の骨粗鬆症。

②腎遠位尿細管でのCa再吸収：高カルシウム血症 ➡ 血中Ca≧10.2mg/dL。
高カルシウム血症とは，多尿・口渇・脱水，消化管運動低下による嘔吐・便秘，胃酸分泌亢進による消化性潰瘍や膵炎など（ガストリン分泌亢進）などである。Ca値が12mg/dL以上になると症状が出やすくなる。
PTHによりCaを再吸収するが，それ以上に高カルシウム血症によりCa糸球体濾過率が上がるため，高カルシウム尿症でもあると言える ➡ 尿中Ca＞200mg/日。
腎尿細管のCaSR（Ca sensing receptor）は，高カルシウム血症を感受しCa再吸収の抑制にも一役かっている。

③腎近位尿細管でのP吸収抑制：低リン血症/% TRP低下（P再吸収率は通常81～90%）➡ 本来PTHの作用は腎臓でのP排泄増加である。Caと比べ制御因子が少ないため，PTHの影響を受けやすい。

④腎近位尿細管でのHCO_3^-再吸収抑制/Cl^-再吸収促進：高クロール血症代謝性アシドーシス。

⑤腎近位尿細管での活性型ビタミンDの合成促進＝腸管でのCa吸収：高カルシウム血症。

3. 悪性腫瘍に伴う高カルシウム血症（MAH）との違い

悪性腫瘍が分泌するPTHrPはPTHとやや異なる作用をもつため，MAHとPHPTはいくつかの点で病態が異なる。MAHにおいては，

①PTHrP過剰は代謝性アルカローシスを引き起こし，低クロール血症となる。

②活性型ビタミンDが減少する。

アルカローシスとアシドーシス

PTHは骨吸収を促進する。骨吸収の際，骨からはCaのほかにOHが溶出する ➡ アルカローシス。

一方，腎臓ではCaの再吸収促進とHCO_3の再吸収抑制を行う ➡ （血中でのHCO_3が減少し）アシドーシス。

PTHは，骨への作用ではアルカローシスに，腎臓への作用ではアシドーシスとなるが，PTHrPはPTHに比べ腎臓でのHCO_3の再吸収抑制が弱いことが特徴である。

---

1 原発性副甲状腺機能亢進症（PHPT）その他の副甲状腺機能亢進症も含む，FHH

▶ PHPT の診断基準

1. 画像検査

エコーとともに，2010 年より日本で効能追加となった ^{99m}Tc-MIBI（methoxy isobutyl isonitrile）シンチグラフィが局在診断に有用である。PHPT の 5〜10％は胸腔内に異所性副甲状腺が存在するため特に MIBI は有用であり，SPECT による 3 次元画像も用いられることがある。複数の腺腫大がある場合は，MEN を念頭に置いて精査を進める。

2. 高カルシウム血症との鑑別診断

よく問われる鑑別疾患として，
- MAH：高カルシウム血症であるが，PTH は低値（PTHrP やその他の因子によって高カルシウム血症のため）
- FHH：高カルシウム血症で PTH は高値であるが低 Ca 尿（CaSR という Ca のセンサー受容体の異常のため，高カルシウムにもかかわらず PTH が相対的高値）

が挙げられる。

家族歴などから MEN を除外し，薬剤性（リチウム，アミノフィリン製剤，ビタミン A，ビタミン D，サイアザイド系利尿薬の服用を確認）を除外すれば，原発性副甲状腺機能亢進と悪性腫瘍で 90％を占めるとされる。

高カルシウム血症は尿中 Ca 排泄と血中 PTH 濃度の測定で鑑別可能である。
①問診：MEN，FHH や薬剤性などを極力除外する。
②尿中 Ca 排泄：FECa＜1.0％で FHH と診断できる。
③多くの場合，尿中 Ca 排泄は FECa＞1.0％であるため，血中 PTH を測定する。血中 PTH 濃度：高値であれば PHPT，低値であれば悪性腫瘍であると考える。

▶ PHPT の治療

基本的には手術を行う。腺腫なら腺腫摘出，過形成なら全摘＋一部皮下移植か亜全摘，副甲状腺癌なら拡大頸部手術である。

手術後，Ca の急速な骨への取り込みが生じ，一過性の低カルシウム血症からテタニーやしびれ感が引き起こされることがある ➡ ハングリーボーン症候群。

また，日常生活では脱水はもちろん，不動を避けるよう指導する。

1. 内科的治療

無症候性例や軽症例，手術困難例，再発例におけるものに対し，高カルシウム血症に対する治療と pHPT による骨粗鬆症に対する治療がある。骨密度の低下があれば，骨吸収抑制目的にビスホスホネート製剤を投与するのが一般的である。

副甲状腺癌，あるいは副甲状腺摘出術不能，または術後再発の pHPT による重度の高カルシウム血症の治療薬として，CaSR 作動薬としてのシナカルセトが適応となる。

また，pHPT の重症化に関わるとされるビタミン D 不足や欠乏に対して，海外のガイドラインでは，25(OH)D＜20ng/mL の場合，天然型ビタミン D（Ca 非含有）補充が推奨されているが，わが国ではまだ保険診療上認められていない。

2. ハングリーボーン症候群の対処

低カルシウム血症に対し，グルコン酸カルシウム注射，Ca 製剤の内服，カルシトリオール投与を行うことで対処する。

3. 手術非適応例（高カルシウム血症性クリーゼなどの場合）の対処

高 Ca クリーゼの場合は特に脱水を防ぐため，生理食塩水補液 2～3L/日＋ループ利尿薬（60～80mg/2 時間ごとによる Ca 排出）を用いる ➡ 水分補給が脱水と腎機能改善へ，ループ利尿薬による Na 利尿が Ca 排泄を促す。

ビスホスホネート製剤静注（パミドロン酸二ナトリウム，アレンドロン酸ナトリウム，ゾレドロン酸：遅効性），もしくはカルシトニン点滴静注（合成カルシトニン誘導体製剤 40 単位を 2 回/日：即効性）による骨吸収抑制を図る（カルシトニンは破骨細胞に対し，エスケープによる効果減弱があるため 1 週間で中止とする）。

4. 無症候性 PHPT の手術適応

検査法の進歩により，PHPT のうち無症状で高カルシウム血症のみが指摘される化学型が 43％を占めるようになり，これら無症候性 PHPT をどう対処するかが問題となっている。無症候性 PHPT の 37％では症候の進展あり，皮質骨骨密度の有意な減少ありという報告[1] から無症候性 PHPT の手術適応が設定されている（**表 1**）[1]。

血清 P 値については手術適応の基準にはなっていない。

患者が手術を希望しない場合，血清 Ca 測定は年 2 回，血清 Cre 値と骨密度（腰椎・大腿骨近位部・前腕）の測定は年 1 回行うことが推奨されている。

▶ その他の副甲状腺機能亢進症

1. 多発性内分泌腫瘍症（MEN）

MEN には 2 つの疾患型がある。

①多発性内分泌腫瘍症 1 型（MEN 1）：発見契機は尿路結石や消化性潰瘍が多い。

②多発性内分泌腫瘍症 2 型（MEN 2）：発見契機は頸部腫瘍が多い。

MEN 1 は *MEN 1* 遺伝子，MEN2 は *RET* 遺伝子の変異に起因することが明らかにされている。

ここでは副甲状腺過形成を伴う MEN についてまとめる。

・MEN 1 では，副甲状腺過形成は浸透率が 95～100％である。つまり，MEN 1 の診断基準にもある他の症候（下垂体腺腫，膵消化管内分泌腫瘍）よりも顕著であることがわかる。

・また，副甲状腺機能亢進症の 2～5％が MEN 1 である（散発例と比較すると若年発症例では，高カルシウム血症も軽度にとどまることが多い）。「副甲状腺が複数腫大 ➡ 過形成の可能性 ➡ MEN 1 を疑う」。この流れは確実に記憶しておく。

・MEN 2 は MEN 2A，MEN 2B および家族性甲状腺髄様癌（familial medullary thyroid carcinoma：FMTC）の 3 病型に細分される。MEN 2A では，甲状腺髄様癌が 100％先行し，副甲状腺過形成は 10～30％程度である。

2. FHH

まず，病態を理解するために CaSR が副甲状腺と腎尿細管の両方に存在することを念

頭に置く必要がある。

　本症を一言で表せば，「副甲状腺/腎尿細管に存在する CaSR のヘテロ接合不活性変異」である。

　正常な副甲状腺の CaSR は血中の低 Ca を感知して PTH を産生するので，本来，高カルシウム血症であれば PTH は抑制されるはずが，不活性変異した副甲状腺の CaSR は反応しない（Ca 反応閾値が高い）。つまり，不活性変異した腎尿細管にある CaSR が，Ca 高値を認知しない ➡ 腎臓の Ca 再吸収が亢進したまま抑制されない ➡ 尿中 Ca が低くなる。

　PHPT と似た所見を示すが，FHH と PHPT の明らかな鑑別点は，低 Ca 尿＝FECa＜1.0％である。FHH の参考所見として，PTH は正常～高値，血清 P が低値～正常，血清 Mg 軽度高値，活性型ビタミン D の相対低値などがある。

　CaSR は副甲状腺，腎臓，骨，脳，甲状腺 C 細胞にも発現していることにも留意する。CaSR のホモ接合不活性変異なら新生児重症副甲状腺機能亢進症（neonatal severe hyperparathyroidism：NSHPT）として出生時より重篤な高カルシウム血症になる。

　ヘテロ接合不活性変異の FHH の治療について，原則として手術の必要性はない。

> **家族性副甲状腺機能亢進症とは？**
>
> 　家族性の副甲状腺機能亢進症では，MEN も含め様々な遺伝子変異が原因とされる。対象となる遺伝子を知り，診断にあたる必要がある。
> ① MEN 1：*MEN 1* 遺伝子 ➡ ほぼ 100％に副甲状腺機能亢進を認める。
> ② MEN 2A：*RET* 遺伝子 ➡ 10％に副甲状腺機能亢進を認める。
> ③ CaSR 異常（FHH，NSHPT）：*CaSR* 遺伝子（不活性化変異）。
> ④ HPT-JT（hyperparathyroidism-jaw tumor syndrome）：*CDC73* 遺伝子 ➡ 90％に副甲状腺機能亢進を認める。
> 　下顎に骨化性線維種（30％），両側腎嚢胞または腎細胞癌（10％）がある場合は *CDC73* 変異と覚えておく。

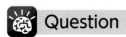

Question　　　　　　　　　　　　　　　　　　　　　　鍵穴のマークは問題の難易度を示します。

Q1 症例：36 歳女性。健診で高カルシウム血症を指摘された。自覚症状はない。既往歴に特記すべきことはなく，健康食品を含め，ビタミン D 製剤，Ca 製剤，サイアザイド製剤，テオフィリン製剤，リチウム製剤など高カルシウム血症に関与する常用薬もない。
身体所見：意識清明，身長 155.6 cm，体重 52.8 kg，体温 36.7℃，脈拍 67 回/分 整，血圧 132/76 mmHg，頸部腫瘤なし，胸腹部異常なし。
検査所見：Alb 4.2 mg/dL，AST 24 U/L，ALT 32 U/L，ALP 345 U/L，BUN 14 mg/dL，Cre 0.6 mg/dL，Ca 11.5 mg/dL，P 2.5 mg/dL，Mg 2.0 mg/dL，intact PTH 120 pg/mL，PTHrP 1.3 pmol/L，uCre 89 mg/dL，uCa 10.1 mg/dL，尿量 1,200 mL，腰椎骨密度（DXA 法）：YAM 85％。

本病態で誤っているものはどれか。

A：活性型ビタミン D は正常～軽度高値を示すことが多い。
B：骨塩量は早期より低下傾向となることが多い。

C：副甲状腺は過形成で多腺性に腫大していることが多い。
D：CaSR 遺伝子の不活性化変異が考えられる。
E：治療は基本的に経過観察とする。

正答 B

症例：35 歳男性。検診で副甲状腺腫瘍を指摘され，内分泌科を紹介され受診。無症候性副甲状腺機能亢進症と診断された。

手術適応の根拠となるのに<u>ふさわしくない</u>ものはどれか。

A：年齢
B：骨密度（T-score）
C：血清 P 値
D：血清 Ca
E：クレアチニンクリアランス低下

正答 C

文献

1) Bilezikian JP, et al：Guidelines for the management of asymptomatic primary hyperparathyroidism: summary statement from the Fourth International Workshop. *J Clin Endocrinol Metab*. 2014；99：3561-3569.

第4章 副甲状腺（Ca, P代謝，骨代謝疾患含む）

2 続発性副甲状腺機能亢進症

Key Question

症例：80歳女性。健診で高カルシウム血症を指摘された。頸部エコーとMIBIシンチグラフィで局在診断がつかず，続発性副甲状腺機能亢進症と診断され，腎臓内科にて1年間フォローされていた。

身体所見：意識清明，身長153.4cm，体重43.0kg，体温36.7℃，脈拍76回/分 整，血圧112/66mmHg，頸部腫瘤なし，胸腹部異常なし。

検査所見：Alb 3.6mg/dL, AST 26U/L, ALT 34U/L, ALP 445U/L, BUN 17mg/dL, Cre 2.1mg/dL, Ca 8.2mg/dL, P 3.1mg/dL, Mg 2.1mg/dL, intact PTH 180pg/mL, 腰椎骨密度（DXA法）：YAM 54%, eGFR 18mL/分/1.73m^2。

腎臓内科ではシナカルセト150mg/日の処方が開始され，現在PTHは180pg/mLから60pg/mLへ改善し，Caは8.2mg/dLから10.2mg/dLへ正常化した。しかし骨密度低下（YAM 54%）は改善せず，腎臓内科より内分泌科へ紹介された。

適切な方針はどれか。

A：経口ビスホスホネート製剤内服
B：シナカルセトを増量
C：女性ホルモン補充療法（SERM）
D：ビスホスホネート静注投与
E：経過観察

Answer

C

解説

原発性もしくは続発性副甲状腺機能亢進に伴う骨粗鬆症，特に腎機能が悪化している患者に対する薬物療法の選び方について問われている。本症例が腎機能正常（eGFR＞60mL/分/1.73m^2）であれば，ビスホスホネート経口製剤でも治療が可能と思われる。

A：腎機能が悪化しているため使用しにくい。
B：骨密度は上昇しないばかりか，さらなるCa上昇をまねき，尿路結石のリスクとなる。
C：骨密度上昇については最もエビデンスが強い。しかし，慎重投与の必要性がある。
D：腎機能が悪化しているため使用しにくい。
E：禁忌である。高齢者ほど骨密度は上昇させる意義がある。

Key Lesson

○腎機能のCcr＜30mL/分を切る場合，多くのビスホスホネート製剤が禁忌，あるいは慎重投与（アレンドロン酸ナトリウム，ミノドロン酸）である。活性型ビタミンD製剤，ビタミンK製剤，カルシトニン製剤などはもちろん，テリパラチド酢酸塩などのPTH製剤，デノスマブなどの抗RANCKL抗体は，腎不全があっても比較的使いやすい薬剤である。

知識の整理

▶腎機能障害を伴う骨粗鬆症

慢性腎不全（CKD：chronic kidney disease）のStage分類を考慮することが重要である。高齢者の多くはStage 3～4に入る。Stage 3, 4でのeGFR値は覚えておく。
- Stage 3 ➡ eGFRが $30～60 mL/分/1.73 m^2$
- Stage 4 ➡ eGFRが $15～30 mL/分/1.73 m^2$

Stage 3以上で他条件が同じ場合，骨折リスクがさらに高まるため，副作用に注意しながら積極的に治療を進めるべきである。Ccr 50 mL/分を超えていれば腎機能障害に関係なく薬剤は使用可能である。Ccr 30 mL/分を切る場合，多くのビスホスホネート製剤が禁忌，あるいは慎重投与（アレンドロン酸ナトリウム，ミノドロン酸）である。

ビスホスホネート製剤は腎排泄性であり，保存期や末期（透析期）腎不全患者では半減期が延長し体内蓄積することや，静注投与された腎不全患者においてネフローゼ症候群を呈する巣状糸球体硬化症や急性尿細管壊死により急性腎障害が発症したという報告がある[1]。

選択的エストロゲン受容体作動薬（selective estrogen receptor modulator：SERM）は，従来のエストロゲンとは受容体への結合様式が異なるため，脳血管障害や発癌性を認めないものの，腎不全患者においては蓄積性が認められており，添付文書では慎重投与になっている。

腎不全患者においても減量する必要はない薬剤としては，①活性型ビタミンD製剤，②ビタミンK製剤，③カルシトニン製剤，④PTH製剤や抗RANCKL抗体がある。

- ①活性型ビタミンD製剤：効果的な骨密度上昇に有用であるのみならず，腎不全患者の骨ミネラル代謝異常治療において腎性副甲状腺機能亢進症との関連も含め広く使われている（保存期腎不全患者においては腸管からのCa吸収亢進による高カルシウム血症に脱水が加わると悪循環に陥り腎不全の急性増悪をきたすため，少量投与からはじめ血清Ca濃度をフォローする必要がある）。
- ②ビタミンK製剤：閉経後やステロイド性骨粗鬆症での有効性が証明されている。血管石灰化抑制効果も報告[2]されており，動脈硬化予防も期待される。
- ③カルシトニン製剤：腎不全患者での骨塩量増加における効果は不明であるが安全性は高い。
- ④テリパラチドなどPTH製剤やデノスマブなどの抗RANCKL抗体：腎不全患者も使いやすい薬剤だが，非常に強力に骨吸収を抑えて，血中Ca濃度を低下させる作用があり，CKD Stage 4以上では，低カルシウム血症に対しての慎重な配慮が必要となる（特に投与後1～2週間目の血中Ca濃度や，低カルシウム血症によるテ

タニーなどの症状に注意）。本症例は女性であり，SERM やエストロゲン製剤がふさわしいが，テリパラチドなど PTH 製剤/デノスマブなどの抗 RANCKL 抗体があれば選択肢のひとつとなりうる。

▶ 二次性（続発性）副甲状腺機能亢進症（SHPT）

1. 原因

薬剤による低カルシウム血症や，ビタミン D の栄養状態不良などの鑑別を行い，必要に応じて血清 25(OH)D を測定する。
①慢性腎不全：最も多く生命予後に直結する。
②乳糖不耐症，胃切除・慢性膵炎，吸収不良症候群などの腸管からの Ca 吸収障害。
③抗痙攣薬や骨吸収阻害薬などによる低カルシウム血症（薬剤性）
④授乳期，過剰な利尿薬，Paget 病といった細胞外液からの Ca 喪失。

2. 病態

低 Ca 高 P による長期刺激は副甲状腺を過形成にし，PTH が分泌されても低 Ca 高 P を代償できないばかりか，骨膜下吸収像，線維性骨炎，骨折，不可逆性である異所性石灰化を引き起こす。

3. 治療

慢性腎不全に伴う SHPT に関して，は日本透析医学会の『慢性腎臓病に伴う骨・ミネラル代謝異常の診療ガイドライン（2012 年）』において，特に透析患者における血清 P，Ca および PTH 濃度の管理目標値が示されている。生命予後に対して，血清 P，Ca，PTH 濃度の順に優先度が決められている。
・血清 P 濃度の目標値 3.5 ～ 6.0mg/dL
・血清補正 Ca 濃度の目標値 8.4 ～ 10.0mg/dL
・血清 intact PTH（iPTH）濃度の管理目標値 60 ～ 240pg/mL
・wholePTH 濃度であれば 35 ～ 150pg/mL

補充療法または CaSR 作動薬

低 Ca の是正と PTH 産生を抑制する方法として，Ca 製剤およびビタミン D 製剤による補充療法と CaSR 作動薬がある。

(1) Ca 製剤およびビタミン D 製剤による補充療法
①Ca とビタミン D 補充により血清 Ca を正常値へすることが目的：低 Ca を是正し，intact PTH 70～110pg/mL を超えないよう調整する。
②カルシトリオール/アルファカルシドール：PTH 抑制効果は経口連日投与よりも間欠的静注のほうがよい。

(2) CaSR 作動薬（シナカルセト塩酸塩）

①PTH 抑制には効果あり。

②腎性副甲状腺機能亢進症（renal hyperparathyroidism：RHPT）は 2008 年の塩酸シナカルセト塩酸塩の保険収載を受けて，手術数やエタノール注入（percutaneous ethanol injection therapy：PEIT）によるインターベンション治療が少なくなっている。2014 年 2 月よりシナカルセト塩酸塩は副甲状腺癌ならびに副甲状腺摘出術不能または術後再発の PHPT における高カルシウム血症に対する治療薬として使用可能となった。

リン吸着療法

高 P に対してリン吸着剤（phosphate binder）：炭酸カルシウム，セベラマー塩酸塩など。

PEIT/ビタミン D 局注療法または手術

非外科治療，外科治療（腎機能低下が基本的に多いため内科治療が不能な場合）がある。

①副甲状腺に PEIT/ビタミン D 注入療法（副甲状腺のビタミン D 受容体が増加し，ビタミン D 治療の反応が良くなる）なども考慮される。

②過形成が 2 腺以上であれば亜全摘か全線切除＋自家移植。

文献

1）薬剤性腎障害の診療ガイドライン作成委員会：薬剤性腎障害診療ガイドライン 2016．日腎会誌．2016；58：477-555．

2）日本骨粗鬆症学会，日本骨代謝学会　骨粗鬆症の予防と治療ガイドライン作成委員会，編：骨粗鬆症の予防と治療ガイドライン 2015 年版．ライフサイエンス出版，2015．

第4章 副甲状腺（Ca, P代謝, 骨代謝疾患含む）

3 特発性副甲状腺機能低下症/偽性副甲状腺機能低下症

Key Question

症例：30歳男性。手足のしびれ感と疲労感を主訴に来院した。
身体所見：身長170cm, 体重78kg, 特徴的な身体所見はない, 脈拍80/分 整。血圧138/78mmHg, Trousseau徴候陽性。
血清生化学所見：Na 142mg/dL, K 4.0mg/dL, Ca 6.0mg/dL, IP 4.8mg/dL, intact PTH 120pg/mLである。その他の一般検査所見に異常を認めない。

確定診断のために<u>不要な</u>検査はどれか。

- A：腎機能検査
- B：血中Mg濃度
- C：25(OH)D
- D：Ellsworth-Howard試験
- E：頭部CT

Answer

E

解説

身体検査所見から, Albright徴候のない副甲状腺機能低下症とわかる。PTH分泌低下か作用障害（偽性）のうちPTHが基準値以上（10～60pg/mL）であり, 偽性とわかる。偽性の鑑別に必要なものを把握する必要がある。

- A：腎機能が正常（BUN≧30mg/dLまたはCre＜2mg/dL）であることの確認は重要である。
- B：Mg欠乏状態では副甲状腺からのPTH分泌や標的器官でのPTH作用いずれも障害を受け, 低カルシウム血症, 高リン血症がみられる。
- C：25(OH)Dを測定することにより, ビタミンD欠乏症か否かの判断に役立つ。
- D：Ellsworth-Howard試験は腎尿細管にPTHが反応するかどうかを判断するもので, cAMPの産生（一部尿中へ）, 尿中へのリン酸排泄量をみる。PTH分泌低下の特発性であればリン酸排泄が増加する。偽性1型であればcAMP排泄もリン酸排泄も増加しない。偽性2型であればcAMP排泄は増加するが, リン酸排泄は増加しない。
- E：頭部CT検査にて大脳基底核の石灰化などの所見もみられるが非特異的であり, 確定診断には必須ではない。

Key Lesson

○低カルシウム血症の鑑別においては，血清 Ca, P の値を把握する。
○副甲状腺機能低下症および偽性副甲状腺機能低下症の治療は，どちらも基本的に活性型ビタミン D 製剤のみである。

知識の整理

▶副甲状腺機能低下症の診断と鑑別（図1）[1]

①補正 Ca＜8.5 mg/dL，低カルシウム血症であることを確認する。
②慢性腎不全を除外する（eGFR≧30 mL/分/1.73 m^2）。
　腎臓機能が正常であること（尿 Ca 排泄や eGFR が正常）は事前に確認しておく。
③血清 P は 3.5 mg/dL 未満か以上か（高リン血症か低リン血症か）。
　・低リン血症であれば骨軟化症やくる病を想像できる。
　・高リン血症であれば，PTH 不足か PTH 作用不良が考慮できる。
④腎機能が正常で intact PTH≧30 pg/mL にもかかわらず低 Ca 高 P が改善しないのは PTH 受容体の異常であり，異常の段階がどこで起こっているか判断するのが Ellsworth-Howard 試験である。

図1　低カルシウム血症の鑑別フローチャート

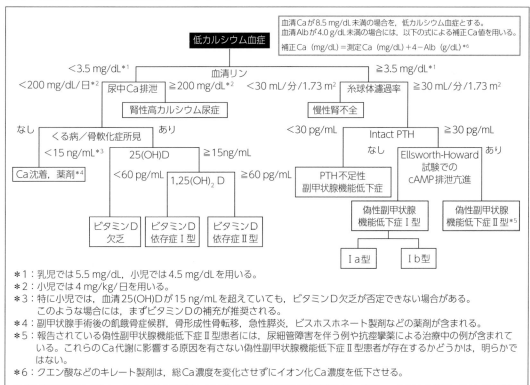

＊1：乳児では 5.5 mg/dL，小児では 4.5 mg/dL を用いる。
＊2：小児では 4 mg/kg/日を用いる。
＊3：特に小児では，血清 25(OH)D が 15 ng/mL を超えていても，ビタミン D 欠乏が否定できない場合がある。このような場合には，まずビタミン D の補充が推奨される。
＊4：副甲状腺手術後の飢餓骨症候群，骨形成性骨転移，急性膵炎，ビスホスホネート製剤などの薬剤が含まれる。
＊5：報告されている偽性副甲状腺機能低下症Ⅱ型患者には，尿細管障害を伴う例や抗痙攣薬による治療中の例が含まれている。これらの Ca 代謝に影響する原因を有さない偽性副甲状腺機能低下症Ⅱ型患者が存在するかどうかは，明らかではない。
＊6：クエン酸などのキレート製剤は，総 Ca 濃度を変化させずにイオン化 Ca 濃度を低下させる。

（文献1より引用）

▶特発性副甲状腺機能低下症の病態

PTH の分泌低下または作用不全で起こる。血清 Ca は 8.5 mg/dL 未満，血清 P は 3.5 mg/dL 以上＋腎機能が正常（BUN≦30 mg/dL または Cre＜2 mg/dL）であること＋低マグネシウム血症を除外していることが条件となる。維持医療では，活性型ビタミン D 製剤の内服が原則である。

1. 副甲状腺機能低下症の診断基準

特徴的な症状から疑い検査を進めるケースが多いが，無症状で検査値異常により見つかることも多い。大脳基底核の石灰化は国家試験ではよく問われるが，特異性は高くないことも注意しておく（診断基準に含まれていない）。

検査では，血清 Ca，P 濃度，腎機能に加えて，intactPTH，1,25(OH)$_2$D，Mg，尿中 Ca，P 排泄なども測定する。

症状
①口周囲や手足などのしびれ，錯感覚。
②テタニー。
③全身痙攣。
- Chvostek 徴候：外耳孔前方を叩打することで，顔面の痙攣が生じるもの。
- Trousseau 徴候：マンシェットで圧をかけると助産師（赤子を取り上げる）の肢位になるというもの。

検査所見
①低カルシウム血症，かつ正または高リン血症。
②eGFR≧30 mL/分/1.73 m^2。
③intact PTH＜30 pg/mL。

2. 診断のカテゴリー

確定診断は，診断基準に挙げた症状のうち 1 項目以上＋検査所見のうち 3 項目を満たすもの。

3. 鑑別

続発性副甲状腺機能低下症
頸部手術後，放射線照射後，肉芽腫性疾患/悪性腫瘍の浸潤，ヘモクロマトーシス，Wilson 病などが原因となる。

Mg 補充により治癒する場合
低マグネシウム血症を認める場合には硫酸マグネシウムなどによる補充を行い，低マグネシウム血症の改善に伴い低カルシウム血症が消失する場合には，低マグネシウム血症に対する治療を継続する。

▶特発性副甲状腺機能低下症の治療

活性型ビタミン D$_3$ 製剤（アルファカルシドール，カルシトリオール）を使用する。

テタニーや全身痙攣などに対しては，グルコン酸カルシウムの静脈投与を行う。慢性期の治療には，血中 Ca 濃度を上昇させるために活性型ビタミン D_3 製剤を主として使用する。これに加え，Ca 製剤が併用される場合があるが，Ca 製剤は原則的に用いない（高カルシウム血症や高カルシウム尿症，腎石灰化や尿路結石，腎機能障害などの有害事象を惹起する場合があるため）。

▶ 特発性副甲状腺機能低下症の特徴的な検査所見

①活性化ビタミン D は低値。
②腎尿細管のリン再吸収閾値（TmP/GFR 2.3〜4.3）の上昇（副甲状腺機能低下しており，血清リンは尿細管で再吸収する必要ないほど高いため）。
③皮下や大脳基底核の石灰化がみられるが非特異的な所見である。

▶ 特発性副甲状腺機能低下症の分類

PTH 分泌不全か受容体異常かで分類する。**表1** も参考にされたい。

1. PTH 分泌不全によるもの（PTH＜30 pg/mL）

①CaSR の活性型変異。
②DiGeorge 症，自己免疫性多内分泌腺症候群（autoimmune polyglandular syndrome：APS）Ⅰ型（Addison 病，カンジダ症を合併する）。

表1 PTH 分泌による副甲状腺機能低下の分類

病名	PTH 分泌不全（＜30pg/mL）			PTH 作用不全（≧30pg/mL）	
	副甲状腺機能低下症			偽性副甲状腺機能低下症	
	特発性		続発性	Ⅰ型	Ⅱ型
原因	多くは原因不明とされてきたが遺伝子異常が多く発見されている ・多腺性自己免疫症候群（APS）Ⅰ型（AIRE 変異） ・常染色体優性低カルシウム血症（CaSR 活性型変異） ・DiGeorge 症候群（副甲状腺不全） ・*PTH* 遺伝子異常 ・*GATA3* 遺伝子異常 ・*GCMB* 遺伝子異常など		・副甲状腺術後 ・頸部放射線照射 ・低マグネシウム血症	PTH 標的細胞の cAMP 産生系に障害がある	

AIRE：autoimmune regulator
DiGeorge 症候群（22q11.2 欠失）：心血管異常（cardiac defects），特有の顔貌（abnormal facies），胸腺低形成（thymic hypoplasia），口蓋裂（cleft palate），副甲状腺不全〔低カルシウム血症（hypocalcemia）〕。
常染色体優性低カルシウム血症：CaSR が活性化しているため活性型ビタミン D 治療で容易に高カルシウム尿症 ➡ 尿路結石を生じやすい。

2. PTH 分泌は正常だが作用不全（受容体異常）になっているもの（機能低下症にもかかわらず PTH≧30 pg/mL）：偽性副甲状腺機能低下症

PTH は近位尿細管において cAMP 依存性に，リン酸再吸収を抑制する ➡ PTH が反応すれば，尿中の cAMP 上昇し，尿中の P 排泄増えるはずが，偽性ではその尿中の P 排泄反応がない。PTH に対する尿中の P 排泄反応陰性は共通しているが，尿中 cAMP の排泄反応で Ⅰ型，Ⅱ型に分類できる。

①Ⅰ型：PTH に対する尿中の P 排泄反応（抑制反応）が陰性＋尿中 cAMP 排泄増加

反応が陰性
②Ⅱ型：PTHに対する尿中のP排泄反応（抑制反応）が陰性＋尿中cAMP排泄増加反応が陽性

つまりⅡ型はcAMPと無関係（尿細管障害）なことも考えられる，基本的にはⅠ型を押さえておく．

▶偽性副甲状腺機能低下症（狭義ではⅠ型）の分類（表2）

分類を**表2**にまとめた．
①患者の大部分を占めるのはⅠ型である➡試験によく出題されるのは，Ellsworth-Howard試験におけるⅠとⅡ型の違いである．
②特にⅠa型 GNAS（20q13.2）のGSα蛋白質コード領域の機能喪失型遺伝子変異では，Albright遺伝性骨形成異常症（Albright's hereditary osteodystrophy：AHO）と呼ばれる特徴的な身体所見〔円形顔貌，低身長，中手骨や中足骨の短縮（knuckle dimple sign），皮下骨腫など〕を合併する．「*GNAS1*遺伝子は組織特異的ゲノムインプリンティングを呈する」➡*GNAS1*遺伝子の母親アレルの機能喪失型変異により，全身のGsα活性が低下する（後述）．
③AHOを合併している例では，PTH以外のホルモンに対する標的組織の不応性もしばしば認められる．代表的なものはTSHに対する不応であるが，顕性甲状腺機能低下症を示す例は多くない➡ペプチドホルモンの受容体はG蛋白質共役型がほとんどであり，多くの臓器でのGsα活性が半分低下した状態のため，特徴的な身体所見や，PTH以外のホルモンの作用低下症状も現れてくる．
④尿中cAMP基礎値が低いのは，外因性PTH負荷に対するcAMP増加反応が低下しているためである（PTH標的細胞のcAMP産生系に障害があると考えられている）．

以下にまとめたので大まかにおさえておく．
- PTHがPTH受容体に結合し，cAMP（細胞内情報伝達物質）が産生されるまでの過程に障害がある．
- Ⅰa型は前二者の間に介在するGsα蛋白質（促進性GTP結合蛋白質）で，全身性に障害
- Ⅰb型は前二者の間に介在するGsα蛋白質（促進性GTP結合蛋白質）で，腎尿

表2　偽性副甲状腺機能低下症の分類（低カルシウム血症，高リン血症は共通）

病　型[*1]	E-H試験[*2]	AHO[*3]の合併	Gs蛋白質の異常[*4]	PTH以外のホルモン作用障害[*5]	想定されている障害部位
Ⅰa型	−	＋	＋	＋	*GNAS*遺伝子（20q13.2）GSα蛋白質コード領域の機能喪失型遺伝子変異
Ⅰb型	−	−	−（～＋）	−	*GNAS*遺伝子（20q13.2）GSα蛋白質コード発現調節機構の異常によるGsαの組織特異的な発現量の低下
Ⅰc型	−	＋	−	＋	アデニル酸シクラーゼ
Ⅱ型	＋	−	−	−	cAMP産生以降のステップ

＊1：すべての病型で低カルシウム血症，高リン血症，PTH高値．
＊2：Ellsworth-Howard試験．外因性PTHに対するcAMP増加有無．尿中cAMPを測定する．
＊3：Albright's hereditary osteodystrophy.
＊4：患者の赤血球膜などを用いて測定した場合．
＊5：TSH上昇を伴う原発性甲状腺機能低下症などが多い．GSα変異とACの産生などホルモン合成過程の異常をイメージすればよい．

細管のみ（特異的に活性低下）に障害
- Ｉｃ型は cAMP 産生を触媒する酵素であるアデニル酸シクラーゼに障害

▶偽性副甲状腺機能低下症（狭義ではＩ型）の治療

①Ca 製剤は通常併用しないことを原則とし，低カルシウム血症は基本活性型ビタミン D_3 製剤のみで補正する。基本的に腎尿細管を含めた各組織での PTH 不応性があり，天然ビタミン D を投与しても活性化できない。

②尿中 Ca/Cr 比＜0.3 に抑えることが，尿路結石や腎保護に重要である。例外として著明な低 Ca に伴う重度反復テタニー発作の患者に対しては心電図モニター下でカルチコール注（8.5%）1A（10mL）を 10 分以上かけて静注する。

以下ビタミン D_3 製剤の補充について，副甲状腺機能低下症と偽性副甲状腺機能低下症との違いを述べる。

特発性および続発性副甲状腺機能低下症に対しては，偽性よりも目標 Ca 濃度が低い（偽性は遠位での PTH 反応性が保たれているため，特発性や続発性より，偽性のほうがまだ P 排泄能力が残存しており，Ca は高めに設定しても，特発性および続発性に比べ，尿路結石のリスクが低い）。

血清 Ca 値は，特発性や続発性では 8.0～8.5mg/dL，偽性は 8.5～9.0mg/dL を目標にする（P×Ca＞55 が尿路結石に関与する[2]ことは忘れないように）➡通常用量の活性型ビタミン D 製剤アルファカルシドール 2～6μg/日，カルシトリオール 1～3μg/日に対し，偽性では 0.5～1.5μg/日で十分なことが多い（最低維持量から開始）。

治療はあくまでも正常域にもっていくことではなく，テタニーやしびれ感などの寛解が得られる最低投与量を処方することが原則（腎保護が大事なため）。そのため正常 Ca 値＜10.2mg/dL よりも低めに設定している。

アルファカルシドール，カルシトリオールの違い

①「肝臓での活性化」まで完了した構造の薬がアルファカルシドール
②「肝臓での活性化」「腎臓による代謝」まで完了した構造の薬がカルシトリオール

アルファカルシドールが薬として作用するためには，さらに「腎臓による代謝」を受ける必要があり，それに対しカルシトリオールは既に腎臓での代謝まで済ませた「活性型ビタミン D_3 そのものの構造」となる。アルファカルシドールに比べて，カルシトリオール（ロカルトロール®）は強力な作用を得ることができるため量は半分でよい。

偽性偽性副甲状腺機能低下症とは？

Ｉａ型患者の血縁内に，同じ遺伝的異常（AHO 体型を示す）でも副甲状腺機能低下症の代謝異常を示さない例が存在する。

Ｉａ型患者においては，Gsα蛋白質の不活性変異（健常者の約 50%に低下）が原因，つまり Gsα蛋白質活性に関与する遺伝子（*GNAS1*）のヘテロ異常が存在するため，機能的正常な Gs 蛋白質が健常者の 50%しか作られない。しかし，*Gsα*遺伝子の障害のみでは偽性副甲状腺機能低下症の異常を完全に説明することはできないことも覚えておく。Ｉａ型患者の血縁内に，同じ遺伝的異常でも副甲状腺機能低下症の代謝異常を示さない例が存在するからである。PTH 負荷試験での尿中 cAMP 増加反応も正常で，偽性偽性副甲状腺機能低下症（pseudopseudohypoparathyroidism：pseudo-PHP）と呼ばれる。これを理解するには「ゲノムインプリンティング」という現象を理解する必要がある。

例として，同じ家系内に 2 人の AHO を呈している患者がいるとする。しかし片方は副甲状腺機能低下症の症状がない。同じ Gsα蛋白質の不活性変異，*GNAS* 遺伝子の異常の

---

3 特発性副甲状腺機能低下症 / 偽性副甲状腺機能低下症　**157**

はずだが，なぜだろうか？
① すべての人と同様に，患者の GNAS 遺伝子も父親アリルと母親アリルを併せた 1 対がある。
② GNAS の exon（1～13 まである）が転写される際，多くの細胞，組織では両アリルから発現が行われる。
③ しかし，腎近位尿細管（その他，下垂体，甲状腺，卵巣）では母親アリルが優先される（優位に発現する）。この臓器に関する Gsα 活性について，父親アリルは役に立たないと考える。
④ つまり，GNAS の exon が変異した母親アリルを受け継げば，腎近位尿細管での Gsα 活性は低下し，副甲状腺機能低下症の代謝異常が出現する。
⑤ 逆に，GNAS の exon が変異した父親アリルを受け継げば，腎近位尿細管での Gsα 活性は低下せず，副甲状腺機能低下症の代謝異常は出ない。
⑥ どちらのアリルに異常があっても，多くの細胞，組織では Gsα 活性が半分低下するので，AHO 症状が現れる。

「GNAS1 遺伝子は組織特異的ゲノムインプリンティングを呈する」と多くの教科書に書いてあるが，簡潔に言えば上記のことである。つまり，遺伝学的にみれば偽性偽性副甲状腺機能低下症はⅠaの亜型とも言える。

Ⅰb型については，Ⅰa型と違い，GNAS 遺伝子そのものの異常よりは発現調節機構の異常による Gsα の組織特異的な発現量の低下とされる。まだ弧発例での解析も進んでおらず今後も変わる可能性がある。病因としては，GNAS のエピジェネティック異常であり，母親アリルの GNAS exon 転写調節領域の CpG メチル化の消失とされる（シスエレメントの異常や片親性ダイソミーによる原因がこのエピジェネティック異常の原因とされる）ことが判明している。
① GNAS 遺伝子の母親アリルの GNAS exon を転写調節するところがうまく機能しない。
② 腎近位尿細管（その他，下垂体，甲状腺，卵巣）では母親アリルが優先される（優位に発現する）。
③ 腎近位尿細管（その他，下垂体，甲状腺，卵巣）での Gsα 発現量は低下し，副甲状腺機能低下症の代謝異常が出現する。他の多くの細胞でも Gsα 発現量は低下しそうになるが，父親アリルが代償する。
④ Ⅰa の変異したアリルが Gsα 活性低下であれば，Ⅰb は③における臓器での正常な Gsα の量的減少と考えれば，AHO を呈することは少ない。

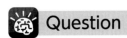

Question　　　　　　　　　　　　　　　鍵穴のマークは問題の難易度を示します。

 偽性副甲状腺機能低下症（PHP）について誤っているものはどれか，2つ選べ。

A：Ⅰa型は GNAS 遺伝子の機能喪失ヘテロ変異によるもので変異は母親由来である。
B：Ⅰ型では外因性の PTH に対して尿中 cAMP 増加反応がみられない。
C：頭部 CT での大脳基底核石灰化は PHP と他の副甲状腺機能低下症の鑑別に重要である。
D：Ⅰb型のほうが，Ⅰa型よりも TSH，ゴナドトロピン，GHRH 等に対する抵抗性が強い。
E：本症では PTH 分泌は低下していない。

正答 C，D

症例：18歳男性。四肢・顔面の痙攣にて救急車で来院した。被害妄想や幻聴があることから，精神科にてリスパダール®を処方されていた。乳児期より熱性痙攣を繰り返し，脳波異常からてんかんの治療も受けている。

身体所見：身長163cm，体重58kg，脈拍80/分 整，血圧138/68mmHg。胸腹部異常なし。

血清生化学所見：Na 140mg/dL，K 3.9mg/dL，Ca 5.5mg/dL，IP 5.8mg/dL，Mg 2.3mg/dL，ALP 90U/L，intact PTH測定感度以下である。その他の一般検査所見に異常を認めない。

本症例で予想される所見はどれか，2つ選べ。

A：Chvostek徴候
B：Trousseau徴候
C：尿細管リン再吸収閾値（TmP/GFR）の低下
D：Ellsworth-Howard試験で尿中リン酸排泄増加がみられない。
E：心電図でQTc短縮

正答💡 **A, B**

 副甲状腺機能低下症について正しいものはどれか，2つ選べ。

A：低マグネシウム血症による低カルシウム血症はPTH不応性によるものである。
B：PTH分泌不全によるものは自己免疫的機序によるものもある。
C：健常人に比べて骨密度が低下していることが多い。
D：血清Ca値は正常上限を維持するように治療し，維持治療ではCa製剤に加え，活性化ビタミンD₃製剤を併用する。
E：偽性副甲状腺機能低下症に比べ，PTH分泌不全による副甲状腺機能低下症では活性化ビタミンD₃製剤の必要量が多い。

正答💡 **B, E**

文献
1) 日本内分泌学会：低Ca血症の鑑別診断の手引き．
2) 日本透析医学会：慢性腎臓病に伴う骨・ミネラル代謝異常の診療ガイドライン．透析会誌．2012；45：301-356．

 **Picking Tool**

カルシウムが少ないと，約束を **ほ（は）ご（反故）** にされる
　　　　　　　　　　　　　　　　　　　8.5mg/dL

　　リンは **サンゴ** に多い
　　　　　　3.5mg/dL

第4章 副甲状腺（Ca, P 代謝, 骨代謝疾患含む）

4 骨粗鬆症（ステロイド性骨粗鬆症）

Key Question

症例：70歳女性。3年前に腰椎圧迫骨折歴あり。骨粗鬆症に対してテリパラチドを2年使用したが，骨密度は−3.0SDであった。以前使用されていたビスホスホネート製剤内服は消化器症状が強く，中止された経緯がある。Ca製剤，活性型ビタミンD製剤を外来で使用し，補正後 Ca 8.8 mg/dL, IP 4.5 mg/dL である。eGFR 19 mL/分/1.73 m^2 と腎機能悪化もみられる。

次に行うべきものはどれか。

A：ビスホスホネート製剤注射を月1回行う
B：経過観察を行う。
C：SERM（ラロキシフェン）
D：デノスマブ
E：エルカトニン（合成カルシトニン誘導体製剤）

Answer

C（場合によってはDも正しい）

解説

　テリパラチドで骨密度が上昇しない患者に対するアプローチ（高齢者・腎機能低下症例），テリパラチドやその他骨代謝の薬の有用性についての知識を問う問題である。選択肢は意地悪だが，Ca製剤，活性型ビタミンD製剤を補充しても低Caが補正されていないことを考えると，出題者としてはデノスマブの副作用について確認したかったのではないかと思われる。

A：ビスホスホネート製剤内服で副作用が出ており，適切ではない。
B：骨代謝改善は原則的には高齢者，超高齢者であっても積極的に導入してよい。
C：正しいが，腎機能も悪いため，慎重投与である。
D：Ca製剤，活性型ビタミンD製剤にもかかわらず，血清Caが低いことを考慮すると，副作用による低カルシウム血症があり使いにくい。RANKリガンド（破骨細胞の形成・機能・生存に重要な役割を果たす蛋白質）を標的とするヒト型モノクローナル抗体である。RANKを特異的に阻害し，破骨細胞の形成を抑制することで骨吸収を抑制し，皮質骨および海綿骨の骨量を増加させ，骨強度を増強させる。
E：高カルシウム血症性クリーゼの治療薬である。カルシトニン製剤であり，破骨細胞

での骨吸収を抑える作用がある。即効性があり高カルシウム血症性クリーゼの対処の場合はエルカトニン（エルシトニン®）40単位を許可されている。

Key Lesson

○テリパラチド（24カ月）投与後の骨粗鬆症薬は，SERMや抗RANKL抗体デノスマブが勧められる。ただし，デノスマブの副作用として低カルシウム血症を押さえておく必要がある。

知識の整理

▶PTH製剤テリパラチドの作用機序

骨は骨形成と骨吸収を常に繰り返しており，バランスがくずれた状態が骨粗鬆症である。骨吸収を抑制する強力な薬は多く存在したが，骨形成に作用する強い薬は少なかった。PTH製剤は数少ない骨形成促進薬であり，テリパラチドと呼ばれる。PTHは骨吸収を促進することで血中のCa濃度を上げるので，通常なら常にPTHが分泌され，骨吸収が促進され，かえって骨がもろくなる（図1）[1]。しかし，PTHの断続投与方法で，骨形成を優位に刺激し，骨密度を上昇させることができる。「断続的に途切れ途切れでPTHを投与する」ことで，一時的にPTHの濃度を高めると，逆に骨形成が促進される。PTHには「骨芽細胞を増やす作用」や「骨芽細胞の自然死抑制」などの作用もあり，この骨形成促進作用のみを引き出す薬がテリパラチドである。

図1　PTHの分泌様式

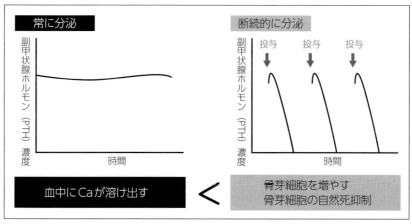

（文献1より引用）

4　骨粗鬆症（ステロイド性骨粗鬆症）　161

▶テリパラチドと多剤との併用

1. テリパラチドと骨吸収抑制剤の併用療法

①テリパラチド療法後，骨吸収抑制剤使用 ➡ テリパラチドにビスホスホネート製剤を併用すると，テリパラチド単独よりも骨密度増加効果が減弱する。テリパラチド単独と比べて併用療法が効果を発揮しないのは，両剤を一緒に用いたときに，骨代謝動態へ及ぼす骨吸収抑制剤の効果が優位であるためと考えられる。

②骨吸収抑制剤使用後，テリパラチド療法 ➡ 骨吸収抑制剤を用いた前治療のあるケースでは，テリパラチドによる骨密度増加効果が減弱する。前治療薬がアレンドロン酸ナトリウム（アレンドロネート）やリセドロン酸ナトリウム（リセドロネート）のケースはエチドロン酸二ナトリウム（エチドロネート）と比べてテリパラチドによる骨密度増加効果が減弱する。テリパラチドと骨吸収抑制剤を用いた有効なサイクル療法のプロトコールはいまだ確立されていない。

2. テリパラチドと SERM の併用療法

テリパラチドにラロキシフェンを併用すると，ラロキシフェンはテリパラチドの骨形成促進作用を阻害することなくテリパラチドの骨吸収促進作用を阻害し，骨密度増加効果が増加する。

ラロキシフェンはアレンドロン酸ナトリウムよりも骨吸収抑制作用が弱いために，テリパラチドの骨形成促進作用を阻害することなくテリパラチドの骨吸収促進作用を阻害したと考えられる。

▶骨粗鬆症

1. 骨粗鬆症の有病率

日本人の 1,000〜1,500 万人が骨粗鬆症である。女性に多いが（80 歳代の 50％は骨粗鬆症である），高齢化に伴い男性比率が上昇している（現在は女性の 15〜20％が男性患者である）。

骨折だけ注意すればよいのか？

骨折だけでなく，それに対する不安や体型変化によるボディイメージの障害や逆流性食道炎（椎体変形による），心肺機能低下（胸郭変形）も症状である。

---

2. 骨折のリスク因子

WHO の FRAX（fracture risk assessment tool）[2] という骨折危険因子評価法があり，年齢，BMI，飲酒，喫煙，大腿骨骨折既往歴が骨折リスク要因として挙げられている。

3. 診断確定のための骨密度検査

①二重エネルギー X 線吸収測定（dual-energy X-ray absorptiometry：DXA）による大腿骨頸部や腰椎の測定が原則である。
総合病院でない場合は以下で推定することもあるが精密性に欠ける。
- 簡易 DXA による橈骨遠位部測定
- 単純 X 線による MD（microdensitometry）法/DIP（digital image processing）法

- 踵骨のエコー

特に，踵骨のエコーでは骨密度はわからないし骨構造の物理強度の推定にすぎないことが何度も試験に出題されている。

4. 薬物治療開始基準

薬物治療開始基準のフローチャートを図2[2)]に示す。原発性骨粗鬆症診断基準（2012年度）について確実に覚える。自分なりに診断のスクリーニングを整理する必要がある。

図2　原発性骨粗鬆症の薬物治療開始基準

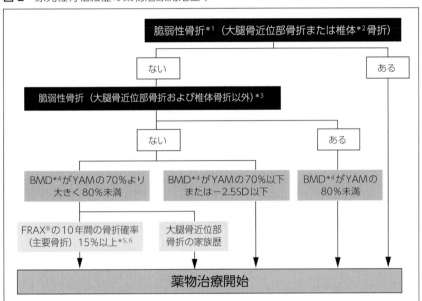

- ＊1　軽微な外力によって発生した非外傷性骨折。軽微な外力とは，立った姿勢からの転倒か，それ以下の外力を指す。
- ＊2　形態椎体骨折のうち，2/3は無症候性であることに留意するとともに，鑑別診断の観点からも脊椎X線像を確認することが望ましい。
- ＊3　その他の脆弱性骨折：軽微な外力によって発生した非外傷性骨折で，骨折部位は肋骨，骨盤（恥骨，坐骨，仙骨を含む），上腕骨近位部，橈骨遠位端，下腿骨。
- ＊4　骨密度は原則として腰椎または大腿骨近位部骨密度とする。また，複数部位で測定した場合にはより低い％値またはSD値を採用することとする。腰椎においてはL1～L4またはL2～L4を基準値とする。ただし，高齢者において，脊椎変形などのために腰椎骨密度の測定が困難な場合には大腿骨近位部骨密度とする。大腿骨近位部骨密度には頸部またはtotal hip（total proximal femur）を用いる。これらの測定が困難な場合は橈骨，第二中手骨の骨密度とするが，この場合は％のみ使用する。
- ＊5　75歳未満で適用する。また，50歳代を中心とする世代においては，より低いカットオフ値を用いた場合でも，現行の診断基準に基づいて薬物治療が推奨される集団を部分的にしかカバーしないなどの限界も明らかになっている。
- ＊6　この薬物治療開始基準は原発性骨粗鬆症に関するものであるため，FRAX®の項目のうち糖質コルチコイド，関節リウマチ，続発性骨粗鬆症に当てはまる者には適用されない。すなわち，これらの項目がすべて「なし」である症例に限って適用される。

（文献2より引用）

診断基準の基礎知識

図2の基準をみる上での基礎知識として，
①年齢は関係ない
②骨密度測定部位も関係ない（もちろん原則は腰椎か大腿骨近位部）
③「脆弱性骨折」は椎体圧迫骨折，大腿骨近位部骨折（転子部骨折・頸部骨折）

④「その他の脆弱性骨折」は肋骨，骨盤，上腕骨近位部骨折，橈骨遠位端，下腿骨骨折を記憶した上で，骨粗鬆症と診断される条件を記憶する。

骨粗鬆症と診断されて治療開始基準となる条件は？

①「脆弱性骨折」を認めれば骨密度に関係なく骨粗鬆症と診断される。
　例）大腿骨頸部骨折や椎体骨折があれば骨粗鬆症と診断
②「その他の脆弱性骨折」を認め，なおかつ YAM＜80％である場合
③まったく骨折がなくても YAM＜70％（−2.5SD）である場合
④まったく骨折がなく，70％＜YAM＜80％，かつ FRAX 骨折確率≧15％以上または大腿骨近位部の骨折家族歴がある。
④は難しいが，①〜③は基本としておさえておくこと。近年大改訂されたことで，その違いがよく試験に出題されている。

▶骨粗鬆症治療薬の分類と使用方法

1. 分類

骨粗鬆症の治療薬は，骨形成を促進するものと骨吸収を抑制するものに分けられる（**表1**）。

表1　骨粗鬆症の治療薬の分類

骨形成促進剤（骨芽細胞に作用）	骨吸収抑制剤（破骨細胞に作用）
・活性型ビタミン D 製剤 ・ビタミン K_2 製剤 ・副甲状腺ホルモン（PTH）製剤 ・抗スクレロチン抗体*	・カルシトニン製剤 ・ビスホスホネート製剤 ・エストロゲン製剤 ・イプリフラボン ・デノスマブ

＊：2019 年に，骨粗鬆症に対する新しい治療薬として，抗スクレロスチン抗体がわが国でも承認された。骨細胞から分泌されるスクレロスチンは，骨芽細胞による骨形成を抑制し，破骨細胞による骨吸収を促進する糖蛋白質である。スクレロスチンの働きを阻害することで骨形成を促進し，骨吸収を抑制する 2 つの作用をもつ骨粗鬆症治療薬であり，実臨床でも好成績を収めている。改訂後の骨粗鬆症の予防と治療ガイドラインに盛り込まれる可能性があり，チェックしておきたい。

2. 使用方法─あふれる骨粗鬆症治療薬の使い分け

基本的に治療効果は 12 カ月ごとの骨密度測定で判断し，使い分けていく。椎骨の骨粗鬆症は海綿骨部分，大腿骨近位部骨折は皮質骨部分の喪失が大きな原因である。**表2**[2] は一度目を通しておくこと。
①非椎体骨折効果は，Ca 薬以外の内服の多くで有効性が示されており，ビスホスホネート製剤（アレンドロン酸，リセドロン酸），テリパラチド，エストロゲン製剤で実証されている。
②大腿骨骨折予防のためには，ビスホスホネート製剤を最低 2 年は継続する必要がある。
③非大腿骨骨折効果は，ビスホスホネート製剤（アレンドロン酸，リセドロン酸），エストロゲン製剤で実証されている。

表2 骨粗鬆症治療薬の有効性の評価一覧
薬物に関する「有効性の評価（A，B，C）」

骨密度上昇効果	骨折発生抑制効果 （椎体，非椎体，大腿骨近位部それぞれについて）
A：上昇効果がある B：上昇するとの報告がある C：上昇するとの報告はない	A：抑制する B：抑制するとの報告がある C：抑制するとの報告はない

分　類	薬物名	骨密度	椎体骨折	非椎体骨折	大腿骨近位部骨折
カルシウム薬	L-アスパラギン酸カルシウム	B	B	B	C
	リン酸水素カルシウム				
女性ホルモン薬	エストリオール	C	C	C	C
	結合型エストロゲン*¹	A	A	A	A
	エストラジオール	A	B	B	C
活性型ビタミンD₃薬	アルファカルシドール	B	B	B	C
	カルシトリオール	B	B	B	C
	エルデカルシトール	A	A	B	C
ビタミンK₂薬	メナテトレノン	B	B	B	C
ビスホスホネート薬	エチドロン酸	A	B	C	C
	アレンドロン酸	A	A	A	A
	リセドロン酸	A	A	A	A
	ミノドロン酸	A	A	C	C
	イバンドロン酸	A	A	B	C
SERM	ラロキシフェン	A	A	B	C
	バゼドキシフェン	A	A	B	C
カルシトニン薬*²	エルカトニン	B	B	C	C
	サケカルシトニン	B	B	C	C
副甲状腺ホルモン（PTH）薬	テリパラチド（遺伝子組み換え）	A	A	A	C
	テリパラチド酢酸塩	A	A	C	C
抗RANKL抗体薬	デノスマブ	A	A	A	A
その他	イプリフラボン	C	C	C	C
	ナンドロロン	C	C	C	C

＊1：CEE，骨粗鬆症は保険適用外
＊2：疼痛に関して鎮痛作用を有し，疼痛を改善する（A）
（文献2より引用）

様々な状況において選択すべき骨粗鬆症薬は？

　閉経後早期での骨吸収亢進に対しては，①長期間にわたって投薬を継続することを考えると SERM を第一選択薬とする，②低カルシウム血症が骨吸収亢進に関与している症例では活性型ビタミンD誘導体の投与を考慮する。
　長期にわたる骨吸収亢進で大腿骨近位部骨折リスクを有する患者に対しては，骨折を抑制しうるビスホスホネート薬などの投与を考慮する。

4　骨粗鬆症（ステロイド性骨粗鬆症）　165

骨形成低下が主因で，低回転型骨粗鬆症を呈している患者に対しては，骨形成促進薬テリパラチドを投与することが理論的に望ましいが，高価で一定期間（24 カ月）の投与に限定されており，コスト面を考慮して，重症型の椎体骨折例や海綿骨での骨密度低下患者での投与が望ましい。

▶ 骨代謝マーカー

骨代謝マーカーは骨密度と異なり，現在の骨代謝状態をリアルタイムに評価でき，しかも簡便であるなどの特徴をもつ。ただし，骨粗鬆症の診断や治療開始時期の決定にはいまだ使用されていない。その臨床的に最も有用性の高い活用法は，薬物治療効果のモニタリングである。つまり，治療薬の選択，治療効果の早期判定，服薬アドヒアランスの確認そして服薬継続率の向上などである。

例）骨代謝マーカーの治療経過中の変化について

①ビスホスホネート製剤や SERM は，治療後 3 カ月以内に骨吸収マーカーが低下し，骨形成マーカーは 3 カ月以降に低下してくる。

②テリパラチド（連日投与）では開始後 1 カ月目から骨形成マーカー上昇し，3 カ月目から骨吸収マーカーが上昇する。

1. 骨代謝マーカー計測の注意点

①食事による変動なども受けやすく，早朝空腹時の採血が原則である。

②日内変動もあり，午前中に高く，午後から低下する特徴もある。

③慢性腎不全（CKD）患者では，尿中 Cre が低下し，尿中マーカーは偽高値になりやすい。

2. 骨代謝マーカーの種類

骨代謝マーカーは，以下に分けられる（**表 3**）。

・骨芽細胞の活性を示す「骨形成マーカー」

・破骨細胞の活性を示す「骨吸収マーカー」

・骨質を評価する「骨マトリックス関連マーカー」

骨粗鬆症診療において保険適用が認められているマーカーには**図 3**[3] のものがある。それ以外に，新薬の対象になる可能性もあるため，知識として破骨細胞はカテプシン K，骨芽細胞はスクレロスチンなどの蛋白質も産生することは記憶しておく。

表3 骨粗鬆症診療に用いられる骨代謝マーカー

骨代謝マーカーの種類			検体	使用目的
骨形成マーカー	① BAP	骨型 ALP	血清	骨芽細胞の活性を示す
	② OC	オステオカルシン	血清	
	③ P1NP	マーカーⅠ型プロコラーゲン-N-プロペプチド	血清	
骨吸収マーカー	① NTX	Ⅰ型コラーゲン架橋N-テロペプチド	血清, 尿	破骨細胞の活性を示す
	② CTX	Ⅰ型コラーゲン架橋C-テロペプチド	血清, 尿	
	③ DPD	デオキシピリジノリン	尿	
	④ TRACP-5b	酒石酸抵抗性酸ホスファターゼ-5b	血清	
骨マトリックス関連マーカー	① ucOC	低カルボキシル化オステオカルシン	血清	骨質を評価するビタミンK_2製剤の選択および効果判定の補助として使用

図3 骨粗鬆症の薬物治療における骨代謝マーカー測定

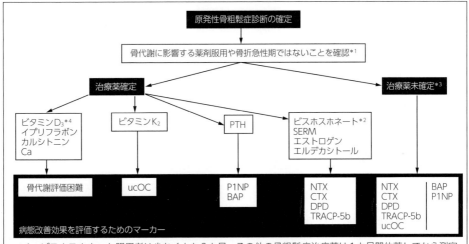

＊1：ビスホスホネート服用者は少なくとも3カ月，その他の骨粗鬆症治療薬は1カ月間休薬してから測定する。テリパラチドによる治療については未確立。骨折発生時には24時間以内であれば，骨折の影響は少ない。
＊2：長期ビスホスホネート治療予定者は，骨吸収マーカーとBAPあるいはP1NPを測定。
＊3：吸収マーカーと形成マーカーを1種類測定する。
＊4：エルデカルシトールを除く。

(文献3より引用)

▶ステロイド性骨粗鬆症

すべて覚える必要はないが，ステロイドを使用する患者では簡単にスコアが3以上となることが多く，治療対象となることに注意する（図4）[4]。

原発性骨粗鬆症とは独立して，ステロイド使用患者（関節リウマチなど）について，国内コホート研究からスコア化された診断基準が2014年に出されている[4]。

ステロイドは，骨形成を抑制し，低回転型の骨粗鬆症を引き起こすため，肋骨や椎骨

など海綿骨骨端部位に骨折が好発する。年齢もスコアに入ってくることがポイントである。一番のポイントは，65歳以上で，ステロイド使用予定があれば，骨粗鬆症治療薬を開始するという点であろう。また，妊娠前・予定の骨粗鬆症治療薬は安全性が確立されていないが，既存骨折があり，7.5mg/日以上のプレドニゾロン（PSL）を3カ月以上使用する症例に限っては，アレンドロン酸ナトリウム，リセドロン酸ナトリウム，テリパラチドのみ推奨されている。

図4 ステロイド性骨粗鬆症の管理と治療ガイドライン

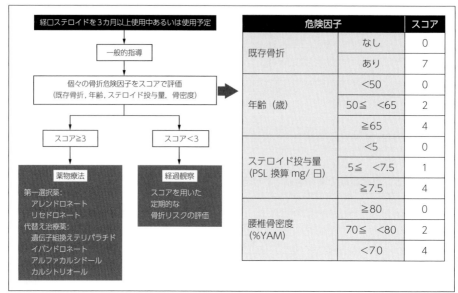

（文献4より引用）

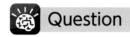

鍵穴のマークは問題の難易度を示します。

 原発性骨粗鬆症について誤っているものはどれか。

A：65歳以上の患者では腰椎より大腿骨近位部骨密度の有用性が高い。
B：血中P1NPは骨形成マーカーである。
C：原発性骨粗鬆症診断基準（2012年度以降）では，椎体の脆弱性骨折を認めれば骨密度に関係なく骨粗鬆症と診断される。
D：骨エコーでも骨密度が計測できる。
E：腎機能障害のある高齢者でも可能な限り積極的に介入する。

正答 D

 2012年度版の原発性骨粗鬆症の診断基準によって，以下の時点で骨粗鬆症と診断できないものはどれか。

A：65歳の女性。階段で手を突いて橈骨遠位端を骨折し，外来を受診した。
B：70歳男性。たまたま計測した橈骨遠位端の骨密度がYAM 66％であった。

C：76歳女性。身長の低下と腰部痛で受診し，L5椎体骨折あり，腰椎骨密度はYAM 80%であった。

D：56歳女性。閉経している。玄関先でつまずいた際に大腿骨近位部骨折し，受診した。

E：80歳男性。転倒で上腕骨近位部骨折し，受診した。大腿骨頸部の骨密度は75%であった。

正答💡 A

文献

1）深井良祐：フォルテオ，テリボン（テリパラチド）の作用機序：骨粗しょう症治療薬．役に立つ薬の情報〜専門薬学．
[http://kusuri-jouhou.com/medi/osteoporosis/teriparatide.html]

2）日本骨粗鬆症学会，日本骨代謝学会，骨粗鬆財団　骨粗鬆症の予防と治療ガイドライン作成委員会，編：骨粗鬆症の予防と治療ガイドライン2015年版．ライフサイエンス出版，2015，p63，158.

3）日本骨粗鬆症学会　骨代謝マーカー検討委員会，編：骨粗鬆症診療における骨代謝マーカーの適正使用ガイドライン2012年版．ライフサイエンス出版，2012，p34.

4）鈴木康夫，他：ステロイド性骨粗鬆症の管理と治療ガイドライン：2014年改訂版（和文概略版）．*J Bone Miner Metab*．2014；32：337-350.
[http://jsbmr.umin.jp/guide/pdf/gioguideline.pdf]

第4章　副甲状腺（Ca，P代謝，骨代謝疾患含む）

5 骨軟化症（くる病）/低リン血症

Key Question

設問なし。

Key Lesson

○骨密度検査では骨軟化症と骨粗鬆症は判断できない（骨生検が必要）。
○低リン血症をFGF23分泌過剰，分泌正常で分類して整理する。

知識の整理

▶骨軟化症・くる病と骨粗鬆症との違い

骨軟化症・くる病は，ビタミンD作用不全または慢性の低リン血症による骨の石灰化障害である。つまり骨組みまでできているが，最後のセメント固めがうまくいっていない状態である。線維芽細胞増殖因子（FGF23）関連くる病・骨軟化症は，FGF23の増加により尿中P排泄が促進され，P不足によって起こる。ビタミンD不足は血清25(OH)Dの値に，FGF23関連低P性骨軟化症・くる病は血清FGF23値に基づいて行う。

▶骨軟化症・くる病の検査所見および治療

検査所見として，基本的に，低カルシウム血症，低リン血症，ALP高値である。また骨密度検査では骨軟化症と骨粗鬆症は判断できない（骨生検が必要）。
治療は活性型ビタミンDとPの補充である。

▶骨軟化症・くる病の分類

1. 小児

　①XLH（X-linked hypophosphatemic rickets）：X連鎖性低リン血症性くる病（骨軟化症）。
　　・伴性劣性遺伝の PHEX 変異によるもので後縦靱帯骨化症を合併しやすい。
　　・先天性では最多とされる。
　②McCune-Albright症候群
　③ビタミンD欠乏

2. 成人

①腫瘍性骨軟化症〔(tumor induced hypophosphatemic osteomalacia：TIO)：線維芽細胞増殖因子（fibroblast growth factor：FGF）23 産生腫瘍〕

②腎尿細管障害による低リン血症：Fanconi 症候群などがその代表である。Fanconi 症候群は腎臓の近位尿細管の疾患で，ブドウ糖，アミノ酸，尿酸，リン酸，炭酸水素塩が再吸収されずに尿中にそのまま排泄される。遺伝性，薬剤性，重金属によるものがある。

③薬剤性：透析によるアルミニウム蓄積性やエチドロン酸二ナトリウム，フェニトインやリファンピシンなど活性型ビタミン D の分解作用によるものが多い。

④ビタミン D 欠乏（菜食主義者）

3. FGF23 による分類

① FGF23 分泌過剰によるものは ➡ 腫瘍性骨軟化症（多くは良性）や XLH, McCune-Albright 症候群など。

② FGF23 分泌正常なものは ➡ 主にビタミン D 欠乏が多い。

FGF23 は P の排泄を促進し，ビタミン D 活性化を抑制する，まさに骨折促進ファクターである。FGF23 が過剰に出ると低リン血症は進行し，PTH の分泌を抑制する。

FGF23 とは？

①骨組織の骨芽細胞系の細胞により産生される。

②リン過剰になるとその産生は亢進する。腎不全による高リン血症において，著しく血中濃度が上昇する。

③$1,25(OH)_2 D$ も FGF23 産生を刺激する。

④FGF23 は腎臓に作用し，以下のようにリンおよびビタミン D 代謝の恒常性維持に重要なフィードバック調節機構に深く関与している。

- 近位尿細管での NaPi2a および NaPi2c によるリンの再吸収を減弱される
- 25(OH)D-1α OHase の発現を抑制＋25(OH)D-24OHase の発現を亢進させ，$1,25(OH)_2 D$ を減少させる
  25(OH)D-1α OHase の作用：25(OH)D ➡ $1,25(OH)_2 D$ へ活性化する
  25(OH)D-24OHase の作用：$1,25(OH)_2 D$ を分解する
- $1,25(OH)_2 D$ 減少を介して，腸管での NaPi2b によるリンの吸収も減弱される。

P の恒常性と調節機構における FGF23 と NaPi の関係としては，

①骨組織には約 500 g の P を保持している。

②P については，Na 依存性リン共輸送体：NaPi が強く関与している。
  腎臓でのリン再吸収を担う調節性 Na/リン共輸送担体として NaPi2a と NaPi2c
  腸管リン吸収における調節性 Na/リン共輸送担体として NaPi2b がある。

③腎臓糸球体での近位尿細管再吸収が主で（80％程度），特に NaPi2a が担うとされる。

などが挙げられる。NaPi の活性化に関して最も検討されているのは PTH および FGF23 で，近位尿細管刷子縁上の NaPi 発現低下によりリン再吸収抑制 ➡ 低リン血症となる。

▶低リン血症の原因

低リン血症の原因として，①腸管からの P 吸収の減少，②腎からの P 排泄増加，③細胞内や骨のシフトがある。①はビタミン D 欠乏症・依存症や抗痙攣薬投与，低栄養，

---

5 骨軟化症（くる病）/低リン血症 **171**

アルコール依存症など，②は PHPT や FHH，Cushing 症候群や Fanconi 症候群，尿細管性アシドーシスなどのほか，薬剤ではグルココルチコイド過剰，シスプラチン，バルプロ酸など，③は食後（インスリンにより細胞内へ P が移行）や血液悪性腫瘍の急激な増大による消費もであるが，糖尿病ケトアシドーシスの治療中，副甲状腺機能亢進症に対する副甲状腺摘出の後のハングリーボーン症候群（PTH によって壊された骨が急に増加し，血中リンやカルシウムが足らなくなる），低栄養に引き続いてのリフィーディング症候群など治療の回復期に起きやすい。

リフィーディング症候群とは？

リフィーディング症候群（refeeding syndrome）は，低栄養，HIV 感染，アルコール依存，悪性腫瘍などの状態で経腸栄養もしくは経静脈栄養を開始することで発症する。48時間の食事摂取不良だけでも，その後の食事に伴い電解質異常が生じると報告され，ほぼ全例で低リン血症/25〜50％に低マグネシウム血症，低カリウム血症，低カルシウム血症を合併する。重度の低リン血症では，筋力低下，麻痺，うっ血性心不全，不整脈から心停止に至ることも報告される。

低リン血症が認められた場合は，他の電解質異常を合併していないかチェックすることが必要である。その他，下痢が続いているとリンの摂取不足に陥ることがある。また，Mg，亜鉛，アルミニウム製剤を服用していると P の吸収が阻害されるため，それらを含有している薬剤も把握しておくこと。

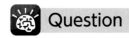

鍵穴のマークは問題の難易度を示します。

 FGF23 について誤っているものはどれか。

A：*PHEX* 遺伝子変異による X 染色体優性低リン血症性くる病は FGF23 高値が病態の原因である。
B：骨細胞より産生されるペプチドホルモンである。
C：1,25(OH)₂ D 減少を介して腸管での Na 依存性リン共輸送体：NaPi2b の発現を亢進する。
D：腎臓近位尿細管において Na 依存性リン共輸送体：NaPi の 2a および 2c 型の発現を抑制する。
E：25(OH)D-1a- ヒドロキシラーゼの発現を減弱させる。

正答 C

 症例：35 歳男性。検診で副甲状腺腫瘍を指摘され，内分泌科を紹介され受診。無症候性副甲状腺機能亢進症と診断された。

低リン血症を起こす病気で誤っているものはどれか。

A：Fanconi 症候群　　　　D：慢性下痢症
B：ビタミン D 不足　　　 E：糖尿病ケトアシドーシス
C：副甲状腺機能亢進症

正答 E

Q3 低リン血症を認めるものはどれか，2つ選べ．

A：Basedow 病
B：Cushing 症候群
C：ビタミン D 抵抗性 (依存性) 骨軟化症
D：続発性副甲状腺機能亢進症
E：褐色細胞腫

正答 B，C

第4章 副甲状腺（Ca, P代謝, 骨代謝疾患含む）

6 ビタミンD欠乏性くる病

Key Question

小児のビタミンD欠乏性くる病でみられないものはどれか。

A：肋骨念珠　　D：頭蓋癆
B：禿頭　　　　E：骨端線の早期閉鎖
C：O脚, X脚

Answer

E

解説
小児科のサービス問題である。小児分野も内科と関わりがある場合は，実際の試験でも出題されることがある。

Key Lesson

□くる病（ビタミンD欠乏）における身体所見
内反膝（O脚）・外反膝（X脚）などの下肢変形，跛行，脊柱の彎曲，頭蓋癆，大泉門の開離，肋骨念珠，横隔膜付着部肋骨の陥凹，関節腫脹，病的骨折，成長障害

▶ビタミンD欠乏性くる病の定義

ビタミンD欠乏状態に，身体的，骨X線学的徴候を呈する。臨床症状により大別される。
ビタミンD欠乏状態を意味する血清25水酸化ビタミンD（25(OH)D）の値については，国際的に完全に意見が一致している状況ではない。

▶ビタミンD欠乏性くる病の診断基準

①血清25(OH)D低値。
②単純X線像（撮影部位は手関節および膝関節が推奨される）：くる病変化（骨幹端の杯状陥凹/骨端線の拡大/不整/毛羽立ち/から少なくとも1つ）。

③臨床症状，身体徴候：内反膝（O脚）・外反膝（X脚）などの下肢変形，跛行，脊柱の彎曲，頭蓋癆，大泉門の開離，肋骨念珠，横隔膜付着部肋骨の陥凹，関節腫脹，病的骨折，成長障害のうち少なくとも1つ。
④低リン血症，または低カルシウム血症：鑑別診断のため，採尿し，尿中Ca，P，Creを測定することが望ましい。
⑤高アルカリホスファターゼ血症：亜鉛欠乏時には，血清ALPが上昇しないことがある。
⑥血中PTH高値。

上記のすべての項目を満たすとき，診断確定とする。

参考所見として，以下が挙げられる。

- 血清FGF23（fibroblast growth factor 23）の測定も鑑別診断に有用である
- XLHではFGF23は高値となる
- ビタミンD欠乏症ではFGF23は高値とならない

▶ビタミンD欠乏症のリスク

1. 罹患のリスクが高い因子

①完全母乳栄養，母親のビタミンD欠乏。
②食事制限（アレルギー，偏食，菜食主義など）。
③慢性下痢，日光曝露不足（外出制限，紫外線カットクリームの使用，冬期，高緯度など），早産児，胆汁うっ滞性疾患。

2. 患者のリスク

①転倒のリスクとなるビタミンD欠乏症の報告は複数ある。
②基本的には$1,25(OH)_2D$が低値となる。

小児におけるビタミンD抵抗性くる病とは？

ビタミンD欠乏性くる病以外にもビタミンD抵抗性くる病という病気が存在する。$25(OH)D$および$1,25(OH)_2D$の値で鑑別する。
【正常値】血清 $25(OH)D$ 10〜55 ng/mL
　　　　血清 $1,25(OH)_2D$ 20〜80 pg/mL
　Type 1：腎臓の25OH-D 1α酵素遺伝子（*CYP27B1*）の不活性型変異によりビタミンD活性化が障害される ➡ $25(OH)D$高値，$1,25(OH)_2D$低値
　Type 2：ビタミンD受容体遺伝子（*VDR*）の不活性型変異によりビタミンDの作用が障害される ➡ $25(OH)D$高値，$1,25(OH)_2D$高値

〈ビタミンD抵抗性くる病 Type 2は非活性活性ビタミンD両方とも値が高値〉

ビタミンDが	受け付けないと	やる気ないやつやる気あるやつ2人とも	高くなって	くる
	抵抗性	非活性活性ビタミンD両方とも（Type2）	高値	くる病

6 ビタミンD欠乏性くる病

第4章　副甲状腺（Ca，P代謝，骨代謝疾患含む）

7 悪性腫瘍に伴う高カルシウム血症 / 高カルシウム血症性クリーゼ

Key Question

症例：80歳女性。他院で不明熱と診断され，PSL 5 mg/日を処方されている。ここ最近夜間尿が増えてきており，また家族の話では食欲不振および不安やうつ症状が目立つようになったとのことであった。嘔吐および意識レベル低下のため消化器内科受診。血液検査で高カルシウム血症（補正 12.4 mg/dL）と高値であり，内分泌内科へ入院となった。

身体所見：身長 151.4 cm，体重 46.8 kg，体温 38.2℃，脈拍 92回/分 整，血圧 102/56 mmHg，無欲様顔貌，軽度貧血，黄疸なし，腹部・胸部には特記事項なし。

検査所見：Alb 3.0 mg/dL，AST 28 U/L，ALT 14 U/L，ALP 160 U/L，BUN 10 mg/dL，Cre 0.8 mg/dL，Ca 11.4 mg/dL，P 2.4 mg/dL，intact PTH 10.4 pg/mL（15～65），PTHrP 4.3 pmol/L（<1.1），$1,25(OH)_2 D$ 44.0 ng/L（20～60）。

①高カルシウム血症に対する治療において<u>誤っている</u>ものはどれか，2つ選べ。

A：生理食塩水の輸液
B：ビスホスホネート点滴静注
C：カルシトニン点滴静注＋ステロイド薬併用
D：サイアザイド系利尿薬
E：リンゲル液の輸液

②本症例および悪性腫瘍に伴う高カルシウム血症について<u>誤っている</u>ものはどれか。

A：本症例の夜間尿増加は腎性尿崩症の可能性が高い。
B：末期癌の患者の5～10％に高カルシウム血症がみられ，悪性腫瘍が液性に PTHrP を産生するものが最も多い。
C：PTHrP 産生腫瘍による高カルシウム血症は代謝性アルカローシスを示し血清 Cl は低下する。
D：SLE や褐色細胞腫などの鑑別も本症例には必要である。
E：PTHrP は通常，正常組織では産生されず，血中で測定できない。

Answer

① D, E

解説

A：まず最初に行うべき治療である。

B：生理食塩水 500 mL で稀釈して 2〜4 時間かけて点滴静注する。単回投与で著明な血清 Ca 濃度の低下が得られ，2 週間近く効果が持続する。高カルシウム血症の再発に応じて再投与が必要な場合には，少なくとも 1 週間の投与間隔をあける。投与後は定期的に腎機能検査を行う。血清 Ca 値が急速に低下する恐れがあるので，カルシトニン製剤と併用する場合は注意する。

C：カルシトリオール 1 日 160 単位筋注もしくはエルシトニン（合成カルシトニン誘導体）1 日 80 単位筋注・点滴静注。反復投与により効果が減弱する（エスケープ現象）が，副腎皮質ステロイド併用（PSL 30 mg/日静注）により，ある程度効果を引き延ばすことができる。

D：ループ利尿薬と異なり，Ca 排泄を抑制するため禁忌である。

E：リンゲルは Ca を含むため，適さない。

② E

解説

A：高カルシウム血症の臨床症状は，食欲不振，嘔気，口渇，多尿，便秘などである。高カルシウム血症により腎尿細管・集合管における AQP-2 機能抑制により腎での尿濃縮力障害をきたし，腎性尿崩症となる。血清 Ca 濃度が 16 mg/dL 以上になると，傾眠，昏睡をきたし高カルシウム血症性クリーゼとなる。

B：担癌入院患者の高カルシウム血症は悪性腫瘍が液性に PTHrP を産生するもの（HHM）が最も多い。末期癌の患者の 5〜10％ に高カルシウム血症がみられ，HHM が約 80％ で，局所の骨へ転移した固形癌から出るサイトカインによるもの（local osteolytic hypercalcemia：LOH）が約 20％ を占める。HHM は肺扁平上皮癌，乳癌，泌尿生殖器系腫瘍や成人 T 細胞白血病での発症頻度が高い。LOH は肺癌，乳癌などの骨転移や多発性骨髄腫などによる骨転移が多い。

C：PTHrP は PTH に比べ腎臓での HCO_3 の再吸収抑制が弱いため，アシドーシスではなく，アルカローシスとなる。

D：全身性エリテマトーデス（systemic lupus erythematosus：SLE）は PTHrP 産生症例報告が複数あり，SLE 病勢低下に伴い低下する。また褐色細胞腫も PTHrP 産生症例があること，本症例では年齢的に考えにくいが MEN 2 の場合，副甲状腺機能亢進が合併しているケースもあり注意が必要である。

E：皮膚，軟骨，乳腺，肺，腎臓など正常組織でも産生されるが，通常末梢血では検出されない。

Key Lesson

○高齢者の高カルシウム血症として悪性腫瘍によるものに注意する。
○入院患者の高カルシウム血症は悪性腫瘍が液性にPTHrPを産生するもの（HHM）が最も多い。悪性腫瘍に伴う高カルシウム血症（MAH）は高Caクリーゼを伴いやすい。高Caクリーゼの治療は重要であり，基本的に原疾患に対する治療と並行して，高カルシウム血症に対して，生理食塩水の点滴静注によりCa排泄の増大を図る。さらにフロセミド（ラシックス®）などの利尿薬を併用する。病態に応じて骨吸収抑制薬が用いられる。

知識の整理

入院患者の高カルシウム血症では，悪性腫瘍に伴う場合が最も頻度が高い。

▶ MAHの分類

①液性悪性腫瘍性高カルシウム血症（HHM）が一番多い：液性にPTHrPを作る
　➡ 高Ca低P。
②局所骨融解性高カルシウム血症（LOH）：局所での骨融解でCa/P溶出
　➡ 高Ca高P。
③1,25(OH)$_2$D産生腫瘍
④異所性PTH産生腫瘍：甲状腺癌，肺癌，膵癌などごく一部。
基本的に高カルシウム血症性/低リン血症であるが，②と③では，高Ca/高Pである。

1. HHM

悪性腫瘍により産生される液性PTHrPは，副甲状腺機能亢進症のPTHと作用は酷似しているが決定的な違いとして，骨形成と骨吸収において悪性腫瘍では骨吸収のみばかりで骨形成を抑制していることを覚えておくこと（Caのアンカップリング）。ちなみに，PTHとPTHrPは同じPTH1Rに結合し，RANKLやM-CSFを活性化させるPTHもPTHrPも，ヒトにおいて持続投与すると，両方とも骨形成が抑制される/間欠投与だといずれも骨形成を促進する。これを利用した薬がテリパラチドである。PTHとPTHrPは骨作用に関わるN末端間の差がないとされる。

2. LOH

LOHは骨組織における乳癌，前立腺癌（骨転移）や多発性骨髄腫を想定する。
癌細胞の局所因子〔IL-1，IL-6，PTHrP，MIP-1a（macrophage inflammation protein）〕がRANKLを活性化し，破骨細胞産生，活性化を行う。

LOHのPTHrP

通常であれば，PTHrPがエンドクリンとして全身性に作用して高Ca低Pになることを想定するが，特に乳癌の場合，全身性ではなく，パラクリンとして局所的にPTHrPが作用すると考える。全身性のPTHrPの作用<局所の骨吸収促進作用によりむしろPは高値となると理解する。

3. 1,25(OH)$_2$D 産生腫瘍

　　原因は腫瘍細胞が 1 αヒドロキシラーゼの過剰発現から 25(OH)D ➡ 1,25(OH)$_2$D に変換することである。増加した 1,25(OH)$_2$D が腸管の Ca 再吸収を促進することで高カルシウム・高リン血症となる。悪性リンパ腫や卵巣未分化胚細胞腫など報告があるが，同様の機序で高カルシウム血症になるサルコイドーシスをおさえておく。

▶異所性 PTH 産生腫瘍の頻度と治療

　　HHM が 70〜80%，LOH が 20%であり，1,25(OH)$_2$D 産生腫瘍と異所性 PTH 産生腫瘍は稀である。
　　治療は生理食塩水負荷による脱水の改善，ループ利尿による Ca の排出が基本となる。
　　①遅効性：骨吸収抑制薬としてビスホスホネート製剤➡効果発現には 2 日かかる。
　　②即効性：カルシトニン製剤＋糖質コルチコイド➡糖質コルチコイドはエスケープ現象の予防＋尿中 Ca 排泄促進＋ビタミン D 作用抑制の効果がある。
　　③破骨細胞形成に必須の RANKL に対する抗体デノスマブ：適応が骨病変を伴う固形癌および多発性骨髄腫であり，原因として最多の HHM には適応ない➡効果発現はビスホスホネート製剤と同じだが，効果はビスホスホネート製剤を LOH で上回る。

注意事項

　　①ビスホスホネート製剤やデノスマブの連用で 1〜2%に顎骨壊死が起こる可能性あり。
　　②リンの補充は経口で行う，経静脈投与は禁忌（異所性に石灰化をまねくため）。
　　③ビスホスホネート製剤は高 Ca でなくても LOH や MM で骨病変あれば使ってよい。

▶高カルシウム血症性クリーゼ

1. 原因

　　副甲状腺機能亢進 50%と MAH（悪性腫瘍によるもの）が 50%程度である。
　　①MAH によるものが特に問題にされ，しばしば Ca＞15mg/dL となる。
　　②PTHrP はもちろん，IL-1，IL-6，TNFαによる骨吸収促進性サイトカインが高カルシウム血症を引き起こす。
　　③PTHrP 正常，PTH 上昇なら PHPT と考える（2cm 以上の腺腫や癌，副甲状腺嚢胞穿刺後などの医原性もある）。
　　④PTHrP 上昇，PTH は低下なら MAH と考える。
　　⑤PTHrP 正常，PTH 低下する場合はビタミン D 中毒もありうる。

2. 機序

　　高カルシウム血症になると，
　　➡尿細管の CaSR が反応し，Ca を排泄するため高カルシウム尿症になるが，尿路結石を形成し，尿細管障害を引き起こしてしまう
　　➡それを防ぐため尿細管の CaSR は同時に，集合管の AQP-2 を細胞内へ転移し，膜表面での発現を抑制し多尿（ADH の反応抑制）
　　➡尿濃縮力障害から多尿（腎性尿崩症）になり，尿中 Ca 濃度上昇を抑える方向へ
　　➡しかし，多尿による脱水が腎前性腎不全を引き起こす
　　➡血液濃縮による Ca 上昇から，結局高カルシウム血症へ

という悪循環の加速がクリーゼの機序である。

3. 治療

①脱水を防ぐために生理食塩水補液 2〜3L/日＋ループ利尿薬（60〜80mg/2時間による Ca 排出）➡ 水分補給が脱水と腎機能改善へ，ループ利尿薬による Na 利尿が Ca 排泄を促す。

②ビスホスホネート製剤静注（パミドロン酸二ナトリウム，アレンドロン酸ナトリウム，ゾレドロン酸など：遅効性）

③カルシトニン点滴静注（40単位を2回/日：即効性）による骨吸収抑制を図る ➡ カルシトニンは破骨細胞に対し，エスケープによる効果減弱があり1週間で中止とする。

第5章

副腎疾患

間脳下垂体とならんで，最も多く出題される分野である。原発性アルドステロン症，subclinical Cushing 症候群の正確な診断基準なども含め，事前にガイドラインの改訂の有無などを確認する必要がある。範囲も広いため，専門医試験としては基本的な事項を問われることが多い。

第5章 副腎疾患

1 副腎の生理と解剖
副腎ホルモン産生部位

Key Question

誤っているものはどれか？

A：コルチゾールは束状層で作られる。
B：カテコールアミンはチロシンから作られる。
C：アドレナリンからノルアドレナリンが作られる。
D：アルドステロンは球状層で作らられる。
E：コルチゾールにはADH分泌抑制作用がある。

Answer

C

解説

A：コルチゾールは束状層でつくられ，アンドロゲンは網状層で作られる。
B：カテコールアミンはチロシンから作られる。
C：ノルアドレナリンからアドレナリンが作られる。
D：アルドステロンは球状層で作られる。
E：コルチゾールにはADH分泌抑制作用がある。

Key Lesson

□副腎皮質の構造
　球状帯：電解質コルチコイド（アルドステロン）を産生する
　束状帯：糖質コルチコイド（コルチゾール）を産生する最も厚い層
　網状帯：アンドロゲン（デヒドロエピアンドロステロン；DHEA）を産生する皮質の最深部

知識の整理

▶ 副腎の構造

腎臓と同じく，後腹膜にある器官で重さは 5～7g である。単位重量あたりの血流量が最も多い臓器とされる。様々な動脈から栄養血管を受ける。

栄養血管は以下である。

①下横隔動脈 ➡ 上副腎動脈。

②腹大動脈 ➡ 中副腎動脈。

③腎動脈 ➡ 下副腎動脈。

なお，右副腎静脈は下大静脈に，左副腎静脈は左腎静脈に流入する。

▶ 副腎の発生

①副腎皮質：中胚葉由来，胎生 5 週頃，中胚葉細胞が増殖・肥厚して，原基が作られる。

②副腎髄質：外胚葉由来，胎生 7 週頃，神経堤から遊走した交感神経系細胞が皮質原基に進入し形成される。

▶ 副腎のホルモン産生

1. 副腎皮質の構造

①球状帯：電解質コルチコイド（アルドステロン）を産生 ➡ 皮膜直下の薄い層。

　　断面図：皮質細胞が球状の塊を形成。

②束状帯：糖質コルチコイド（コルチゾール）を産生 ➡ 最も厚い層。

　　断面図：細胞は縦に並び，細胞索を形成。

③網状帯：アンドロゲンを産生 ➡ 皮質の最深部。

　　断面図：網状をなす細胞索からなる。

2. 副腎髄質の特徴

①カテコールアミン（CA）はチロシン（アミン前駆体）から作られる（**図1**）。 CA合成において，チロシン水酸化酵素（TH）は律速酵素である。褐色細胞腫などでは TH が亢進している。

②ノルアドレナリン（NA）からアドレナリン（A）が作られる。

図1 チロシンからカテコールアミンへの合成経路

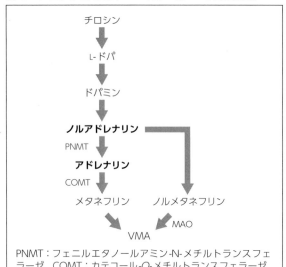

急速	アル	コールで	網タイツ	and	ムチ
球,束	アルドステロン	コルチゾール	網		アンドロゲン

第5章 副腎疾患

2 原発性アルドステロン症（PA）

Key Question

レニン活性 PRA（ng/mL/時）を上昇させない薬剤はどれか。

A：ACE 阻害薬
B：ループ利尿薬
C：アルドステロン拮抗薬
D：β遮断薬
E：ARB

Answer

D

解説

　アルドステロン/レニン比（aldosterone-renin ratio：ARR）は，PAC/PRA で求められ，PRA が上昇すれば低下する。PRA を上昇させてしまう薬剤は ARR を低下させてしまい，偽陰性としてスクリーニングで原発性アルドステロン症（primary aldosteronism：PA）を見逃す危険がある。逆に，PRA を上昇させる薬剤を内服していても ARR ＞200 であれば，より PA を疑いやすい。

- **A，E**：PRA 増加，PAC 低下のため，ARR は低下する（偽陰性）。なお，PRA≧1.0 ng/mL/時であれば薬剤中止後に再検査を行う。
- **B，C**：PRA，PAC ともに増加であるが，PRA の増加が PAC の増加を上回るため，ARR は低下する（偽陰性）。利尿薬とアルドステロン拮抗薬は ARR への影響が最も大きいため，6週間以上内服を中止してからスクリーニングする。
- **D**：PRA 著明低下，PAC 低下のため，ARR は増加する（偽陽性）。2週間以上内服を中止してからスクリーニングする。

Key Lesson

○利尿薬，ACE 阻害薬または ARB 内服状態で ARR＞200 であれば，より PA を疑いやすい。
○β遮断薬内服状態で ARR＞200 であれば，PA かどうか再検が必要である。
○PA を見逃してしまう（ARR が低下し，偽陰性になる）薬剤は利尿薬，ACE 阻害

薬, ARB である。
○PA と誤診してしまう（ARR が上昇し, 偽陽性になる）薬剤は β 遮断薬である。

知識の整理

　PA は高血圧患者の 5% 以上を占め, 続発性高血圧の原因疾患で最多である。PA は本態性高血圧と比較して脳卒中 4 倍, 心筋梗塞 6.5 倍, 心房細動 12 倍のリスクがあると言われている。ポイントは, スクリーニング陽性の場合, 少なくとも 1 種類の機能確認検査の陽性を確認することである。片側病変なら副腎摘出術, 両側性病変なら MR 拮抗薬を第一選択として治療する。手術例では, 副腎静脈サンプリング（AVS）を行い, 副腎皮質刺激ホルモン（ACTH）負荷後の LR（lateralized ratio）＞4 かつ CR（contralateral ratio）＜1 を片側性の判定基準とすることはおさえておく。

▶PA の病型と割合

　アルドステロン産生腺腫（APA）が約 75% を占め, 特発性アルドステロン症（IHA：両側副腎球状層過形成）が 20% 程度を占める。**表1**[1] に示した分類があることは記憶しておくこと。
　特に家族性アルドステロン症の *KCNJ5* 遺伝子変異は最近注目されている。

▶副腎腺腫の大きさ

　①APA の 50% 弱が 6 mm 以下程度のミクロアデノーマであるとされる。
　②IHA では過形成であるが, 径 3 cm 以下が多い。
　CT では, 低密度で造影効果も乏しいのが一般的である。MRI でも T1, T2 強調画像ともに低信号である。腫瘍側の集積を見ることができるシンチグラフィも有用である。副腎シンチグラフィでのヨウ化メチルノルコレステノール（アドステロール®）の集積はアルドステロンの産生能ではなく, 副腎腺腫の大きさに依存する。コルチゾール産生腺腫〔subclinical Cushing 症候群（SCS）など〕と APA は合併することも多い（20%）。デキサメタゾン（DEX）抑制なしでのアドステロール®シンチグラフィは, コルチゾール産生腺腫（SCS など）の合併の診断の際に有用である。

▶その他の注意事項

1. アルドステロンやレニン活性の単位

　PAC の単位は pg/mL である。PA のスクリーニング基準として, PAC＞120 pg/mL かつ ARR（PAC pg/mL÷PRA ng/mL/時）＞200 である。PAC が＜120 pg/mL でも否定はできないが, 基準値として覚えておくべきである。PAC≦20～30 pg/mL は低アルドステロン症と判断する（**表2**）。

2. PA の治療で使う内服薬—APA と IHA の違いはあるのか

　IHA や両側性 APA など手術不能例の治療は内服管理で, アルドステロン拮抗薬が第一選択薬であり, **図1**[2] の⑤を阻害する。アルドステロン拮抗薬にはスピロノラクトンかエプレレノンがあり, 性ステロイドへの親和性がないエプレレノンがよく使用される

表1 アルドステロン症の分類

Ⅰ．片側副腎病変	
1．アルドステロン産生腺腫	APA（aldosterone producing adenoma）
2．片側副腎過形成	UAH（unilateral adrenal hyperplasia）
3．片側副腎多発微小結節性アルドステロン症	UMN（unilateral multiple adrenocortical micronodules）
4．アルドステロン産生副腎癌	APC（aldosterone producing carcinoma）
Ⅱ．両側副腎病変	
1．特発性アルドステロン症（両側副腎球状層過形成）	IHA（idiopathic hyperaldosteronism）
2．両側アルドステロン産生腺腫	bil-APAs（bilateral aldosterone producing adenomas）
3．原発性副腎過形成	PAH（primary adrenal hyperplasia）
4．糖質コルチコイド奏効性アルドステロン症	GSH（glucocorticoid-suppressible hyperaldosteronism）
Ⅲ．その他	
1．家族性アルドステロン症	familial hyperaldosteronism
TypeⅠ：糖質コルチコイド反応性アルドステロン症（GCRHA）	GCRHA（glucocorticoid remediable hyperaldosteronism）GCRHAは副腎に明らかな形態的異常がなく常染色体優性遺伝を示し若年発症の家族性高血圧を特徴とする。*CYP11B1*遺伝子と*CYP11B2*遺伝子のクロスオーバー（11β-ヒドロキシラーゼ遺伝子とアルドステロン合成酵素遺伝子の不均等交差のこと）により，アルドステロン産生能を持つキメラ遺伝子が束状帯細胞に発現しGCRHAを発症させACTH調節下にアルドステロン産生が起こる。両側副腎過形成になることもある。尿中18-オキソコルチゾール（18-oxoF），18-ヒドロキシコルチゾール（18-OHF）が上昇する。少量のデキサメタゾン連続投与（2mg/日3週間）によりアルドステロン症の症候がすべて正常化する。
TypeⅡ：	常染色体優性遺伝。PAの2％以下の頻度である。病因遺伝子はいまだ不明であるが染色体7p22領域にその候補遺伝子の存在が推定
TypeⅢ：	顕著な両側副腎過形成と重症アルドステロン症を特徴とする。KチャネルのKir3.4をコードする遺伝子*KCNJ5*の胚性変異によることが明らかになった。*KCNJ5*変異は孤発性のAPAにも体細胞変異として40〜60％に同定された。これが契機となり，*KCNJ5*とアルドステロン産生過剰，腫瘍化機序との関連性に関する活発な研究が展開されている。
2．異所性アルドステロン産生腫瘍	ectopic aldosteronism

（文献1をもとに作成）

表2 アルドステロン分泌量および濃度

	1日分泌量（μg）	血中濃度（安静時 pg/mL）	1日尿中排泄量（μg）
PAC	50〜250	30〜160	1〜10

（女性化乳房などの副作用が少ない）。

通常PAではPAC高値のため，RAA系（レニン-アンジオテンシン-アルドステロン系）は抑制されている。そのため，両側性APAや手術希望のないAPAなどで，ACE阻害薬，ARBは効果が薄い弱点がある。

IHAでは過形成という名の通り，アンジオテンシンⅡに対するPACの分泌反応性が亢進しているため，ACE阻害薬，ARBも比較的効果がある。

ACE阻害薬，ARBがどこをブロックするのかきちんと説明できるようにしておくこと。図1で言えば，ACE阻害薬が③，ARBが④をブロックする。

図1　RAA系の流れ

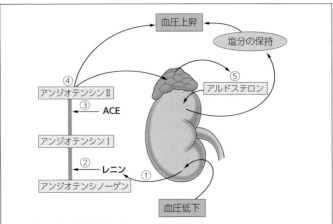

(文献2より引用)
〔From the MSD Manuals (Known as the Merck Manuals in the US and Canada and the MSD Manuals in the rest of the world), edited by Robert Porter. Copyright 2017 by Merck Sharp & Dohme Corp., a subsidiary of Merck & Co, Inc, Kenilworth, NJ. Available at http://www.merckmanuals.com/ja-jp/. Accessed (15. Dec. 2017)〕

3. PAと糖尿病の関連

PAでは約20％に糖代謝異常がある ➡ 低カリウム血症に伴うインスリン分泌能低下やアルドステロンによるインスリン抵抗性が考えられる。

低カリウム血症はPAの20～50％にみられる（文献により様々）。

4. PAに使用する特殊な薬剤

副腎皮質ホルモン合成阻害薬であるトリロスタンは，「IHA」および「手術適応とならないPAおよびCushing症候群」の効能・効果が承認されている。薬効発現に時間を要し（数週間～数カ月），薬効が弱いことが知られている。

▶各種降圧薬とレニン，アルドステロンの関連

ARRは高血圧患者が服用している降圧薬の種類に影響されるため，ARRの動きは常に意識すること。

1. β遮断薬内服の場合

PRA著明低下，PAC低下のためARRは上昇する ➡ 偽陽性。

β遮断薬はレニン抑制効果あり：β_1受容体ブロックを介してPRAを強く抑えるのでPACは低下する➡ARRは上昇する（レニン抑制のため）。2週間以上内服を中止してからスクリーニングする。

2. Ca拮抗薬内服の場合

PRA上昇，PAC不変〜低下のため，ARRは低下する➡偽陰性。

理由は，Ca拮抗薬はアルドステロン抑制効果あり（アルドステロン分泌には細胞内へのCa流入が必要なため）。

注意点は，PACを抑えて，結果PRAが上昇する➡ARRは低下（ACE阻害薬，ARBよりは影響が少ない）。

3. ACE阻害薬，ARB内服の場合

PAC強く低下，PRA上昇のためARRは低下する➡偽陰性。

ACE阻害薬，ARBはアルドステロン抑制効果あり。

なお，PRA≧1.0ng/mL/時であれば薬剤中止後に再検査を行う。2週間以上内服を中止してからスクリーニングする。

4. 利尿薬やアルドステロン拮抗薬内服の場合

PRA増加，PAC増加であるが，ARRは低下する➡偽陰性。

理由は，血圧低下によるPRAの上昇がPACの上昇を上回るため。

利尿薬やアルドステロン拮抗薬使用で，血圧低下する➡PRAもPACも上昇➡ARRは低下（血圧低下によるレニン活性）。利尿薬とアルドステロン拮抗薬はARRへの影響が最も大きいため，6週間以上内服中止してからスクリーニング。

5. 直接的レニン阻害薬（DRI）内服の場合

直接的レニン阻害薬（direct renin inhibitor：DRI）：アリスキレンフマル酸塩➡PRAを強く抑えて，結果PACも低下する➡ARRへの影響は不明で，個々の症例によって反応が異なる。まとめると，

①ARR低下（偽陰性）薬剤➡利尿薬，ACE阻害薬，ARB。

②ARR上昇（偽陽性）薬剤➡β遮断薬。

厳密に言えば，ARR上昇（偽陽性）になるのは，65歳以上（低レニン），腎機能障害（機序不明），β遮断薬，αメチルドパなどである。

▶診断基準と負荷試験

基本的には，①〜③のうち少なくとも1つを満たせばPAの確定診断となる（**図2**）[1]。従来は2種類の陽性でPAと診断するとされたが，陽性数と診断の感度・特異度，費用対効果のエビデンスはないため，2016年より「少なくとも1種類の機能確認検査の陽性を確認する」と変更されている。実施の容易さや簡便さからカプトリル負荷試験が第一選択である。特異度的には生理食塩水負荷試験も勧められる（ただし，心・腎機能低下例では原則禁忌）。約20％にsubclinical Cushing症候群を合併するため，副腎CTで腫瘍を認める場合はDEX抑制試験（1mg）も併用する。

①カプトプリル負荷試験：カプトプリル50mg内服後，ARR>200。

②フロセミド立位試験：フロセミド40mgを1回静注し2時間の立位➡PRA<1.0〜2.0ng/mL/時。

図2 PAの診断とスクリーニング

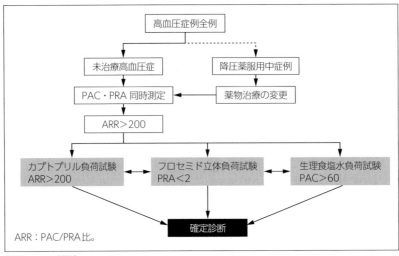

（文献1より引用）

③生理食塩水負荷試験：生理食塩水 500 mL/時を4時間点滴静注後 ➡ PAC＞60～100 pg/mL（施設基準による）。偽陰性を防ぐため座位で行うことが推奨される。その他の負荷試験として以下もあり，代用することがある。
- 経口食塩負荷試験：食塩 10～12 g/日連日負荷後，すなわち尿中 Na 170～190 mEq/L/日の状態 ➡ 尿中アルドステロン＞8 μg/日。
- 迅速 ACTH 負荷試験：合成 ACTH 250 μg 静注 60 分後 ➡ A/C 比〔PAC（pg/mL）/コルチゾール（μg/dL）〕＞8.5。

▶副腎静脈採血サンプリング（AVS）による機能的局在診断

PA の確定診断がついた後は，片側性 APA か両側性 APA もしくは IHA の鑑別をしなければならない。副腎静脈採血サンプリング（adrenal venous sampling：AVS）は，PA 局在のゴールドスタンダードになりつつあるが，細かい数値基準もしっかり記憶する。施設ごとに異なるが，基本的には自分で計算して，アルドステロン産生が片側性なのか両側性なのか鑑別する必要がある。

1. AVS の意義—なぜ AVS で ACTH 負荷が重要なのか？

PA の取りこぼしを防ぐ目的

一般的に ACTH 負荷前の副腎静脈の PAC が 200 ng/dL（2,000 pg/mL）以上であればほぼ PA と診断可能であるが，一部の本態性高血圧症例でもみられることがあり，通常の AVS では PA と確定診断できない症例が存在する。ACTH 負荷後の PAC は，本態性高血圧症全例で 1万 4,000 pg/mL 以下であり，PA では 1万 4,000 pg/mL 以上という報告がある。

きちんとカテーテルが挿入できているかの確認

ACTH 負荷後の副腎静脈血中コルチゾール濃度は 200 μg/dL 以上であることから，適切にカテーテルが挿入されているか否かの判定に AVS 中の ACTH 負荷によるコルチゾール定量が有用である（あくまでもコルチゾール産生腺腫を合併していない場合）。

APA か IHA かの判断の一助になる

APA であればアルドステロン分泌刺激は ACTH 依存性，IHA であればアルドステロン分泌刺激はアンジオテンシンⅡ依存性の性質という原則がある。

2. 判断基準

基礎値および ACTH 刺激後の副腎静脈 A/C 比を左右で出す。あくまでもコルチゾール産生腺腫はなく，コルチゾールの基礎値，ACTH 負荷の反応上昇が左右同じという仮定が成り立つという原則のもと，計算できる。

①lateralized ratio＝（高値側の副腎静脈 A/C 比）÷（低値側の副腎静脈 A/C 比）≧4.0 の場合，高値側の片側病変とする。

②contralateral ratio＝（低値側の副腎静脈 A/C 比）÷〔末梢（下大）静脈の A/C 比〕＜1 となる。

典型的な片側病変では，対側の健常副腎におけるアルドステロン産生が抑制されるため，末梢の A/C 比よりも健常副腎の A/C 比が低いと仮定できる。

①，②は左右の副腎静脈血がカテーテル先端の位置により様々な程度に稀釈されることから，左右の副腎静脈血中コルチゾール濃度が等しいと仮定し，コルチゾール濃度で補正することで稀釈前の PAC を推定するため，PA に SCS などを合併している場合ではこの方法は難しい。

表3に示すように，コルチゾールの値に左右差があると補正にならないため，PA の片側性の判断を誤る可能性もあるため注意が必要である。

このようなケースでは，以下のようになる。

①ACTH 負荷後のアルドステロンの基礎値の左右差：絶対値が PAC≧1 万 4,000 pg/mL であれば，分泌側と判断する。ただし，両側共の場合もあるため診断の一助である。

②コルチゾールではなく，プロゲステロンを代用：A/C 比ではなく A/P 比なども考慮される。

表3 右 PA，左 subclinical と仮定した例

	PAC (pg/mL)	コルチゾール (μg/dL)	A/C 比
基礎値			
右副腎静脈	25,600	25.7	996.1
左副腎静脈	4,240	88.9	47.7
下大静脈	573	20.7	27.7
ACTH 負荷			
右副腎静脈	84,900	215.8	393.4
左副腎静脈	12,800	620.0	20.6
下大静脈	1,071	33.8	31.7

	基礎値	ACTH 負荷
lateralized ratio	20.9	19.1
contralateral	1.7	0.7

①lateralized ratio＝（高値側の副腎静脈 A/C 比）÷（低値側の副腎静脈 A/C 比）≧4.0
②contralateral ratio＝（低値側の副腎静脈 A/C 比）÷（末梢静脈の A/C 比）＜1
①は基礎値，ACTH 負荷時も満たしているが，②は ACTH 負荷時のみ満たす。

（次頁につづく）

	基礎値 （ACTH 負荷前）	右 PA （右副腎静脈）	左 subclinical （左副腎静脈）
コルチゾール		抑制	過剰
PAC		過剰	抑制
A/C 比		高めに出る	低めに出る
lateralized ratio		実際より高めに出てしまう	

Question

鍵穴のマークは問題の難易度を示します。

冠動脈疾患，慢性心不全がある高血圧，糖尿病の 67 歳男性。CT で副腎腫大があり，二次性高血圧のスクリーニング目的で PA が疑われた。

負荷試験を行うとしたらどれか，2 つ選べ。

A：クロニジン試験
B：カプトプリル負荷試験
C：生理食塩水負荷試験
D：デキサメタゾン 1mg 抑制試験
E：フロセミド立位負荷試験

正答 B，D

文献
1) 日本内分泌学会：原発性アルドステロン症の診断治療アルゴリズム．日内分泌会誌．2016；92（Suppl）.
2) Porter RS, Kaplan JL eds, 福島雅典, 監訳：高血圧．MSD マニュアル家庭版．

Picking Tool

パックマン（mL）は p で始まる **ピコグラム**
PAC   pg/mL

1 ng＝1,000 pg なので，1 ng/dL＝1,000 pg/100 mL＝10 pg/mL
例）PAC 20 ng/dL＝200 pg/mL

ARR 上昇するなんて **べーだ！**
                    β遮断薬

第5章 副腎疾患

3 Cushing 症候群

Key Question

症例：55歳女性。半年前より体毛が濃くなり，顔面ににきびが増えてきたのを気にしている。
身体所見：身長151cm，体重78kg，体温36.5℃，脈拍80回/分，血圧155/86mmHg。
血液所見：Na 144mEq/L，K 3.6mEq/L，Cl 104mEq/L，BUN 13.2mg/dL，Cre 0.6mg/dL，FPG 186mg/dL，HbA1c 8.5%，ACTH<2.0pg/mL（7.2〜63.3），コルチゾール35.6μg/dL（5.3〜11.0），DHEA-S 332μg/dL（18〜200），PAC 58pg/mL（30〜160），テストステロン8.0ng/mL（0.11〜0.50），UFC 630μg/日（60〜150），WBC 8,900/μL（Neut 87%，Lymp 4.9%，Mono 5.8%，Eos 0.2%），Hb 13.3g/dL，Plt 29.8万/μL。
造影CTにて副腎に不均一に造影される7cm以上の腫瘍がある。

まず行うべきものはどれか，2つ選べ。

A：メチラポン　　D：ST合剤
B：ミトタン　　　E：CTガイド下針生検
C：手術

Answer

A，D

解説
　Cushing病・症候群の術前管理について，高コルチゾール血症をどのように管理するかを問われている。治療をしない場合，高コルチゾール血症の持続により，高血圧，糖尿病，骨粗鬆症，精神症状などの悪化のみならず，これらの合併症により全身状態の不良のために原発巣に対する治療（切除など）が困難となり，予後に重大な影響を及ぼす場合がある。また，感染による敗血症で死に至る危険性がある。
この問題は以下の③のパターンであるが，①，②でもありうる。
①下垂体腫瘍によるCushing病は，微小腺腫のため同定困難であり，切除後も再発率が高い。下垂体照射あるいはガンマナイフはその効果発現に長期間を要することから，少なくともその間，内科的管理が必要となる。
②異所性ACTH症候群は腫瘍の局在診断が困難で，発見されても既に転移している場合が多く，手術適応とはならない場合がある。

③副腎腫瘍では心血管リスク因子を有する患者が多く，さらに易出血性，易感染性のために外科的処置のリスクが大きく，術前に高コルチゾール血症の是正をする必要もある。

A：術前管理として重要である。
B：通常は術後のアジュバント治療，もしくは手術不能例や再発例に対し，症状軽減のために使われる。効果発現までに時間を要すること，現時点での患者の全身状態ではまずすべきことではない。
C：現時点での患者の全身状態ではまずすべきことではない。
D：術前管理として感染症の予防に重要である。
E：既に得られている内分泌学的情報から転移性腫瘍の可能性は低く，腹膜播種や腹腔内出血の危険性が高く禁忌である。

Key Lesson

○検査薬として確立され，遅くとも24時間以内と速やかな血中コルチゾール低下作用を有するメチラポンは，Cushing病およびCushing症候群（特に急性期の高コルチゾール血症）治療において有用性が高い。また，メチラポンの効果は可逆であり，安全性の面での有用性も高い。

知識の整理

▶メチラポン負荷試験

メチラポンは下垂体ACTH分泌予備能の測定と高コルチゾール血症の速やかな是正という二面性がある。下垂体ACTH分泌予備能の測定であるメチラポン負荷試験について，現在は17-OHCSを計測しないため行わないことが多いが，理解のためメチラポン負荷試験について紹介する。コルチゾール生成過程における最終の化学反応では，11-デオキシコルチゾールに対して11β-ヒドロキシラーゼ（11β-OHase）が作用してコルチゾールが生成される（図1）。コルチゾールの代謝産物は17-OHCSであり，11-デオキシコルチゾールも代謝されると17-OHCSになる。

メチラポンは，11β-OHaseを特異的かつ可逆的に阻害する。
①血中コルチゾール濃度が低下➡下垂体前葉からのACTH分泌を亢進させる。
②副腎皮質は刺激されるが，11β-OHaseが阻害されているため，11-デオキシコルチゾールが蓄積する。
③11-デオキシコルチゾールも代謝産物は17-OHCSであるため，尿中の17-

図1　コルチゾールの生成過程

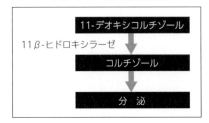

OHCS 排泄は，メチラポン投与前より増大する。

④「メチラポンによる尿中 17-OHCS 排泄の増大あり」が正常反応である。

⑤「メチラポンによる尿中 17-OHCS 排泄の増大なし」では下垂体前葉の ACTH 分泌機能不全を意味する。

⑥メチラポン試験は，ACTH 分泌反応試験（下垂体 ACTH 分泌予備能の測定）である。

▶ メチラポン治療

Cushing 病，Cushing 症候群患者において，メチラポンはコルチゾール産生を抑制し，高コルチゾール血症を改善する。薬効は投与 2 時間後より認められ，即効性がある。

▶ Cushing 病，Cushing 症候群の割合─ACTH 依存性と非依存性どちらが多いのか？

①日本では副腎性つまり ACTH 非依存性の Cushing 症候群が多い（米国は逆）

②女性に多い

③ACTH 依存性と非依存性。

- ACTH 依存性は，Cushing 病と異所性 Cushing 症候群のみである
- ACTH 非依存性は，Cushing 症候群以外に AIMAH（ACTH 非依存性大結節性副腎皮質過形成），PPNAD（原発性副腎皮質小結節性異形成＝Carney 複合（17番染色体）・*PRKAR1A* 遺伝子の不活化変異の症候のひとつである），McCune-Albright 症候群（☞ 1 章 2 節参照）などである。AIMAH や PPNAD の特徴については他書に譲るが，画像や遺伝子変異，治療法は確認しておく。

▶ 尿中遊離コルチゾール（UFC）─Cushing 症候群を判定するのに最も重要な検体検査

検査で重要なのは，尿中遊離コルチゾール（urinary free cortisol：UFC）である。遊離コルチゾールの 24 時間分泌量を測定できる。以下の注意点も確認すること。

①血清コルチゾール濃度ではコルチコステロイド結合性グロブリン（corticosteroid binding globulin：CBG）に結合している分もあり，正確ではない。

コルチゾールの 90％は CBG や α_2 グロブリンに結合しており，この親和性の高い血漿蛋白質との結合で，60〜90 分の長い半減期を実現している。経口避妊薬の内服や妊娠中またはミトタン投与で血中コルチゾールが増える。

- エストロゲンを含む製剤によって肝臓での CBG が上昇する。この上昇した CBG にコルチゾールが結合するため，血清コルチゾール値が有意に上昇すると考えられている。また妊娠中も血中コルチゾールは上昇する。生理活性を有する遊離型は変化しないため，臨床上は問題ないとされている。
- ミトタンは薬物代謝とともに CBG 増加作用もあるため，コルチゾール補充量を増加させる必要がある（Addison 病の手引きにも記載されている）。ミトタンは，「副腎癌」および「手術適応とならない Cushing 症候群」が適応で，その効果が不可逆で神経毒性の発現が知られている。薬効発現に時間を要する（数週間〜数カ月）。

②UFC も 2〜3 回，日を変えて測定する必要がある（不定期な周期性分泌があるため）。

③GFR＜60 mL/分の慢性腎不全では UFC は低値になる。このような症例では代謝・コルチゾール反応性が変化するとはいえ，DEX 1mg 抑制試験で血中コルチゾールが抑制されれば，Cushing 症候群は除外できる。

④コルチゾール代謝薬物の服用では血清コルチゾール値の変動に注意する（**表 1**）[1]。

3 Cushing 症候群　195

表1 Cushing症候群の診断に影響する可能性がある薬剤

	一般名	製品名
1．CYP3A4を誘導してデキサメタゾン代謝を亢進する薬剤（DEX抑制試験で偽陽性）	フェノバルビタール	フェノバール®
	フェニトイン	アレビアチン®
	カルバマゼピン	テグレトール®
	プリミドン	プリミドン
	リファンピシン	リファジン®
	エトスクシミド	ザロンチン®
	ピオグリタゾン塩酸塩	アクトス®
2．CYP3A4を抑制してデキサメタゾン代謝を抑制する薬剤（DEX抑制試験で偽陰性）	イトラコナゾール	イトリゾール®
	リトナビル	ノービア®
	ジルチアゼム塩酸塩	ヘルベッサー®
	シメチジン	タガメット®
3．CBGを増加させ血清コルチゾール濃度の偽高値を起こす薬剤	エストロゲン	
	ミトタン	オペプリム®
4．尿中遊離コルチゾールを増加する薬剤	カルバマゼピン	テグレトール®
	フェノフィブラート	リピディル®
	合成糖質コルチコイド	
	11β-HSD2阻害薬（甘草，カルベノキソロン）	

（文献1，p258より引用）

▶負荷試験による副腎性と下垂体性（病と症候群）の区別

患者にCushing徴候がみられたらスクリーニングを行う。イメージしやすいよう，次のStep1，2で示すが，以下の①～③の2つ以上を満たせばスクリーニング陽性とみなすことは覚えておく。

①夜間DEX 1mg抑制試験で翌朝血清コルチゾール≧5μg/dL
②24時間尿中遊離コルチゾール高値
③夜間血清コルチゾール≧5μg/dL

1．Step 1

まずCushing徴候があるかを確認する。つまり「コルチゾールの自律性分泌あり」を証明する。

夜間DEX 1mgにて血清コルチゾール≧5μg/dL ➡ 「コルチゾールの自律性分泌あり」。

しかし，Cushing病の15％は，自律性分泌があっても，血清コルチゾール＜5μg/dLに抑制されることがある。米国内分泌学会ではCushingの臨床徴候が強ければ，夜間DEX 1mgにて血清コルチゾール＜1.8μg/dLで初めて除外することを推奨しているので，今後注意をすべきである。実際に見落とさないようにするために，特に外来でスクリーニングをかけるべき患者（以下①～④）はカットオフ値を厳しくするべきである。

①糖尿病，高血圧，脂質異常症があるメタボリックシンドローム患者，②糖尿病，高血圧，脂質異常症がある性腺機能低下症患者，③65歳未満の骨粗鬆症による骨折患者，④副腎偶発腫瘍患者

> **例）糖尿病，高血圧にて加療中の中年の女性で，筋力低下，中心性肥満などの身体所見がある患者が来院した場合**
>
> 糖尿病の二次的原因として，最も関与しているのは，その他の内分泌障害，薬物の影響，膵疾患または遺伝子疾患であり，Cushing 症候群は，糖尿病のこれらの二次的原因のひとつである。Cushing 症候群の最も一般的な原因は，①医原性のコルチコステロイド治療，②下垂体腺腫による ACTH の分泌（Cushing 病），③副腎皮質腺腫の機能亢進である。糖尿病，高血圧，中心性肥満，低カリウム血症，近位筋力低下および浮腫の併発から，Cushing 症候群の存在が強く示唆された。この患者は外来にて夜間 DEX 1mg 抑制試験を行い，血清コルチゾール>5μg/dL のため，「コルチゾールの自律性分泌あり」と判断し，入院の上 24 時間 UFC 排泄量の測定または夜間血清コルチゾール値の測定（就寝時）など，複数の検査によってコルチゾールの自律性分泌は確認できたと判断し，臨床症状と ACTH 値から Cushing 症候群を疑い精査・加療を勧めることになった。

「コルチゾールの自律性分泌あり」の確認
- 尿中遊離コルチゾール（UFC）高値（正常上限の 4 倍以上）。
- 夜間（覚醒中）の血清コルチゾールが高い〔≧5μg/dL（就寝中であれば≧1.8μg/dL）〕。

にて確認することが重要である。

米国内分泌学会では夜間の唾液中コルチゾール濃度がよりスクリーニングとして有用視されている。「コルチゾールの自律性分泌なし」であれば単純性肥満と考える。

2. Step 2

DEX 1mg で抑制されなかった場合，「コルチゾールの自律性分泌あり」と判断し，「コルチゾールの自律性分泌あり」の確認をした後は，副腎性 Cushing 症候群なのか下垂体性 Cushing 病なのか判断するために，より高用量の DEX 8mg 抑制試験を行う。

DEX 8mg 抑制試験
①Cushing 症候群，異所性 ACTH 症候群の場合は抑制されない ➡ 血清コルチゾールが前値の 50％以上となる。
②Cushing 病の場合は抑制される ➡ コルチゾールが前値の 50％未満となる。

補助診断
①通常時の採血の ACTH でも区別する。
②ACTH<5～10pg/mL かそうでないかで，ACTH 依存性（Cushing 病，異所性 ACTH 症候群）か ACTH 非依存性（Cushing 症候群）であるかを判断する。

3. Step 3

CRH 試験で副腎性 Cushing 症候群なのか下垂体性 Cushing 病なのか，さらに確認する。
①Cushing 症候群 ➡ 反応しない ➡ ACTH は抑制されたまま。
②異所性 ACTH 症候群 ➡ 反応しない ➡ ACTH は高値のまま。
③Cushing 病 ➡ 反応過剰 ➡ ACTH が 1.5 倍になる。

3 Cushing 症候群　**197**

4. Step 4

Step 1～3 までで鑑別が確実にできないのが異所性 ACTH 症候群と Cushing 病である。

Cushing 病には CRH 試験や DDAVP 試験など負荷試験があり，特異度は 80～90% であるが 100% ではない。下垂体性と判断するには，両側 IPS サンプリングしかない。

特異度は 100% である。両側 IPS サンプリングが Cushing 病のゴールドスタンダードの検査であり，陰性のとき初めて，異所性 ACTH 症候群と判断できる（**図 2**）[1]。

なお，過去の試験問題では，提示された検査結果のみでは異所性 ACTH 産生腫瘍は診断できないため，「診断できる」という選択肢が間違いであることを選ばせる問題が出題された。

図 2 Cushing 症候群の診断基準のカスケード表

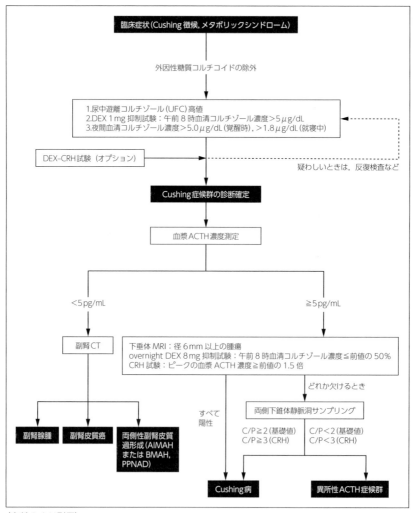

(文献 1 より引用)

▶画像検査における特徴

1. CT, MRI でみる良性副腎腺腫

良性副腎腺腫は脂肪が多く，CT で 10HU 未満の低吸収 ➡ Chemical-shift MRI T1 で低信号（脾臓と比較して）である。

2. 各疾患における副腎の形態の特徴

①Cushing 病：ACTH の刺激で両側副腎腫大であるが，対称性ではなく程度は様々で，30％は両側副腎に腫大がない。
②Cushing 症候群：基本的に，片側性腺腫（癌腫）で，反対側は ACTH 抑制のため萎縮している。
③異所性 ACTH 症候群：両側副腎の均一な腫大を認めることが多い。
④AIMAH：著明な両側副腎の結節性腫大がみられる。
⑤PPNAD：両側副腎は正常なことが多い。

3. ^{131}I アドステロール®シンチグラフィ

コルチゾール過剰産生が片側性か両側性か判断する。片側性の場合，健側の集積抑制を認める。AIMAH など両側性では，両側に取り込みを認める。

▶Cushing 症候群の治療

基本的には腹腔鏡下副腎摘出術である。両側手術の場合でのヒドロコルチゾン（コートリル®）補充はもちろんであるが，片側性の場合でも健側の副腎は病的副腎の過剰なコルチゾールのために本来のコルチゾール産生能が抑制されて萎縮しており，回復するまでヒドロコルチゾン補充が必要になる。術後 6〜10 カ月は補充療法が必要で，補充量がコートリル® 10mg/日まで減れば，迅速 ACTH 試験により健側の副腎機能を評価する。

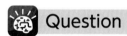

Question　　　　　　　　　　　　　　　　　　　　　鍵穴のマークは問題の難易度を示します。

Q1 症例：59 歳，女性。1 カ月前からマンション階段の登りがきつく感じ，下肢の筋力低下を心配して受診した。患者は体重増加が著しく，3 年前に高血圧および 2 型糖尿病を発症した。食事療法とメトホルミン塩酸塩による糖尿病コントロールは不十分であり，HbA1c 値（NGSP）は 8.0％である。血圧 164/95mmHg，その他のバイタルサインは正常で，BMI は 36 である。
皮膚所見：特記事項として顔面の多毛症を認める。中心性肥満，近位筋力低下，および末梢性浮腫が認められる。
検査所見：血清クレアチニン値 1.2mg/dL，血糖値 154mg/dL，血清 K 値 3.0mEq/L。

①糖尿病の原因を診断するためにまず行うべき重要な検査はどれか。

A：副腎 CT　　　　　　　　　**D**：副腎アドステロール®シンチグラフィ
B：C-ペプチド測定　　　　　　**E**：24 時間 UFC 測定
C：GAD 抗体価

正答 E

----

②糖質コルチコイドの代謝に影響あるものはどれか，2 つ選べ。

A：リファンピシン   **D**：カフェイン

B：チラーヂン®S   **E**：レボフロキサシン

C：ペニシリン

正答 A，B

解説

A：リファンピシンや抗てんかん薬は肝臓の CYP3A4 が誘導されて DEX が分解されるため，DEX 抑制試験の結果が偽陽性になる（コルチゾールが抑制されない）。

B：糖質コルチコイドの代謝消失が増加して副腎クリーゼをきたす恐れがあるため，未治療の副腎機能不全患者にも用いてはならない。

文献

1）日本内分泌学会, 編：内分泌代謝科専門医研修ガイドブック. 診断と治療社, 2018.

第5章 副腎疾患

4 両側副腎皮質過形成（PMAH, PPNAD）

Key Question

症例：両側副腎腫瘍の精査目的に受診した47歳男性。単純CTにて両側副腎に1cm程度の小結節が多発している。
血液所見：血液中ACTH 7pg/mL（7.2〜63.3），コルチゾール17.6μg/dL，深夜コルチゾール12（5.3〜11.0）。
家族歴：兄に副腎腫瘍がある。

①この疾患について誤っているものはどれか。

- **A**：片側副腎の切除が有効なことがある。
- **B**：他の腫瘍性病変を合併することがある。
- **C**：30〜40歳の女性に好発する。
- **D**：^{123}I アドステロールシンチグラフィが有用である。
- **E**：*ARMC5* 遺伝子変異を伴うことがある。

②治療方針決定のために行う検査はどれか。

- **A**：LHRH負荷試験
- **B**：CRH負荷試験
- **C**：FDG-PET CT
- **D**：75gOGTT
- **E**：AVP負荷試験

Answer

① C

解説
　原発性両側大結節性副腎皮質過形成（PMAH/AIMAH）に関しては，Cushing症候群の5%前後にみられることもあり，画像が重要な所見である。その他，家族歴などや高コルチゾール血症による心血管系や代謝異常などもないか注意する。
- **A**：片側副腎の切除後の高コルチゾール血症に有効である。
- **B**：副腎外の腫瘍性病変を合併することがある。
- **C**：50〜60歳の男性に好発する。

D：^{123}I アドステロールシンチグラフィは左右差をみる際に有用である。
E：*ARMC5* 遺伝子変異の頻度は体細胞・胚細胞変異を合わせて 50％以上になる。

② C

解説
　C 以外は，コルチゾールの奇異性分泌をみる診断に重要な所見である。

Key Lesson

○副腎自体の異常により，両側副腎皮質過形成と顕性 Cushing 症候群・subclinical Cushing 症候群をきたす疾患として，①原発性両側大結節性副腎皮質過形成（PMAH/AIMAH），②原発性色素沈着性結節性副腎異形成（PPNAD）がある。
○ PMAH の原因遺伝子として *ARMC5* が報告され，体細胞，胚細胞変異合わせて約 50％にみられる。
○副腎外腫瘍の合併例も報告があり，疑われる症例では遺伝解析も含め解析を行う必要がある。

知識の整理

▶ PMAH/AIMAH

　両側副腎に 1cm を超える大結節が多発する比較的稀な病気であり，コルチゾール産生能の違いで顕性～不顕性 Cushing 症候群をきたす。

1. 病態

　病態の基盤に，副腎皮質でのバソプレシン受容体，GIP 受容体，β－アドレナリン容体などの G 蛋白質型共役型受容体に関する遺伝子や異常受容体発現が報告されている。つまり，ACTH 非依存性にコルチゾール過剰産生されることがわかっていた。ACTH-independent macronodular adrenal hyperplasia（AIMAH）と呼ばれる理由である。
　コルチゾール自律産生能がそれほど高くないにもかかわらず，高血圧や糖尿病を高率に合併し，加えて副腎外の様々な癌を合併することも報告されている。その後，副腎局所で産生される ACTH の存在が明らかになり，primary macronodular adrenal hyperplasia（PMAH）へ改名された。
　2013 年に PMAH における *ARMC5* 遺伝子変異の発見の報告があり，*ARMC5* 遺伝子異常は，体細胞変異，胚細胞変異合わせて PMAH の 50％以上と高い頻度で認められることがわかっている。*ARMC5* は癌抑制遺伝子であり，two-hit theory に基づき，副腎外の腫瘍ができやすいことも想像しやすい。
　PPNAD は，粘液腫，皮膚の色素斑，内分泌機能亢進状態を合併した多発性腫瘍症候群の Carney 複合が有名である。プロテインキナーゼ A の調節サブユニットをコードする PRKAR1A（protein kinase A regulatory subunit 1-α）の異常が示唆されている。

2. 頻度

顕性 Cushing 症候群中の頻度は，PMAH と PPNAD 合わせて 5 ～ 6 % 程度とされる。PMAH に関して小児期は McCune-Albright 症候群の一部分症として，また 50 ～ 60 歳代に好発し，やや男性に多い。常染色体優性遺伝や孤発例も認める。

3. 診断基準―気をつけるべきことは？

PMAH の検査所見の特徴として，以下の①～②が挙げられる。典型例では画像所見のみで本症とわかることもあるが，異常受容体の証明に，食事負荷試験，AVP 負荷試験，立位負荷試験，GnRH 負荷試験なども行う。

副腎局所での異所性 ACTH 分泌はあるものの，下垂体由来の ACTH に比べて量的にわずかであり，血中 ACTH 濃度としては低値を示す。
① 多発性大結節を伴う両側副腎の堅調な腫大
② GIP，AVP，β アドレナリン，LH/hCG のホルモン受容体の異所性発現に伴う奇異性コルチゾール上昇

4. 治療

高コルチゾール血症の是正によって，Cushing 症候群の代謝異常，心血管障害や感染症などの死亡リスクを下げることができる。PPNAD の場合は顕性 Cushing が多いため，両側副腎全的を第一選択とする。PMAH では，コルチゾール過剰産生の程度，腫大副腎の左右差，心血管や代謝異常の合併症の有無などから，症例ごとに両側全摘 / 一側全摘などを考慮する。そのため，腫瘍サイズの左右差やアドステロールシンチグラフィでの取り込みの違いなども参考にする。

第5章 副腎疾患

5 subclinical Cushing 症候群（SCS）

Key Question

症例：66歳女性。高血圧，脂質異常症を検診で指摘された。スクリーニングでCTを施行した際に両側副腎偶発腫瘍を認め，内分泌科に紹介となった。

身体所見：身長154cm，体重63kg，体温36.5℃，脈拍78回/分，血圧145/90mmHg。満月様顔貌なし。中心性肥満なし。赤色皮膚線条なし。

血液所見：WBC 8,900/μL（Neut 87%，Lymp 4.9%，Mono 5.8%，Eos 0.2%）Hb 13.3g/dL，Plt 29.8万/μg，Na 143mEq/L，K 3.6mEq/L，Cl 104mEq/L，随時血糖値126mg/dL，HbA1c 5.5%，ACTH 6pg/mL，コルチゾール12.2μg/dL，PAC 121pg/mL（30～160），PRA＜0.1/ng/mL/時，DHEA-S 66μg/dL（18～200），テストステロン1.0ng/mL（0.11～0.50），UFC 330μg/日（60～150）。

日内変動：

日内変動	8:00	13:00	23:00
ACTH（pg/mL）	10.1	7.6	5未満
コルチゾール（μg/dL）	13.4	9.8	6.8

フロセミド立位負荷試験：PRA＜0.1 ➡ 0.2/ng/mL/時（120分後）。

経口食塩負荷試験：24時間尿中PAC 8.5μg/日（尿中Na 175mEq/L/日）。

DEX抑制試験：

	血中コルチゾール（μg/dL）	ACTH（pg/mL）
DEX 1mg（8mg）抑制試験	6.4（5.5）	5未満

副腎静脈採血サンプリング（基礎値，ACTH負荷）：

	PAC（pg/mL）	コルチゾール（μg/dL）
基礎値		
右副腎静脈	25,600	25.7
左副腎静脈	4,240	88.9
下大静脈	573	20.7
ACTH負荷		
右副腎静脈	84,900	215.8
左副腎静脈	12,800	620
下大静脈	1,071	33.8

画像検査：CTおよび^{131}Iアドステロール®シンチグラフィ（図）。

図　CT および ^{131}I アドステロール®シンチグラフィ

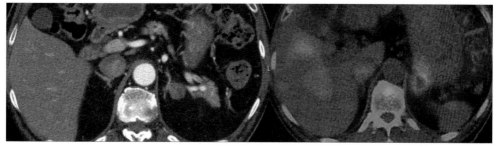

☞巻頭カラー口絵

副腎について正しい診断はどれか。

A：右が PA 左が subclinical
B：左が PA 右が subclinical
C：IHA で，左が subclinical
D：IHA で，右が subclinical
E：IHA および非機能性腺腫

 Answer

A

解説

　　Cushing 徴候はない。コルチゾールの日内変動はあるようにもみえるが，DEX 8mg での抑制がないこと，UFC が基準値を超えることから SCS と判断できる。また PA はスクリーニング ARR＞200 を満たし，負荷試験も陽性であるため PA と診断できる。AVS であるが，右側が PAC 高値側である。以下，本章 2 節を参照。

- PA に SCS を合併することは稀ではない。サンプリング試験に際して SCS を合併すると左右副腎静脈血中コルチゾール濃度に差異を生じるため，アルドステロンの補正にコルチゾールを正確に用いることができない。
- 治療については，本症例でどちらを手術するべきかはまだ議論の余地がある。
- PA と SCS 部位が同側で片側性の場合，もしくは IHA で SCS が片側に合併する場合は片側副腎摘出術を行うことになる。

早朝の血中コルチゾール値は正常だが，日内変動が消失していると考えられ，分泌量としては過剰なので，早朝は ACTH＜10pg/mL と抑制されていることが多い。
しかし，ACTH 基礎値が正常のことも多いので，CRH 試験でも ACTH が低反応であることは確認する必要がある。

 Key Lesson

○SCS は，副腎偶発腫瘍の 5 〜 20% に診断され，ホルモン産生腫瘍では最多である。
○高血圧，糖尿病，骨粗鬆症，尿路結石，心疾患，脳血管疾患，脂質異常症，精神疾患などの併存疾患の合併も Cushing 症候群とほぼ同等であり，重要な疾患である。

知識の整理

▶SCS

1. 病態―何が"sub"なのか？

特徴的な身体のCushing徴候（中心性肥満や赤色皮膚線条）はないが，全身性肥満（40％），高血圧（60％），糖尿病（50％），脂質異常（50％）などの徴候はあることから，Cushing症候群の予備群として扱われている。

2. 頻度

副腎偶発腫瘍では，非機能性腺腫が50％，subclinicalが12％で，subclinicalは2番目に多い。

3. 診断基準―気をつけるべきことは？

当然，Cushing症候群よりもコルチゾール産生能力は低いため，Cushing症候群と診断基準の違いに注意する。

①副腎腫瘍の存在（副腎偶発種）があること，②Cushing症候群の特徴的身体所見がないこと，③血中コルチゾールの基礎値（早朝時）が正常範囲内であること，は必須条件である。

DEX 1mg抑制試験で5μg/dL以下であるが，1.8μg/dLもしくは3μg/dL以上で，かつACTH分泌の抑制（10pg/mL）や日内リズムの消失を認めれば診断となる。

4. 治療

Cushing症候群と同じく腹腔鏡下副腎摘出術である。
①手術の絶対適応としては，3cm以上の場合 ➡ 癌を疑い切除
②手術の相対適応としては，多発する代謝合併症が存在している場合 ➡ 切除

〈副腎偶発腫瘍ではsubclinicalが2番目に多い〉
subだけに**副腎偶発腫瘍**で**2番目に多い**

第5章 副腎疾患

6 褐色細胞腫

Key Question

褐色細胞腫が疑われる症例で不適切な検査はどれか，2つ選べ．

A：クロニジン試験
B：少量 DEX 試験
C：グルカゴン試験
D：レジチン試験
E：大量 DEX 試験

Answer

C, E

解説

選択肢に挙げられているものから考えると，危険性を考慮し，グルカゴン負荷試験が正解である．

A：褐色細胞腫ではα_2刺激薬のクロニジン塩酸塩を投与してもノルアドレナリン低下や降圧はない．
B：Cushing 徴候合併時には必要なこともある．DEX 1mg までであれば危険性は少ない．
C：グルカゴン，メトクロプラミドは褐色細胞腫からカテコールアミン分泌を促し，血圧を上昇させる．
D：褐色細胞腫では，α_1遮断薬を用いるレジチン試験などを行うと，降圧が起こる．正常血圧時では価値が低く，判断も難しいため現在は行われないことが多い．
E：Cushing 徴候合併時には必要なこともあるが，クリーゼの危険性もあるため基本的には禁忌を考慮する．

Key Question

褐色細胞腫とあまり関連しない遺伝子はどれか，2つ選べ．

A：*MEN 1*（癌抑制遺伝子）
B：*VHL*（von Hippel Lindau）癌抑制遺伝子
C：*NF1*
D：*PRKAR1A* 遺伝子
E：*MEN 2*（癌遺伝子）

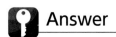

A,D

解説
- A：多発性内分泌腫瘍1型（MEN 1）は，副甲状腺過形成，下垂体腺腫，膵消化管内分泌腫瘍である．
- B：VHL（von Hippel Lindau）病では20％に褐色細胞腫を合併し，両側性が多い．
- C：NF1（神経線維腫症1型）の2％に褐色細胞腫を合併する．
- D：*PRKAR1A*遺伝子はCarney複合（皮膚色素沈着，心臓粘液腫，神経鞘腫，PPNAD，先端巨大症，甲状腺癌）である．
- E：MEN 2A，2Bの60〜70％で褐色細胞腫を合併する．

Key Lesson

○褐色細胞腫では，グルカゴン負荷試験，メトクロプラミド負荷試験が代表的な禁忌の負荷試験である．
○グルカゴン，メトクロプラミドは褐色細胞腫からカテコールアミン分泌を促し，血圧を上昇させる．これらの試験は著明な高血圧を誘発する危険性がある．
○副腎性褐色細胞腫に強く関連する遺伝子：*MEN 2*，*NF1*，*VHL*（Type 2）
○パラガングリオーマに強く関連する遺伝子：*SDH*
○VHL病については褐色細胞腫の有無でtypeが分かれている．
　　Type 1：褐色細胞腫を伴わないもの．
　　Type 2A：褐色細胞腫と血管芽腫を生じるが，腎細胞癌を伴わないもの．
　　Type 2B：褐色細胞腫，腎細胞癌，血管芽腫のいずれも伴うもの．
　　Type 2C：褐色細胞腫のみ．

▶褐色細胞腫/パラガングリオーマ

副腎髄質または傍神経節節のクローム親和性細胞から発生するカテコールアミン産生腫瘍で，前者を褐色細胞腫，後者をパラガングリオーマ（PPGL）と呼ぶ．

基本的に，血中，尿中カテコールアミン系が高値であること，発作性，難治性高血圧の臨床徴候から診断は容易である．そのため，試験問題では実際の治療や併存疾患，遺伝子レベルの深い知識を問われる．

1. 高血圧の占める割合—10％病というのは本当か？

高血圧症の0.5％が褐色細胞腫を有しており，内分泌性高血圧のうち最も悪性度が強く，10％は副腎外，悪性（他臓器転移），両側，小児，家族性（遺伝性），ホルモン非産生性と言われている．しかし，家族性（遺伝性）に関しては解析発達の結果，増加している．褐色細胞腫の30％〜40％に何らかの遺伝子異常があると言われており，10％病と記憶するのは好ましくない．

2. 分類とそれぞれの遺伝子変異

副腎原発：褐色細胞腫

　両側性または片側性の副腎性褐色細胞腫は，SDH（コハク酸デヒドロゲナーゼ）の遺伝子変異よりも *VHL*, *MEN 2*, もしくは *NF1* 遺伝子における生殖細胞系列変異とより強力に関連することが明らかにされている。

副腎外（傍神経節細胞由来）：パラガングリオーマ

　パラガングリオーマの 90％は横隔膜より下位にできる。好発部位は，大動脈周囲，膀胱部，腎動脈周囲，腹部大動脈分岐部の Zuckerkandl 小体（傍神経節）などである。

　パラガングリオーマの 10％を占める横隔膜より上位の代表例は頸動脈小体腫瘍などであり，ホルモン産生能に乏しいことも多い。

　副腎外であれば，副腎髄質にしか PNMN（フェニルエタノールアミン -*N*- メチルトランスフェラーゼ）は発現していないため，ノルアドレナリン優位であることが多い。近年，SDH の遺伝子（*SDHB* と *SDHD* と覚える）変異関連が注目されている。

> **悪性度が特に強いのは B**
>
> 　欧米の報告では，*SDHB* および *SDHD* の変異の頻度は全褐色細胞腫それぞれ約 5％を占めるとされ，家族性のみならず散発性の褐色細胞腫においても同様な頻度で同変異が認められるとされている[1]。
>
> 　*SDHB* の変異は腹部のパラガングリオーマを主徴とし，高率（50〜80％）に悪性褐色細胞腫（遠隔転移すれば悪性と定義）を引き起こしやすい。*SDHD* の変異は頸動脈小体（carotid body）の腫瘍を主な症状とする多発性パラガングリオーマを引き起こしやすい。

3. 血圧上昇を誘引する因子

　運動，ストレス，過食，触診による腹部の圧迫に加え，飲酒や排便もリスクになる。また，吐き気を訴えた際に使用されるメトクロプラミド静注もリスクとなるため気をつける。

4. 他疾患との関連

①肥満は少ない，50％に脂質異常症，糖尿病がみられる。
②Basedow 病との所見の違い ➡ 総コレステロールが上昇，便秘になる（便秘は交感神経優位のため）点や，血圧は収縮期も拡張期も上昇する点が Basedow 病と異なる。

5. 診断基準

　褐色細胞腫とパラガングリオーマの診断基準を**表1**[2] に示す。

診断に重要な負荷試験

　診断には α_2 刺激薬のクロニジン負荷試験を行う。クロニジン塩酸塩を負荷すると，本態性高血圧症患者では，遠心性交感神経の刺激伝導が抑制されて血中ノルアドレナリンが低下し，血圧も低下するが，褐色細胞腫・パラガングリオーマでは低下しない。現在あまり行われていないが，以前は α_1 遮断薬を用いるレジチン試験なども使用していた。レジチン（フェントラミンメシル酸塩）はカテコールアミン過剰による高血圧症において，特異的な降圧作用を示すため，褐色細胞腫（持続性高血圧型）と本態性高血圧

6　褐色細胞腫　**209**

表 1　褐色細胞腫，パラガングリオーマの診断基準

必須項目
1.　副腎髄質または傍神経節組織由来を示唆する腫瘍[*1]

副項目
1.　病理所見：褐色細胞腫の所見[*2]
2.　検査所見 　　1) 尿中アドレナリンまたはノルアドレナリンの高値[*3] 　　　　尿中 VMA などは最終代謝産物だが特異性にかける褐色細胞腫でも正常値を示すことが多い 　　2) 尿中メタネフリンまたはノルメタネフリンの高値[*3] 　　　　血中・尿中カテコールアミンは通常高値を示すが発作型では尿中代謝産物（ノルメタネフリン，メタネフリン）のみ高値になることがある 　　3) クロニジン負荷試験陽性[*4] 　　1)，2)，3) のうち 1 つ以上の所見があるとき陽性とする。
3.　画像所見 　　1) MIBG シンチグラフィで腫瘍に取り込み[*5] 　　2) MRI の T2 強調画像で高信号強度 　　1)，2) のうち 1 つ以上の所見があるとき陽性とする。

・確実例：必須項目 1 に加えて副項目 1 あるいは副項目 2，3 を満たす場合
・疑い例：必須項目 1 に加えて副項目 2 あるいは副項目 3 を満たす場合
・除外項目：偽性褐色細胞腫

＊1：現在，過去の時期を問わない。
＊2：腫瘍細胞の大部分がクロモグラニン A 陽性であること。
＊3：基準値上限の 3 倍以上を陽性とする。偽陽性や偽陰性があるため，反復測定が，推奨される。
＊4：ノルアドレナリン高値例のみ。負荷後に前値の 1/2 以上あるいは 500 pf/dL 以上の場合を陽性とする。
＊5：^{123}I-MIBG あるいは ^{131}I-MIBG。
（文献 2 より引用）

との鑑別診断に用いられていた。血圧が少なくとも収縮期 160～170 mnHg, 拡張期血圧 100～110 mmHg 以上のときに行うべきとされている。

　レジチン試験の例としては，フェントラミンメシル酸塩 5mg 静注後，収縮期血圧 35 mmHg 以上，拡張期血圧 25 mmHg 以上の降圧が 4 分以上持続で陽性とする。

画像検査の特徴
　①腫瘍は 3 cm 以上が多い。
　②CT：出血があれば，内部不均一で，早期に造影される。
　　造影 CT：造影剤は基本的に禁忌（行う場合，フェントラミンメシル酸塩やプロプラノロール塩酸塩などを準備する必要がある）。
　③MRI：T1 で低信号，T2 で高信号
　④^{123}I-MIBG：ノルアドレナリンに構造が似ているため集積する。CT と併せて SPECT 画像が可能。^{123}I-MIBG は最も重要な検査であるが，10%が偽陰性を示す。
　⑤FDG-PET：悪性腫瘍の糖代謝亢進に伴う，糖アナログの FDG 取り込み促進をみているため，特異度は低いが，^{123}I-MIBG 陰性の転移検出などに非常に有用である。

▶褐色細胞腫/パラガングリオーマの治療
　①腹腔鏡下副腎摘出術が治療の基本。
　②術前コントロールが重要で，薬物としては α$_1$ 遮断薬がメインとなる。ある程度循環血漿量を保たせてから手術を依頼する。

1. 禁忌

β遮断薬の単独投与は禁忌である。理由はβ₂受容体を介した血管弛緩を遮断するためで、β₂受容体の活性化はα₁受容体の活性化と真逆の作用をする。

α遮断薬の効果が十分に得られた後に、脈拍コントロールが困難な患者にβ₁選択性の高いβ遮断投与を考慮することがある。

2. α遮断薬

α受容体にはα₁とα₂とがある。両方を遮断すると血管収縮は抑制できるが、ノルアドレナリンが増え反射性頻脈などの副作用があるため、降圧薬としてはα₁受容体遮断薬が使われている。α₁遮断薬は、降圧作用に加え、糖や脂質の代謝によい影響があるとされている。

α₁受容体選択的遮断薬

プラゾシン塩酸塩、ブナゾシン塩酸塩、テラゾシン塩酸塩、ドキサゾシンメシル酸塩、タムスロシン塩酸塩、ナフトピジル。

表2 アドレナリン受容体の特徴（α、β）

受容体	G蛋白質	反応	反応結果
α₁	Gq	PC活性化	平滑筋収縮（血管収縮）
α₂	Gi	AC抑制	膵β細胞でのインスリン分泌抑制、ノルアドレナリン放出抑制
β₁	Gs	AC活性化	心拍数増大
β₂			平滑筋弛緩〔血管拡張、気管支拡張（喘息の治療標的）〕
β₃			脂肪分解や褐色脂肪の熱産生

α₂受容体選択的作動薬

メチルドパ、クロニジン塩酸塩。

αとβ受容体の違い

アドレナリン受容体はα受容体、β受容体に大別でき、α₁、α₂、β₁、β₂、β₃受容体が重要である。G蛋白質共役型で、α₁はGq、α₂はGi、β₁₋₃はGsを介して酵素活性を調節している（**表2**）。

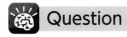 鍵穴のマークは問題の難易度を示します。

 褐色細胞腫について**誤っている**ものはどれか。

A：腫瘍発生部位は交感/副交感神経節か副腎髄質である。
B：尿中メタネフリン、ノルメタネフリン排泄量が感度、特異度が高い。
C：腫瘍は3cm以上が多い。

D：クロニジン試験は禁忌である。

E：異所性褐色細胞腫は大動脈周囲，膀胱，腎動脈周囲に多い。

正答 **D**

解説

A：カテコールアミンを分泌する臓器で発生する。異所性であれば交感神経節由来とされる。また近年，異所性の悪性褐色細胞腫感受性遺伝子としてコハク酸脱水素酵素サブユニット B，D（*SDHB*，*SDHD*）が注目されている。

B：診断は尿中のカテコールアミンの上昇と MIBG シンチがとりわけ重要である。

C：腫瘍は 3 cm 以上が多く辺縁平滑なことが多い。褐色細胞腫は内分泌性高血圧の中で最も悪性の割合が高い。約 10％程度の確率で，悪性，多発性，両側性，副腎外原発などの特徴をもっており，予後の悪化につながる。

D：褐色細胞腫で推奨されている負荷試験はクロニジン試験であり，中枢性 α_2 受容体に作用し，本態性高血圧であればノルアドレナリンが低下するが本疾患では低下しない。

E：正しい。

文献

1）竹越一博，他：遺伝性褐色細胞腫・パラガングリオーマ症候群. 日内分泌・甲状腺外会誌. 2012；29：104-112.

2）日本内分泌学会褐色細胞腫検討委員会：褐色細胞腫の実態調査と診療指針の作成（平成 21 年度研究報告書）. 厚生労働省難治性疾患克服研究事業, 2009.

212

第5章 副腎疾患

7 悪性褐色細胞腫

Key Question

症例：63歳男性。高血圧にて循環器内科かかりつけであった。ここ半年で体重は70kgから64kgまで減少し，全身倦怠感を自覚するようになった。自宅での早朝血圧測定で収縮期血圧180〜190mmHgとなることがあったが，明らかな発作性の頭痛や悪心，めまい，発汗は認めなかった。近医にて精査のためCT検査を施行されたところ，左副腎に105×85mm大の境界明瞭，内部不均一な腫瘤性病変を指摘された（**図**）。また肝・肺にも多発する腫瘤性病変を認めた。

検査所見：〈血算〉WBC 3,760/μL，RBC 285万/μL，Hb 7.5g/dL，Ht 26.5%，Plt 12.9万/μL。
〈生化学〉TP 6.5g/dL，Alb 4.0g/dL，BUN 26mg/dL，Cr 0.71mg/dL，T-Bil 0.9mg/dL，AST 85U/L，ALT 150U/L，γ-GTP 72U/L，Na 142mEq/L，K 4.7mEq/L，Cl 108mEq/L，LDL-Chol 68mg/dL，HDL-Chol 38mg/dL，TG 159mg/dL，空腹時血糖 101mg/dL，HbA1c 5.8%（NGSP），ACTH 62.5pg/mL，コルチゾール 22.3μg/dL，DHEA 63μg/dL，PRA 3.5ng/mL/時，PAC 101pg/mL，アドレナリン 222pg/mL，ノルアドレナリン 1,418pg/mL，ドパミン 8pg/mL，IRI 22.0μU/mL，CPR 3.8ng/mL。
〈蓄尿検査〉アドレナリン 54.4μg/日，ノルアドレナリン 207.4μg/日，ドパミン 892.1μg/日，メタネフリン 3.13mg/日，ノルメタネフリン 2.86mg/日。

図 単純CT

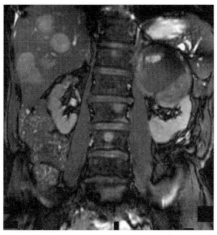

①診断に有用ではない検査はどれか，2つ選べ．

A：FDG-PET
B：^{123}I-MIBGシンチグラフィ
C：MRI
D：アドステロール®シンチグラフィ
E：造影CT

②治療としてまず行うべきものはどれか．

A：肝動脈塞栓
B：ドキサゾシンメシル酸塩
C：緊急手術
D：ミトタン
E：^{131}I-MIBGによる放射線内治療

Answer

① D，E

解説
　左副腎領域に約11cm大の腫瘤を認め，不均一に増強される．内部は充実部と変性壊死部が混在している．液面形成がみられ，腫瘍内出血を合併しているものと思われる．検査所見と合わせ，悪性褐色細胞腫で矛盾しない所見．肝に多数の低吸収腫瘤がみられ，多発肝転移と考えられる．不均一に増強される．

A：FDG-PETは転移検出も含め，有用である．
B：MIBGは交感神経終末や副腎髄質の貯蔵顆粒に集積し，本症の90％で陽性になる．^{123}I-MIBGのほうが^{131}Iより解像度が優れている．
C：MRIではT1強調にて低信号，T2強調にて高信号を呈するのが一般的である．
D：アドステロール®シンチグラフィはPAの診断に有用である．
E：褐色細胞腫が疑われた場合，造影CTは禁忌である．

② B

解説
　レニンも値が高い．まずは循環動態の安定が大事である．

A：治療法として誤っていないが，まず循環血漿量の確保が重要である．
B：まず行うべき治療である．
C：治療法として誤っていないが，Hbの改善を待ってから待機的に行う．
D：まず行うべき治療ではない．
E：まず行うべき治療ではない．

Key Lesson

○悪性褐色細胞腫の治療としては腫瘍減量術＋CVD療法が基本であるが，術前管理にもα遮断薬が重要で循環血漿量を保つ必要がある。
○多発肝転移に関しては動脈塞栓術も行われるが，クリーゼ予防のためα遮断薬の投与を忘れずに行う。先にα遮断薬を投与することで急激な腫瘍崩壊に伴うクリーゼを予防する。

知識の整理

▶悪性褐色細胞腫

1. 悪性の定義

①非クロマフィン組織（骨，肺，肝，腎など）の転移があれば，悪性褐色細胞腫と診断。病理組織の皮膜や脈間浸潤は良性でもみられることに注意する。
②原発は副腎や腎門部の褐色細胞腫が多い。
③Ki-67（MIB-1）が摘出標本で2～5％以上なら悪性を示唆する。
④悪性度が高いとされるリスク評価項目としては，①サイズが5cm以上，②高齢者，③NA産生性・DA過剰産生，④パラガングリオーマ（腹部・骨盤部），⑤*SDHB*変異などがある。

2. 治療

①腫瘍減量術＋CVD療法（シクロホスファミド，ビンクリスチン硫酸塩，ダカルバジン）が基本。
^{131}I-MIBG療法は骨より軟部組織に有効である。TAEも肝転移に行われるがクリーゼ予防のためα遮断薬の投与を忘れずに行う。先にα遮断薬で急激な腫瘍崩壊に伴うクリーゼを予防するのである。
②クリーゼを起こした場合はフェントラミンメシル酸塩を投与する。
α_1，α_2受容体非選択的遮断薬：フェントラミンメシル酸塩。

第5章 副腎疾患

8 Addison 病

Key Question

症例：60歳女性。全身倦怠感を主訴に近医受診，血糖値331mg/dL，HbA1c 11.4%を指摘され糖尿病教育入院。その際に抗GAD抗体高値を指摘され，緩徐進行1型糖尿病（SPIDDM）と診断。インスリングラルギン，メトホルミン塩酸塩にて治療されていた。また入院時CTで胸腺腫を指摘され摘出術施行された。63歳時より，舌，頬粘膜，四肢末端の色素沈着が出現。その3カ月後，全身倦怠感が出現し定期受診の際に肝酵素上昇を指摘され入院。入院精査にて，ACTH 1,050pg/mL，コルチゾール2.8μg/dLより原発性副腎皮質機能低下症，IgG高値，抗核抗体陽性から自己免疫性肝炎が疑われた。入院経過中，低ナトリウム血症の進行（126mEq/L）を認めたため，ヒドロコルチゾン10mgを開始したところ，低ナトリウム血症・肝酵素上昇は改善傾向を認めた。身体所見写真および器質的疾患鑑別のための下垂体MRI撮像を示す（図）。

図 身体所見，下垂体MRI

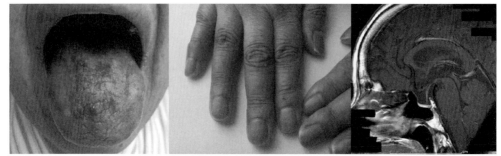

☞巻頭カラー口絵

この病態について適切なものはどれか，2つ選べ。

A：TPO抗体陽性の可能性が高い。
B：皮膚カンジダの合併が高率にある。
C：CRH試験は診断に必須である。
D：*HLADR3/DR4*との関連がある。
E：DDAVP試験でアルドステロン分泌は上昇する。

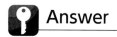
Answer

A，D

解説

　本症例は高齢女性での発症であり，Addison 病，1 型糖尿病があり，原発性副甲状腺機能低下症は認めなかったことから APS2 型（autoimmune polyglandular syndrome Type 2）と考えられる。

A：TPO 抗体を測る。APS2 型の診断として橋本病をチェックする。
B：皮膚カンジダの合併が高率にあるのは APS1 型。
C：CRH 試験は診断に必須ではない。副腎不全なら ACTH 試験が必要である。
D：正しい。
E：デスモプレシン酢酸塩は，下垂体 ACTH 産生腫瘍のバソプレシンを介して ACTH 分泌を促進する。健常人や異所性 ACTH 産生腫瘍では，ACTH は無反応であるため鑑別に有用である。

DDAVP 試験

【正常反応】　ACTH・コルチゾール：無反応。
【Cushing 病】ACTH・コルチゾール：前値の 1.5 倍以上になる。

Key Lesson

○Addison 病（慢性副腎不全）の原因を記憶しておく。
□APS1 型は副甲状腺機能低下を合併する。
□APS3 型は Addison 病を含まない。

知識の整理

▶Addison 病の定義—副腎機能低下を疑う検査所見は？

①疫学は男女比は 1：1 で差はない。
②両側副腎の後天性慢性的疾患により，副腎皮質ホルモンの分泌不全をきたした疾患であり，早朝コルチゾールが 4μg/dL 未満で強く疑う➡迅速 ACTH 負荷試験を行っても血中コルチゾール 18μg/dL 未満で副腎機能低下とする。

▶Addison 病の診断項目

1. 臨床症状

副腎不全症状：副腎皮質ステロイド 3 系統によるもの。
①糖質コルチコイド欠乏症➡体重減少，食欲不振，低血糖症状。
②電解質コルチコイド欠乏症➡Na↓，K↑，低血圧。
③副腎アンドロゲン欠乏症➡腋毛・陰毛の脱落，更年期以降の骨粗鬆症など。特に

女性の陰毛は 100% が DHEA に依存するため，腋毛・陰毛の脱落をきたしやすい。
④皮膚色素沈着（ACTH↑による顔面・頸部・歯肉・爪床・関節など全身のびまん性の色素沈着）。

> **症状についての細かい知識**
>
> ①色素沈着〔POMC（pro-opiomelanocortin）由来の ACTH やメラノサイト刺激ホルモン（γMSH）〕は 90% にみられる。歯肉，皮膚溝，爪床，乳輪，手術跡など，注意深い視診が必要である。
> ②患者が女性の場合は，腋毛や陰毛は 100% DHEA 由来なので陰部の脱毛は診断価値が高い。

2. 検査所見

すべての副腎皮質ホルモンの低下

①血清コルチゾール低値 ➡ 血清コルチゾール基礎値 4μg/dL 未満。
②PAC 低値。
③血中副腎性アンドロゲン低値。
④UFC 低値。
⑤ACTH 負荷試験ですべての副腎皮質ホルモンの分泌低下。
　迅速 ACTH 負荷試験での血清コルチゾール頂値 18μg/dL 未満のときには，本症が強く疑われる。基礎値が低く，ACTH 負荷に対する反応性をほとんど認めない完全型や基礎値正常下限で ACTH 負荷に対する反応性が低下している部分型 Addison 病がある。
⑥尿中ステロイド代謝物の全般的低下，異常低値。

血中 ACTH，PRA の高値

　副腎ホルモンであるコルチゾール，アルドステロン低値からのネガティブフィードバックにより血中 ACTH や PRA が高値となる。

3. 参考所見

①低ナトリウム血症，高カリウム血症 ➡ 副腎皮質機能低下を示唆する。
②抗副腎皮質抗体陽性 ➡ 特異度は高くない。
　APS のような自己免疫性では抗副腎抗体（P450c21 や c17 に対する）がみられる（40〜70%）。結核でも 10% に抗副腎抗体を認める。
③結核の既往，ツベルクリン反応，石灰化所見 ➡ 結核性もありうることを念頭に置く（感染性では最多）。
④その他（副腎不全をきたす疾患）：*SF-1* 異常症，先天性リポイド過形成症，*DAX1* 異常症，ヘモクロマトーシス，ポルフィリン症や ACTH 不応症や続発性副腎皮質機能低下症（コルチゾール低値，アルドステロン正常）など。
　副腎原発の場合は組織が 90% 破壊されていると思ってよいが，ACTH 不応症や続発性副腎皮質機能低下症では球状帯は保たれていることも多く，アルドステロン分泌は正常であることに注意する。
　④に挙げた疾患もチェックしておくこと。

▶Addison 病の原因

①特発性：自己免疫性 ➡ 抗副腎皮質抗体は 40～70％で陽性。
②感染性：結核，真菌，HIV。
③転移性：乳癌，肺癌 ➡ 通常片側性の転移では副腎不全にならない。
④浸潤性：アミロイドーシス，サルコイドーシス，ヘモクロマトーシス。
⑤両側副腎出血。
⑥遺伝性・先天性。
⑦薬剤：ステロイド薬，抗真菌薬，麻酔薬。
⑧両側副腎摘出術後。

特発性が 50％を占め最も多い。感染性（結核が 50％）が 40％を占める。①，②で 90％を占めることになる。Addison 病のうち，結核性の原因によるものは 40～60 歳の男性に多い。特発性では発症年齢は広く分布しており，性差もない。特発性では副腎皮質を特異的に障害するため比較的髄質機能は保たれ，結核性は皮質と髄質まで破壊されることが多い。

1. 特発性（APS）

従来 Addison 病に橋本病を合併した Schmidt 症候群や，さらに 1 型糖尿病を合併した Carpenter 症候群，Addison 病に特発性副甲状腺機能低下症を合併した HAM (hypoparathyroidism Addison-Moniliasis) 症候群など，内分泌腺細胞に対する抗体を複数有する症候群が知られている。1980 年 Neufeld と Blizzard ら[1] はこれらの病態を自己免疫性多内分泌腺症候群（APS）として整理した。以降，その分類を中心に，比較的頻度の高い内分泌疾患の組み合わせ，ならびに非内分泌組織に対しての自己免疫性の合併も整理され，1～4 型に細分化された（**表 1**)[2]。

表 1 APS の病型分類

	1 型	2 型	3 型	4 型
関連遺伝子	*AIRE*	*HLADR3/DR4*	*HLA* ?	*HLA* ?
発 症	若年発症	中年期以降，女性に多い		
主要構成疾患	Addison 病 副甲状腺機能低下症 カンジダ症	Addison 病 自己免疫性甲状腺疾患 1 型糖尿病	自己免疫性甲状腺疾患	Addison 病
その他の合併症	白斑 脱毛症 自己免疫性甲状腺疾患 1 型糖尿病 自己免疫性肝炎 悪性貧血 吸収不良症候群 萎縮性胃炎	白斑 性腺機能低下症 脱毛症 自己免疫性肝炎 悪性貧血 萎縮性胃炎	1 型糖尿病 自己免疫性肝炎 原発性胆汁性肝硬変 悪性貧血 ITP 重症無力症 白斑，脱毛 SLE，RA Sjögren 症候群	性腺機能低下症 白斑 脱毛 Sjögren 症候群

ITP：免疫性血小板減少性紫斑病，SLE：全身性エリテマトーデス，RA：関節リウマチ
（文献 2 より引用）

①APS1 型：Addison 病＋hypo parathyroid＋カンジダ ➡ *AIRE* (autoimmune regulator) の関与がある。
　AIRE は胸腺髄質上皮細胞に自己抗原を発現させることがわかっており，*AIRE* ノックアウトマウスでは胸腺での組織特異抗原の mRNA の発現が低下する。したがっ

8 Addison 病　**219**

て，*AIRE* の変異により組織特異抗原が胸腺で発現が低下すると適切な negative selection が起こらなくなり，自己抗原に強く反応する T 細胞が成熟して末梢に流出し，APS1 型でみられる多彩な自己免疫疾患を呈するという考え方もできる。

②APS2 型：Addison 病＋甲状腺（Basedow 病または橋本病）＋1 型糖尿病➡ *HLADR3/DR4* の関与がある。

③APS3 型：Addison 病を合併しないことが特徴である。

④APS4 型：Addison 病を合併するが，その他の特徴は乏しい。

> **検査所見についての細かい知識**
> ①軽い抗利尿ホルモン（ADH）不適合分泌症候群（SIADH）：コルチゾールは ADH 分泌を抑制をしているため（コルチゾール自体 Na と水を再吸収する），軽い SIADH になる。
> ②K の挙動について：副腎原発性であれば高 K になるが，続発性副腎不全であれば，アルドステロンはレニンの影響も受けるので高 K にならない。
> ③17-OHCS も低下する（コルチゾールをつくれないため）：副腎皮質からのコルチゾールとコルチゾンに由来する尿中代謝産物である。コルチゾンは肝臓で主に 17-OHCS に代謝されて尿中に排泄される。コルチゾン分泌は日周期変動があるので，尿中 17-OHCS はコルチゾンの 1 日基礎分泌量を知るのによい。正常参考値：尿中 17-OHCS 2〜10 mg/日，増加の原因：肝でのステロイドホルモンの代謝促進など（甲状腺機能亢進）。

2．遺伝性・先天性

①副腎低形成症という病気があり，副腎自身の遺伝子 *DAX-1，SF-1* の異常が原因として挙げられる。

②副腎受容体異常，つまり ACTH 不応症は，*MC2R，MRAP，ALADIN*（AAA 症候群：アカラシア，無涙症，Addison 病）などの遺伝子異常が原因として挙げられる。

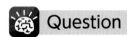

鍵穴のマークは問題の難易度を示します。

 副腎皮質機能低下症をきたす原因疾患として誤っているものはどれか。

A：先天性副腎低形成
B：抗リン脂質抗体症候群
C：多腺性自己免疫症候群 3 型（APS3 型）
D：糖質コルチコイド治療
E：先天性リポイド副腎過形成（*StAR* 変異）

正答 C

文献
1) Neufeld M, et al：Autoimmune polyglandular syndromes. *Pediatr Ann*. 1980；9：154-162.
2) 赤水尚史：甲状腺と自己免疫異常. 綜合臨. 2009；58：1506-1509.

第5章 副腎疾患

アジの	一張羅の	服は	むずむずして	相容れない。
Addison	1型	副甲状腺	カンジダ	AIRE

アジの	2番コーデは	1番でもなく,	Drの中で3, 4番目ですね。	しかもおばさん。
Addison	2型	1型DM,	甲状腺, DR3, 4	中年の女性に多い

8 Addison病

第5章 副腎疾患

9 副腎クリーゼ

Key Question

設問なし。

Key Lesson

- ○副腎クリーゼの原因は，感染症，特に胃腸炎が多い。
- ○副腎クリーゼ発症の際は，ACTH，コルチゾール検体を採取後は結果を待たずに，生理食塩水点滴，ヒドロコルチゾン大量投与を行う。
- ○シックデイやストレス時には，グルココルチコイドを通常の1.5～3倍を補充する。

知識の整理

▶副腎クリーゼの頻度と誘因─予防するには？

Addison病にクリーゼが発症する確率は約40％と高率であり，誘因は感染が70％であり，ステロイド治療の中断は10％程度の頻度である。

事前に予防するには，以下のようにする。

① クリーゼを防ぐため，発熱，抜歯，強めの運動の際はヒドロコルチゾン（コートリル®）を通常量の1.5～3倍服用するように指導する。
② 副腎不全を事前にスクリーニングし，見つけることが重要である。

早朝コルチゾール値：4μg/dL 未満 ➡ 疑い，18μg/dL 以上 ➡ 否定
迅速ACTH負荷試験：15μg/dL 未満 ➡ 疑い，18μg/dL 以上 ➡ 否定

▶副腎不全の検査所見─注意するべきことは？

副腎不全の検査所見で，低Na，高カリウム血症，正球性正色素性貧血，好酸球増加，低血糖，高カルシウム血症である。Addison病など原発性副腎不全であれば高カリウム血症であるが，続発性副腎不全ならばレニン，アルドステロンは保たれていることが多く，高カリウム血症とならないことがある。

つまり，電解質コルチコイドは補充の必要がないことがある ➡ 副腎不全患者に対して，コートリル®が適切に補充されていれば，電解質コルチコイドは補充不要な場合も多い。低Na，低血圧が改善されない場合は，フルドロコルチゾン酢酸エステル 0.05～0.1mg を併用補充する。

▶副腎クリーゼの発症時の治療

発症時の治療法を**表1**[1]に示す。

表1 副腎クリーゼ発症時の治療法

1. 心機能監視下に 1,000 mL/時の速度で生理食塩水を点滴静注
2. ヒドロコルチゾン 100 mg 静注後，5%ブドウ糖液中に 100～200 mg のヒドロコルチゾン混注した溶液を 24 時間で点滴静注（あるいは 25～50 mg のヒドロコルチゾンを 6 時間ごとに静注）

生理食塩水の投与量については，年齢や病態を考慮して判断
（文献 1 をもとに作成）

文献

1) Jung C, et al：Management of adrenal insufficiency during the stress of medical illness and surgery. *Med J Aust*. 2008；188：409-413.

第5章 副腎疾患

10 先天性副腎皮質過形成 (CAH)

 Key Question

男性化を促進させるステロイド合成酵素はどれか，2つ選べ。

A：21β-ヒドロキシラーゼ
B：3β-ヒドロキシラーゼ
C：17α-ヒドロキシラーゼ
D：18-ヒドロキシラーゼ
E：StAR

 Answer

A，B

解説
A：ステロイドマップでは性ステロイド系に流れる。
B：ステロイドマップでは性ステロイド系に流れる。
C：ステロイドマップでは性ステロイド系に流れないため，性腺機能低下となる。
D：ステロイドマップでは電解質コルチコイド系に流れないが，そのほかは正常である。
E：すべてのステロイド合成が阻害される。

 Key Lesson

○CAHは常染色体劣性遺伝形式である。
○副腎皮質ホルモン同化のステロイドマップは書けるようにしておく。

知識の整理

▶CAHの定義

　副腎皮質ではLDL-Cholを原料とし，種々の酵素を介して主に3種類のステロイドホルモン（糖質コルチコイド，電解質コルチコイド，副腎アンドロゲン）が生合成される。これらのステロイドホルモンを作る過程に関与する酵素が先天的に欠損していることで起こる疾患である。特にコルチゾールができないことにより，下垂体からACTH

が過剰に分泌される結果副腎が過形成をきたすものを先天性副腎過形成症（congenital adrenal hyperplasia：CAH）と呼ぶ。現時点で判明しているものでは6つほどあり，CYP21A2などの遺伝子の異常によるもので，すべて常染色体劣性遺伝である。症状が出生後早期に起こる古典型，症状が幼児期から思春期に起こる遅発型と症状発現時期に合わせて分けることもある（遅発性CAH）。

CAHには21-OHDが90％を占めるが，ほかにリポイド過形成，11β-OHD，17α-OHD，3β-OHD，18-OHD，POR欠損症などがある。

▶ 遺伝子タイプ

CAHの約90％は21-水酸化酵素欠損症（21-hydroxylase deficiency：21-OHD）である。1.5万～2万人に1人の有病率で，新生児スクリーニングで見つかることもあり，常染色体劣性遺伝のなかでは最も多い疾患のひとつである。6番染色体短腕に原因遺伝子が存在する。CYP21A2遺伝子（6p21.3）が関与しており，遺伝子と偽遺伝子間での不等交差などが原因で起こるとされている。

▶ 21-OHD の分類

臨床でみた場合，①古典型，②非古典型，に分けられ，古典型は，塩類喪失型，単純男性化型に分かれる（**表1**）。その理由は，遺伝子変換や不等交差の度合いにより，遺伝子変異にはグラデーションがあるためである。

古典型のように高度に障害を受けている➡電解質コルチコイド，糖質コルチコイドがまったく生成されないと考えれば，出生時に既にコルチゾール低値による低Na，高カリウム血症，低血糖であり，アルドステロン低値による脱水，低血圧をきたし，早期の治療が必要になる。

検査では，高ACTH血症，PRA高値，17-OHP（17α-ヒドロキシプロゲステロン）高値，アンドロステンジオン高値。特に新生児マススクリーニングで17-OHP高値は重要である。

非古典型では，後述するように酵素の障害が顕著でないため，診断に苦慮する。17-OHPもしばしば正常値を示すことがあるため，ACTH負荷試験による17-OHP上昇が診断の助けにはなる。

酵素の活性がある程度残存していれば，コルチゾールとアルドステロンの分泌低下による塩類喪失症状は軽く，アンドロゲン過剰による男性化（女児なら外性器の男性化，男児なら早熟）が目立つ。

内科の実臨床で一般的には，酵素の障害が軽度の非古典型や，中間型の単純男性化型が多いとされる。

表1 21-OHD 欠損の酵素障害の程度で分類した CAH

高 度	中 間	軽 度
①古典型 CAH		②非古典型 CAH
塩類喪失型	単純男性型	非古典型

1. 単純男性型

①出生児が女児の場合➡性早熟：外性器の男性化主徴とし（半陰陽），気づきやすい。
②出生児が男児の場合➡性早熟：外性器では判別できず，非古典型と区別しにくい。

10 先天性副腎皮質過形成（CAH） **225**

2. 非古典型

塩類喪失型でもなく，単純男性型でもなく，より酵素の障害が軽度の状態である。つまり，

- 一般には気づきにくい程度の男性化（あの女性，やや毛深いな…）
- 軽度ストレスでクリーゼになりやすい（あの患者さんよく午前中がきついと訴えているな…）

などを想起する。どのようにして気づけばよいか？　疑うしかない。

個人差はあるが，アンドロゲン過剰による性早熟（思春期早発，最終身長が低身長，不妊，女性の多毛，男性の無精子症）に加えた副腎偶発腫瘍などがあれば疑うべきである。

例）低身長や思春期早発症の既往があり，男性不妊（無精子症）で泌尿器受診。低ゴナドトロピン，正常テストステロンで紹介された 30 歳男性。

なお，21-OHD では精巣腫瘍がある場合，精巣の副腎遺残腫瘍（発生過程で精巣や卵巣などに残存した副腎性組織の腫瘍化）の可能性が高いので，男性不妊では要注意である。

非古典型 CAH は一般集団の約 1,000 人に 1 人の頻度で発現する軽症型の疾患であり，女性において特定されるアンドロゲン過剰症の原因としては最も頻度が高い。非古典型 CAH でもアンドロゲン過剰を呈する場合は抑制用量の糖質コルチコイドによる治療が可能である。

▶ 21-OHD のスクリーニング

以下がみられる。

①21-OHD は第 6 染色体短腕に原因遺伝子があり，CAH の 90％を占める，次に多いのがリポイド過形成で CAH の 5％くらいを占める
②21-OHD の古典型は単純男性型と塩類喪失（低 Na 高 K）に分類されるが塩類喪失が 60％と多い
③新生児マススクリーニングで 17-OHP が高値で 21-OHD と判明する
④血中 17-OHP 上昇
⑤尿中 17-OHCS 低下（11-デオキシコルチゾール，コルチゾールの代謝産物）
⑥尿中 17-KS 上昇（DHEA-S，DHEA，アンドロステンジオンの代謝産物）

1. 17-OHP（17-ヒドロキシプロゲステロン）

糖質コルチコイドと性ホルモンの合成過程において生産される炭素数 21 のステロイドホルモンである。

有用性—21-OHD のスクリーニング

マススクリーニングで 17-OHP 高値を示す他の CAH には，P450 オキシドレダクターゼ（POR）欠損症，3β-水酸化ステロイド脱水素酵素（3β-HSD）欠損症，11β-水酸化酵素欠損症（11β-OHD）がある。また早産児では 11β-OHase の活性が低いとの報告がある（**表 2**）。

表 2　17-OHP 値による分類

①高値疾患	21-OHD，3β-HSD 欠損症，11β-OHD，早産児，POR 欠損症
②低値疾患	間脳・下垂体機能不全，17α-OHD，性腺形成不全，卵巣機能不全

2. 尿中 17-OHCS

　副腎皮質束状層から分泌されるコルチゾールの一部は，肝・腎で 11β-デヒドロゲナーゼによりコルチゾンとなる。両者は，肝で還元・グルクロン酸抱合されて尿中に排泄される。

　副腎皮質から分泌されたコルチゾールの 30〜40％が排泄され，尿中 17-OHCS の大半を占めている。

有用性―より正確な副腎皮質束状層の機能評価

　副腎皮質束状層からコルチゾールの分泌はストレス状況下で大きく変化するため，血中コルチゾールの値は採血時の血中濃度を示しているにすぎない。尿中 17-OHCS 値は採尿時間内の副腎皮質からの分泌量を反映し，より正確な副腎皮質束状層の機能評価ができる。副腎皮質束状層は（CRH-ACTH）の影響下にあり，尿中 17-OHCS の測定は HPA 軸（視床下部－下垂体前葉－副腎皮質系）の機能検査に使用される。通常，24 時間の尿中 17-OHCS 排泄量を用いる。

　コルチゾール生成過程における最終の化学反応では，11-デオキシコルチゾールに対して 11β-OHase が作用してコルチゾールが生成される（☞ 5 章 3 節参照）。コルチゾールの代謝産物は 17-OHCS であるが，前駆物質の 11-デオキシコルチゾールも代謝されると 17-OHCS になる。つまり，コルチゾールが低下する 11β-OHD でも 17-OHCS は高値になる（表 3）。

表 3　尿中 17-OHCS 値による分類

高値疾患	・コルチゾールが増加する病気➡ Cushing 病/症候群，偽性 Cushing 症候群（慢性アルコール中毒，重症うつ病，単純性肥満） ・コルチゾールが低下する病気➡ 11β-OHD ・代謝が増加する病気➡甲状腺機能亢進症
低値疾患	・コルチゾールが低下する病気➡ 21-OHD，17-OHD，Addison 病，下垂体前葉機能低下症，ACTH 単独欠損症 ・代謝が低下する病気➡甲状腺機能低下症，肝硬変，腎不全

3. 尿中 17-KS

　17-KS は，アンドロゲンの大部分を占める C-19 化合物のなかで，C-17 位にケト基を有する中性ステロイドの総称である。健常成人男性では，精巣に由来する 17-KS は 25％程度で，残りは副腎に由来する。小児や女性ではそのほとんどが副腎由来で，その大部分は DHEA，DHEA-S に由来する。下垂体－副腎皮質系，下垂体－性腺系の疾患が疑われる場合に測定され，尿中 17-OHCS や他の血中ホルモン値を組み合わせて鑑別診断に使用される（表 4）。

表 4　尿中 17-KS 値による分類

高値疾患	・ACTH 高値疾患➡ Cushing 病，異所性 ACTH 産生腫瘍 ・副腎アンドロゲン高値疾患➡副腎癌，21-OHD，11β-OHD，3β-HSD 欠損症 ・性腺アンドロゲン高値疾患➡男性化副腎または卵巣腫瘍，睾丸腫瘍（Leydig 細胞癌），多嚢胞卵巣症候群（PCOS） ・代謝が亢進する➡甲状腺機能亢進症
低値疾患	・ACTH 低値疾患➡ Cushing 症候群，下垂体前葉機能低下症，ACTH 単独欠損症，ステロイド治療中 ・副腎アンドロゲン低値疾患➡ Addison 病（ACTH 高値であるが，副腎皮質が破滅），17α-OHD，コレステロール側鎖切断酵素欠損症 ・性腺アンドロゲン低値疾患➡性腺機能低下症 ・代謝が低下する➡肝硬変，甲状腺機能低下症

10　先天性副腎皮質過形成（CAH）

▶21-OHDの治療

糖質コルチコイド（基本ヒドロコルチゾン）や電解質コルチコイドの投与が基本になる。過剰なACTHを抑制することで，アンドロゲン過剰を防ぐことにもつながる（**図1**）[1]。

非古典型CAHのように無症候性で軽微な内分泌異常のみの場合は治療を要さないが，コルチゾール基礎値が正常でも，迅速ACTH負荷でコルチゾール反応が低下しているような症例ではストレス時に相対副腎不全を起こす可能性もあるため注意する。成長期や小児では成長曲線や骨年齢，17-OHPや臨床症状をみながら調整するため成書に譲る。またPRAは電解質コルチコイド補充量のよい指標になる。

成長期を過ぎた成人について，糖質コルチコイドはヒドロコルチゾン以外にも作用時間の長いプレドニゾロン（約5mg/日）やDEX（約0.1mg/日）使用も可能である。特に長時間型のDEXの眠前投与が早朝のACTH分泌抑制に有効である。

▶21-OHD以外

1. リポイド過形成

ステロイドホルモン合成の律速段階にあるコレステロールからプレグネノロンへの過程が障害される。**図1**[1]をみれば，CYP11A1（コレステロール側鎖切断酵素）はすべてのスタートであるため，本来欠損は致死的ではある。先天性のAddison病の症例の中にリポイド過形成が隠れている場合があり，注意が必要である。

本症を呈するもう1つの遺伝子型として，*StAR*（steroidogenic acute regulatory protein）遺伝子異常を覚えておく。その他，きわめて稀にコレステロール側鎖切断酵素の異常によるものもある。すべてのステロイド合成は障害される。

図1 副腎皮質ホルモン（ステロイドマップ）

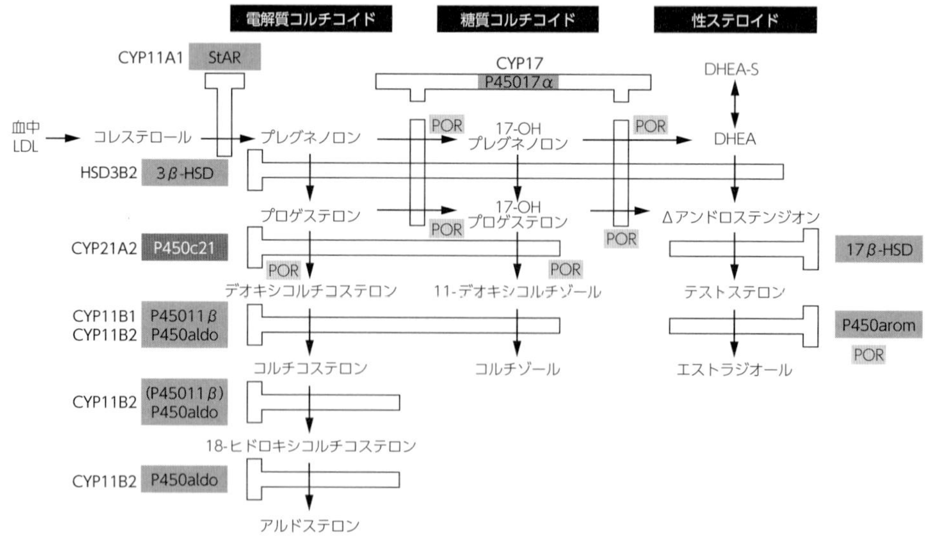

StaR：steroidogenic acute regulatory protein，3β-HSD：3β-ヒドロキシステロイドデヒドロゲナーゼ，P450c21：21-ヒドロキシラーゼ，P45011β：11β-ヒドロキシラーゼ，P45017α：17α-ヒドロキシラーゼ，P450aldo：18-ヒドロキシラーゼ，18-デヒドロゲナーゼ，POR：P450オキシドレラクターゼ

（文献1より改変して引用）

2. 11β-OHD

①デオキシコルチコステロン（DOC），デオキシコルチゾール，副腎アンドロゲンの過剰。
②21-OHDとの相違点：DOCが弱い電解質コルチコイド作用を示すため，高血圧，低レニン，低カリウム血症。

3. 17α-OHD

①コルチゾール，アンドロゲン産生低下。
②21-OHDとの相違点：高血圧，低カリウム血症，性腺機能低下。

4. 3β-OHD

①すべてのステロイド合成は障害される。原因遺伝子は *HSD3B2* である。
②21-OHDとの相違点：アンドロゲン過剰とはならないのが相違点であるが，臨床で見抜くのは非常に難しい。デヒドロエピアンドロステロンは軽度の男性化に働くからである。

5. 18-OHD

①アルドステロン生成過程における最終の化学反応。
②21-OHDとの相違点：コルチゾールは正常であり，電解質コルチコイド不足のみである。
DOC➡コルチコステロンまでは反応が進むため，DOC過剰にならない。

6. P450 オキシドレラクダーゼ（POR）欠損症

PORはマイクロゾームに存在するすべてのP450酵素群に電子伝達を行う酵素である。マイクロゾームに存在する21-OHaseと17α-OHaseの複合欠損，さらには胎盤のアロマターゼ活性低下を伴うこともある。コレステロールの合成にもP450が関与するため，細胞内コレステロールの減少により，様々な骨奇形を伴う。図1に示すように，いたるところにPORは介在しているため，一見致死的であるが，障害には程度がある。実際の症例では頭蓋骨癒合症，顔面低形成，大腿骨の彎曲，関節拘縮，くも状指などの骨形成異常に男性化を伴うことが多い。

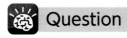 Question　　鍵穴のマークは問題の難易度を示します。

 Q1 17-OHPが高値にならない疾患はどれか。

A：早産児　　　　　D：3β-HSD
B：21-OHD　　　　E：P450 オキシドレラクダーゼ欠損症
C：リポイド過形成

正答　C

解説
マススクリーニングで17-OHP高値を示すものとしては21-OHDがまず挙げられる

が，ほかに高値を示すCAHにはP450オキシドレラクダーゼ欠損症，3β-HSD欠損症，11β-OHDがある。早産児では11β-OHaseの活性が低いことも覚えておくこと。
A：早産児では11β-OHaseが低下することが多いため，17-OHPは上昇する。
B：21-OHDのスクリーニングとしてよく知られる。
C：すべてのステロイドホルモン合成が落ちるため低くなる。
D：多くは高値となる。
E：多くは高値となる。

 先天性副腎過形成のうち，高血圧症をきたすのは次のうちどれか，2つ選べ。

A：先天性リポイド過形成　　**D**：11β-OHD欠損症
B：21-OHD欠損症　　　　　**E**：3β-OHD欠損症
C：17α-OHD欠損症

正答 **C, D**

文献
1) 副腎ホルモン産生異常に関する調査研究：内分泌系疾患．副腎ホルモン産生異常に関する調査研究 平成27年度総括・分担研究報告書．厚生労働科学研究費補助金難治性疾患等政策研究事業，2016．
　[http://www.pediatric-world.com/fukujin/]

　　1の位が**1**のもの ➡ 21・11β ➡ 男性化症状
　　　厳密に言えば，21，11，3が男性化（多毛や月経異常も含む）を引き起こす。
　　　ちなみに3は水酸化ではなくて脱水素酵素である。
　　10の位が**1**で素数のもの ➡ 11β・17α ➡ 低カリウム血症・低レニン血症を伴う高血圧
　　　17，11で高血圧，低KはDOCが上昇しているためである。
　　　10の位が1という覚え方は国家試験まで，18はむしろ低血圧になる。

11 副腎偶発腫瘍，副腎皮質癌

Key Question

症例：55歳，男性。腹痛のために受けたCTで左副腎に減衰係数が47H（Hounsfield unit）で5.5cm大の腫瘍を認めた。右副腎の大きさは正常である。リンパ節腫大や他の腫瘍は認めなかった。体重や食欲は良好で，特異な疾患の既往はない。内服薬による治療薬はない。

身体所見：標準的な容貌で，体温36.3℃，血圧130/76mmHg，脈拍63回/分 整，呼吸数16/分，BMI 27。

検査所見：多血症，筋力低下，脱力および斑状出血は認めない。電解質，コルチゾール，ACTHおよび24時間尿中メタネフリンを含め正常。

最も適切な管理法はどれか，2つ選べ。

- **A**：左副腎腫瘍の生検
- **B**：左副腎摘出術
- **C**：ARRの測定
- **D**：24時間尿中コルチゾール排泄量の測定
- **E**：MRI

Answer

B，E

解説

　画像診断の進歩により，無症候性の副腎腫瘍（副腎偶発腫）が多数明らかになり，50歳を超える人口の2〜3％で見つかる。本症例のように50歳代後半の例が多い。副腎腫瘍の評価では，原発巣とタイプ（原発性か転移性か，良性か悪性か）が肝要であり，原発性腫瘍では機能性か否かを究明しなければならない。本症例では大きな副腎腫瘍を偶然に認めたが，副腎皮質ホルモンやカテコールアミンの過剰分泌を示唆する臨床的ならびに生化学的特徴は認めない。腫瘍が大きく（4〜5cm以上），CT減衰係数が高い（10HU以上）ことから，悪性も考慮しなければならない。原発癌または転移癌のリスクは，腫瘍径が4cm未満で約2％に対し，5cm以上では約20％以上に上昇する。5cm以上の腫瘍は外科的切除が最も適切な管理法である。

A：副腎腫瘍の生検は，採取部位によっては良，悪性の鑑別が異なることがあり意義も少なく，播種の可能性も懸念されるため，むしろ禁忌である。

B：左副腎摘出術を実施すべきである。
C,D：高血圧，低カリウム血症ならびにコルチゾール過剰症を示唆する臨床像がなく，高アルドステロン症および Cushing 症候群の可能性はほとんどない。したがって，ARR の測定および，24 時間尿中コルチゾール排泄量測定のどちらも有用である可能性は低い。
E：また手術に際して chemical shift MRI や PET-CT にて悪性の所見の確認を追加で行うべきであろう（図）。

図　副腎偶発腫瘍の一例

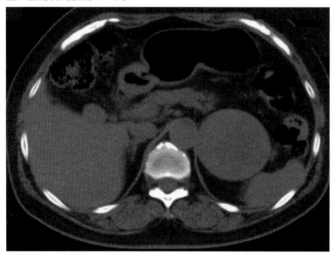

Key Lesson

○無症候性の副腎腫瘍（副腎偶発腫）は，50 歳を超える人口の 2 ～ 3％で見つかる。50 歳代後半の例が多く，50％以上がホルモン非産生腫瘍である。
○腫瘍が大きく（4 ～ 5cm 以上），CT 減衰係数が高い（10HU 以上）場合，悪性が疑われる。
○原発癌または転移癌のリスクは，腫瘍径が 4cm 未満で約 2％に対し，5cm 以上では約 20％以上に上昇する。4cm 以上の腫瘍は外科的切除が最も適切な管理法であるが，外科的治療はホルモン産生性と大きさで決定される。
○内分泌学的スクリーニング検査として，血清・尿 K，ACTH，コルチゾール，血漿レニン活性（PRA），アルドステロン，尿中カテコールアミン，DHEA-S などを測定する。
○ホルモン非産生腫瘍と判断しても 5 年以上は経過観察が望ましい。

知識の整理

▶副腎偶発腫瘍の好発年齢

50 歳代後半に多く，性差はない。健診（無症状）で見つかるケースがおよそ 3 割で最も多い。

▶ 偶発腫瘍の内訳

多い順に，以下のようになる。
①ホルモン非産生腺腫 ➡ 50.8%
②コルチゾール産生腺腫 ➡ 11%程度
③褐色細胞腫 ➡ 8.5%
④APA ➡ 5.1%
⑤過形成 ➡ 4%
⑥悪性腫瘍転移 ➡ 3.7%
上位3つまでは覚えておくこと。なお，毎回試験問題で問われる副腎皮質癌は，1.4%の割合である。

▶ 副腎偶発腫瘍の画像所見

副腎皮質腺腫，つまり良性腺腫であれば脂肪含有量が多い。
①エコーでは，脂肪組織は高信号である。ただし，腫瘍が2cm以下であれば検出できないことが多い。
②CTでは，低吸収（10HU以下とされ，-30HU以下が多い），T1で高信号，脂肪抑制で低信号である。
③MRIのT1強調画像では，out-of-phaseの信号強度が質的診断に有用であり，信号低下は脂肪含有量が多いことを示す。

▶ 副腎偶発腫瘍の治療

4cm以上であれば基本手術である。6cm超えると癌の確率は25%まで上昇する。副腎皮質癌ではDHEA-S，尿中17-KS高値であることが多い。
4~5cmを超える腫瘤では，副腎皮質癌などの悪性腫瘍を疑い，手術が大原則である。
試験問題でよく選択肢に「CTガイド下針生検」が含まれているが，播種の危険もあり，禁忌である。CTガイド下針生検は原発巣検索のため，転移性悪性腫瘍を強く疑うときは推奨される。

▶ 副腎皮質癌

1. 頻度

①100万人に1~2人で，10歳以下の小児，50歳以上の女性にやや多い。副腎偶発腫瘍のうち副腎皮質癌は1.4%の割合である。
②若年者のほうがアンドロゲン徴候で気がつきやすく予後がよい。
③ホルモン産生腫瘍が60~70%を占め，Cushing徴候やアンドロゲン徴候をきたしやすい。
④DHEA-S，尿中17-KS高値はもちろん，貧血やLDH高値なども参考所見となる。

2. 成因や特徴

①成因として染色体11p15の異常，p53，の異常，IGF-Ⅱ過剰が報告されている。
②遠隔転移は肺，肝臓や骨が多い（血行性）。

3. 病期と予後

①病期分類 Stage Ⅰ～Ⅳで分かれている（**表1**）[1]。
- Stage ⅠとⅡは5cm以下か以上か（大きさ）
- Stage ⅢとⅣは他臓器浸潤か否かで分かれている（他臓器）

どのステージでも切除可能な限り外科手術が推奨されており，術後治療としては，ミトタン（副腎皮質への直接的細胞毒性）を使用するが，25～50%の症例でしか効果がない。ミトタンでステロイド代謝が促進されるため，糖質コルチコイド補充量が増加することも注意する。

②全体の5年生存率は50%以下である。

表1 病期分類―副腎皮質癌の病期分類

T- 原発腫瘍	T1	最大径が5cm以下で，副腎に限局する腫瘍
	T2	最大径が5cmを超え，副腎に限局する腫瘍
	T3	副腎を超えて浸潤するが，他臓器に直接浸潤していない腫瘍
	T4	副腎を超えて浸潤し，他臓器に直接浸潤する腫瘍

N- 所属リンパ節	N0	所属リンパ節転移なし
	N1	所属リンパ節転移あり

注：取扱い規約にも，この病期分類の原典となる論文にも所属リンパ節の規定はない。よって，リンパ節への転移はすべて遠隔転移とせず，所属リンパ節転移として扱うこととする。

M- 遠隔転移	M0	遠隔転移なし
	M1	遠隔転移あり

病期分類	Ⅰ期	T1	N0	M0
	Ⅱ期	T2	N0	M0
	Ⅲ期	T3	N0	M0
		T1，T2	N1	M0
	Ⅳ期	T3	N1	M0
		T4	N0，N1	M0
		T，Nに関係なく		M1

（文献1をもとに作成）

文献

1）日本泌尿器科学会，他，編：副腎腫瘍取扱い規約．第2版．金原出版，2005．

第5章 副腎疾患

12 糖質コルチコイドの代謝
AME 症候群

Key Question

胎児を母体の高コルチゾール状態から守るために大事な酵素はどれか。

- **A**：21-OHase
- **B**：17α-OHase
- **C**：16α-HSD2
- **D**：11β-HSD2
- **E**：11β-OHase

Answer

D

解説

　胎児を母体の高コルチゾール血症から守るために大切な酵素はいずれかということであるが，胎盤から11β-HSD2（11β-ヒドロキシステロイドデヒドロゲナーゼ Type 2）が多く発現していることを知らなくても，副腎ホルモンの不活性化はどのようにしてなされるか知っておくべきという出題者の意図である。

　実際の試験問題の選択肢では，先天性副腎皮質過形成（CAH）の原因遺伝子がコードしている酵素の11β-OHase とひっかけさせる，なかなか意地悪な問題である。

　CAH を考える際のコルチゾール代謝のうち，本章9節のように合成＝同化についてはよく教科書に記載されているが，分解＝異化についても詳しく知っておくべきである。

Key Lesson

□糖質コルチコイド（コルチゾール）
　①分泌量：15～30mg/日（8～10mg/日/m²）
　②コルチゾール代謝（異化＝分解）の主たる酵素 ➡ 11β-HSD2
　③11β-HSD の isoforms：11β-HSD1 と 11β-HSD2
　　・11β-HSD1：肺や肝を含む血管，脂肪など多くの組織で発現している。細胞内で不活性のコルチゾン ➡ 活性型のコルチゾールにする変換酵素。
　　・11β-HSD 2：水・電解質代謝に関与する腎臓（尿細管上皮），大腸，唾液・汗腺，胎盤などに発現している。細胞内で活性型のコルチゾール ➡ 非活性型のコルチゾンにする変換酵素。

12 糖質コルチコイドの代謝　AME 症候群　235

□電解質コルチコイド（アルドステロン）
　①分泌量（正常食塩摂取の場合で）：20〜250mg/日
　②アルドステロンは肝臓を1回循環すると70%以上代謝される。
□副腎男性ホルモン：アンドロゲン
　①主たる副腎男性ホルモン➡DHEA and DHEA-S
　②DHEAは17-KSの主原料（男性の尿中17-KSの2/3，女性ではそのほとんどを占める）

知識の整理

▶AME症候群（ミネラルコルチコイド過剰様症候群）の病態

①常染色体劣性（遺伝性の場合）

②$11\beta$-HSD2遺伝子の異常による。

③$11\beta$-HSDはコルチゾールを不活性のコルチゾンに代謝する酵素でこの作用により，コルチゾールがミネラルコルチコイド受容体（MR）へ結合してしまうのを防いでいる。AME（apparent mineralocorticoid excess）症候群では腎尿細管でのこの酵素の機能低下によりコルチゾールがMRに結合して，過剰な電解質コルチコイド作用を発揮することにより生じる。低カリウム血症，低レニン性高血圧でミネラルコルチコイド過剰を想起したにもかかわらず，アルドステロンが低いときに考える疾患である。

④乳児期に発症する。多くは子宮内発育遅延で低出生体重児として出生する。

⑤成長障害，高血圧，低カリウム血症，多飲・多尿をきたす➡本症の高血圧はDEXで抑制され，ACTHまたはコルチゾールで増悪する。

⑥PACは低下，血漿ACTHは正常。尿中コルチゾール代謝産物が増加し，コルチゾン代謝産物は減少する。

⑦甘草・グリチルリチン製剤による偽アルドステロン症は，後天的AME症候群である。

単一遺伝子の異常によって生じる稀な遺伝性高血圧である。11β-HSD2の異常によって発症する。コルチゾールの代謝が遅延し，コルチゾールが電解質コルチコイド受容体に作用し，電解質コルチコイド過剰症（AME）と同様の病態を示す。一般的には，漢方薬やグリチルリチン製剤使用中に，高血圧，低カリウム血症をみた場合に生じる薬剤性AME症候群が挙げられる。11β-HSD2についてはAMEを考える上で重要である。

コルチゾールとアルドステロンはどちらも電解質コルチコイド受容体に親和性があるが，通常ではアルドステロンしか作用しないのはなぜか？

アルドステロンのみが電解質コルチコイド作用を主に発揮する理由について，アルドステロン受容体にはアルドステロンだけではなく，コルチゾールも同程度に結合する。アルドステロンより濃度の高いコルチゾールと結合してアルドステロン作用を示すことを避けるため，腎臓や大腸などの腸管などにあるアルドステロンの標的細胞内には11β-HSD2という酵素があり，コルチゾールを電解質コルチコイド受容体に結合できないコルチゾンに変換し不活化している。その結果アルドステロンのみが電解質コルチコイド作用を発揮する（**表1**）[1]。

表1 副腎皮質ホルモンの分泌量と活性

副腎皮質ホルモン	分泌量（mg/日）	糖質コルチコイド活性	電解質コルチコイド活性
コルチゾール	15〜20	1	1
コルチコステロン	2〜5	0.3	15
アルドステロン	0.05〜0.15	0.3	3,000

（文献1より引用）

▶後天性 AME 症候群

偽性アルドステロン症のことである（☞5章2節参照）。

グリチルリチンという肝炎の治療薬や，漢方薬に含まれる甘草の成分によって 11β-HSD2 が抑制されると，血中濃度の高いコルチゾールが電解質コルチコイド受容体に結合して作用することになり，AME が発症する。

11β-HSD には2種類あるの？

11β-HSD の isoforms：11β-HSD1 と 11β-HSD2

①11β-HSD1：肺や肝を含む血管，脂肪（皮下脂肪より内臓脂肪に多く発現）など多くの組織で発現している。細胞内で不活性のコルチゾン➡活性型のコルチゾールにする変換酵素。

②11β-HSD2：水・電解質代謝に関与する腎臓（尿細管上皮），大腸，唾液・汗腺，胎盤などに発現している。細胞内で活性型のコルチゾール➡非活性型のコルチゾンにする変換酵素。

文献

1）脂質と血栓の医学：ステロイドホルモン
　　[http://hobab.fc2web.com/sub4-Steroid.htm]

12 糖質コルチコイドの代謝　AME 症候群

第5章 副腎疾患

13 Liddle症候群/Bartter症候群/Gitelman症候群

Key Question

症例：38歳男性。最近，脱力感が抜けないとのことで来院。
検査所見：150/83mmHg，低カリウム症を認める。PRA 0.1ng/mL/時，PAC 25pg/mLであった。

考えられる診断はどれか，2つ選べ。

A：Liddle症候群
B：Bartter症候群
C：Gitelman症候群
D：偽性アルドステロン症
E：原発性アルドステロン症

Answer

A，D

解説

　低レニン，低アルドステロンをまず見抜かなければならない。いくら基準値の範囲があるとはいえ，ある程度レニンと，アルドステロンの正常値は把握しておくべきというのがポイントである。Liddle症候群，Bartter症候群，Gitelman症候群は重要な疾患群（**表1**）なので，試験前は特徴のみ忘れないように整理しておく。高血圧の時点でB，Cは除外できる。そうすると，高アルドステロンであるEは除外されるので，A，Dが正答である。

A：低レニン，低アルドステロンで高血圧となる。
B：Bartter症候群は高血圧にならない。
C：Gitelman症候群は高血圧にならない。
D：低レニン，低アルドステロンで高血圧となる。
E：低レニン，高アルドステロンで高血圧となる。

表1 Liddle症候群，Bartter症候群，Gitelman症候群の特徴

	Bartter症候群	Gitelman症候群	Liddle症候群
遺伝	常染色体劣性	常染色体劣性	常染色体優性
障害チャネル	Na-K-2Cl（遠位尿細管）	Na-Cl（DCT）	Na-K（集合管）
標的チャネルの利尿薬	フロセミド	サイアザイド	
血清K	低	低	低
代謝性アルカローシス	○	○	○
血圧	低～正常	低～正常	高
尿中Ca	高	低	正常
血中Mg	正常	低	正常
好発年齢	新生児（1，2，4型）乳児～幼児期（3，5型）	幼児～成人	10歳代（若年）

Key Lesson

○レニン・アルドステロンの大まかな正常値を確認しておくことで，高または低レニン-高または低アルドステロンかどうかを見抜く必要がある。

レニン，アルドステロンの正常値は？

①アルドステロン値（PAC）
　随時：35～240 pg/mL
　臥位：29.9～159 pg/mL
　立位：38.9～307 pg/mL
②レニン活性値（PRA）
　臥位：0.3～2.9 ng/mL/時
　立位：0.3～5.4 ng/mL/時
③アルドステロン/レニン活性比（ARR）：200以下

知識の整理

▶偽性アルドステロン症

偽性アルドステロン症（薬剤性 AME 症候群/後天性 AME 症候群）は，高血圧，低カリウム血症，代謝性アルカローシス，低カリウム血性ミオパチーなどの PA 症様の症状・所見を示すが，PRA，PAC がむしろ低下を示す症候群である。甘草あるいは肝炎で使用されるグリチルリチンを有効成分として含有する医薬品の服用で生じるものが主体だが，電解質コルチコイド作用を有するほかの医薬品によるものや，Liddle 症候群，AME 症候群（☞ 5 章 11 節参照），CAH，11-デオキシコルチコステロン産生腫瘍などを含めることもある。低カリウム血症にもかかわらず，尿中 K 排泄量が 30 mEq/日以上となる。医薬品の副作用で生じた場合，血漿 DOC 濃度は正常である。

▶Liddle 症候群

①常染色体優性の遺伝性疾患。

②低 K，代謝アルカローシス，高血圧➡原因は ENac の獲得型突然変異。ENac は腎皮質集合尿細管（遠位尿細管）の上皮性 Na チャネル。

③先に高血圧がくるので，低レニン，低アルドステロンとなる➡偽性アルドステロン症。

④本症では，ENac の β と γ のサブユニットの異常が確認されている。

⑤腎皮質細胞内の Nedd4-2 蛋白質が ENac の発現量を規定している。

⑥Nedd4-2 は細胞膜上の ENac に結合し，細胞内へトランスロケーションさせるのだが，Liddle 症候群ではこの会合が阻害されるので，ENac が細胞膜上に発現しつづけることで，Na 再吸収 K 排泄が持続してしまう。

⑦鑑別疾患は重要で，偽性アルドステロン症（グリチルリチン過量内服を指すことが多い），Cushing 症候群，AME 症候群，副腎性器症候群，DOC 過剰などがある。

⑧治療➡食塩摂取制限，トリアムテレン（100～300 mg/日）かアミロライドなどである。

➡スピロノラクトンの効果がないことや，食塩感受性高血圧であり，塩分制限が重要である。

▶ Bartter 症候群（ループ利尿薬で同じ病態）

①基本は常染色体劣性の遺伝性疾患➡現在 1～5 型まであり，1～4 型は常染色体劣性。

②低カリウム血症（通常 K 2.5 mEq/L 以下），低クロール性代謝アルカローシス（通常 HCO_3^- 30 mEq/L 以上），低血圧，PRA 上昇，PAC 上昇。

③高カルシウム尿症➡尿中 Ca は正常上限の 2 倍以上程度のことが多い。エコーで腎石灰化（末期腎不全のリスク）。

④高プロスタグランジン尿症➡低カリウム血症の刺激によりプロスタグランジン産生が亢進する。

⑤典型的な 1 型の原因遺伝子が *SLC12AJ* で，原因蛋白質が NKCC2 である。
症状がフロセミド投与の副作用に類似していることから，その作用点である Henle 係蹄の太い上行脚（TAL）のイオンチャネルである NKCC2（NaK2Cl 共輸送体）の障害が推定されている。減量目的や精神疾患で利尿薬フロセミド多用する患者の病態を考える上で重要なため，Bartter 症候群では 1 型が特にピックアップされるが，2～5 型は原因遺伝子も原因蛋白質も異なり，2 次的に NKCC2 を阻害していることに注意する。
試験対策のために 2～5 型を覚える必要はないが，二次的に NKCC2 を阻害する原因として ROMK（ATP 感受性 K チャネル），ClC-Kb（ATP 感受性 Cl チャネル），Barttin 蛋白質異常（感音性難聴を伴う），CaSR の活性型変異（Ca 感知受容体）などをキーワードとして，頭の片隅に置いておくこと。

• 新生児型 Bartter 症候群（1，2，4 型）
胎児多尿のために羊水過多・早産などの周産期異常。外観上で三角顔などの特徴を呈する。出生後も多飲多尿が続き，低カリウム血症による筋力低下・四肢麻痺を引き起こす。
著明な高 Ca 尿から腎石灰化を引き起こし，小児期に末期腎不全に至る例もみられる。

• 古典型 Bartter 症候群（3，5 型）
発症年齢が Gitelman 症候群と重なるため鑑別が重要である。新生児型よりは軽症である。乳児期から幼児期にかけて体重増加不良，成長障害などを伴う。感冒

や胃腸炎の際には脱水症状を呈しやすく（腎における水分の保持能が十分でないため），低カリウム血症に伴う代謝性アルカローシス，テタニーや脱力に加え，嘔吐などの消化器症状を伴う。Bartter 症候群が成長障害をきたすのは，低カリウム血症が成長ホルモン抑制をきたすためと言われている。

⑥急性期の治療は低カリウム血症と脱水の補正が最も重要である。
- RAA 系抑制のためのアルドステロン拮抗薬や ACE 阻害薬。
- プロスタグランジン合成を抑制するプロスタグランジン合成阻害薬（インドメタシン）なども治療に使用する。
- 本症の患者は通常より比較的低カリウム血症の傾向があり，標準値への補正を必ずしも要しないこともある。
- 維持療法としては経口カリウム製剤のほか，Bartter 症候群では，インドメタシンの投与は症状改善に有効と考えられ，多くの症例に使用されている。これは本症の病態にプロスタグランジンが強く関与しているためである。
- インドメタシンはシクロオキシゲナーゼを阻害することによりアラキドン酸からのプロスタグランジン産生を抑制し，結果的に Cl 喪失の悪循環を抑えると考えられる。しかし副作用の腎障害には留意を要する。

⑦鑑別で重要なのは Gitelman 症候群と偽性 Bartter 症候群である。
　実際の診療で，偶然の検査や筋力低下・しびれ脱力感から低カリウム血症・代謝性アルカローシスが認められた際，Bartter 症候群または Gitelman 症候群はかなり稀であり，偽性 Bartter 症候群である神経性食欲不振症（AN），慢性の下痢，習慣性嘔吐，利尿薬の長期投与がないことを確認する。PRA の高値，PAC の増加，低カリウム血症・代謝性アルカローシス，正常ないし低血圧，アンジオテンシンⅡに対する昇圧反応の低下，腎糸球体で傍糸球体装置の過形成を証明する，などの確認を行う。慢性の下痢，習慣性嘔吐であれば尿中の塩素排泄量（尿中 Cl⁻）が低下しているため判別できる。利尿薬を乱用するとまったく同じ検査所見になるので問診や尿中の薬物濃度などでしか判別できない。

⑧予後として新生児期からの症状の重篤度・治療介入により成長・発達は様々で，基本的には成長障害のある例が多い。生涯，カリウム製剤の補充が必要である。原疾患による腎不全への進展のほかに，治療で用いるインドメタシンにも腎障害があり，腎予後に関しては慎重な経過観察を要する。

⑨フロセミド負荷をしても，Bartter 症候群では Na 排泄率は上昇しない。

▶Gitelman 症候群（サイアザイド系利尿薬で同じ病態）

①常染色体劣性の遺伝性疾患。
②低カリウム血症，低クロール性代謝性アルカローシス，低 Ca 尿。
　原因遺伝子が SLC12A3 で，原因蛋白質は遠位尿細管のサイアザイド感受性 Na-Cl 共輸送体（NCCT）である。
③低マグネシウム血症，低 Ca 尿が特徴とされ，症状がサイアザイド系利尿薬投与の副作用に類似していることから，その作用点である遠位尿細管の NCCT の障害が推定。低マグネシウム血症は多くの患者の存在するが全例にではない。
　Gitelman 症候群は機能障害部位が緻密斑（macula densa）より遠位で尿細管全体からみて Na，Cl の再吸収を担う割合も比較的少ないことから，Bartter 症候群に比べて軽症であると考えられる。
④低カリウム血症，脱水，低マグネシウム血症の補正が最も重要である。RAA 系抑

制のためのアルドステロン拮抗薬や ACE 阻害薬。低マグネシウム血症には酸化マグネシウム投与するが，正常化しなくともテタニーや関節痛発作が改善すれば十分とされる。

⑤鑑別は，Bartter 症候群で，古典型 Bartter 症候群と特に症状・所見がオーバーラップすることが多い。学童期から成人にかけてテタニー・筋力の低下などで発症するが，健診などで偶然発見されることもある。基本的には成長・発達は正常。

⑥予後として Gitelman 症候群は基本的に良性疾患と考えられ，通常の社会生活を営んでいる患者が多い。しかし QOL 低下や，心電図で QT 延長がある例も多く，より慎重な経過観察・加療を必要とする。

⑦Bartter 症候群も Gitelman 症候群も Na 再吸収障害による多尿から腎血流量は減少となり，RAA は亢進する。代償的に集合管ではアルドステロン依存的に Na 再吸収亢進が起こるが，Na^+と交換でK^+・H^+は尿中に排泄されてしまうために低カリウム血症・アルカローシスとなる。PRA 高値にもかかわらず，血圧が正常なのは循環血漿の減少傾向とプロスタグランジンの作用のためと考えられている。

⑧プロスタグランジンは炎症に関与し，様々な生理活性を持つ物質であり，TAL で NaCl の分泌を促進する作用がある。

⑨サイアザイド負荷をしても，Gitelman 症候群では Na 排泄率は上昇しない。

Picking Tool

〈低カリウム血症および代謝性アルカローシスをきたす Bartter 症候群と Gitelman 症候群の鑑別〉

B は小児発症で成長障害（＋），高カルシウム尿症，フロセミドに類似
G は成人発症で成長障害（−），低カルシウム尿症，サイアザイドに類似
Bartter の B は Boy の B だから少年期発症。成長障害があるので尿中に Ca 喪失大量
➡ 高カルシウム尿症
Gitelman だから成人（gentleman）発症。成長障害ないから，尿中への Ca 喪失も少ない ➡ 低カルシウム尿症
小児は **風呂** が好きだが，成人はメンドク **サイ** からシャワーですませる（笑）。
　　　　フロセミド　　　　　　　　　サイアザイド

第5章　副腎疾患

14 腎血管性高血圧

Key Question

設問なし：『New 専門医を目指すケース・メソッド・アプローチ 内分泌疾患』（第3版）CASE 22 を解くことを勧める。

Key Lesson

○腎血管性高血圧は褐色細胞腫や PA などレニン変動疾患との鑑別が重要である。
○ ACE 阻害薬や ARB により急速に腎機能低下を生じる場合があり，注意が必要である。
○腎血管性高血圧の分類の特徴をおさえておく。

知識の整理

▶腎血管性高血圧

腎血管障害に伴う高血圧であり，腎血流が何らかの原因で低下し，全身が低血圧状態にあると勘違いした腎臓の傍糸球体装置がレニンを分泌して，RAA 系が亢進して高血圧になる病態（高レニン高アルドステロン）（**図1**）。

1. 頻度

すべての高血圧の 0.5〜1.0% と低い。

2. 治療—内服薬の注意点は？

①経皮血管形成術（血行再建術）が，線維筋性過形成では第一選択であり，85%改善する。粥状動脈硬化では，症例ごとに慎重に適応を検討する。
②内服薬では Ca 拮抗薬を使う。片側性であれば，レニンを抑える上で ARB や ACE 阻害薬は有用である。しかし，腎血流が少ない（腎虚血）ため，両側狭窄や単腎狭窄の場合は禁忌である。片側性でも高度狭窄の場合では腎虚血が進むため，少量から投与し，腎機能をモニターしながら漸増する。
③腎虚血の観点から利尿薬は禁忌である。

図1 腎臓の構造

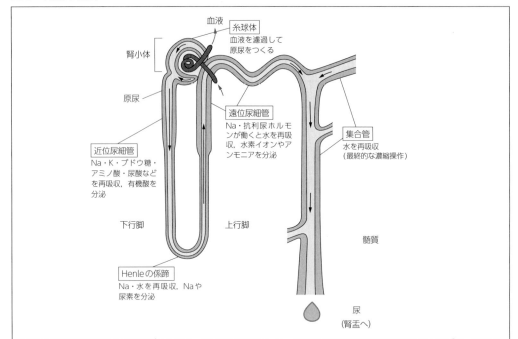

腎臓の皮質にある腎小体で原尿がつくられ，原尿は尿細管に入る。尿細管の初めの部分は近位尿細管と呼ばれ，原尿中の水とNa 65〜90％がここで再吸収される。また，ここで糖やアミノ酸などの再吸収が行われる。これに続く部分は細くなり，Henleの係蹄と呼ばれる。次に尿細管は再び太さを増し，遠位尿細管と呼ばれ，水やNaの再吸収を行う。

3. 分類

アテローム性動脈硬化，線維筋性過形成が38〜40％ずつで70〜80％を占める。また日本では大動脈炎症候群が15％と比較的多い。
①アテローム性動脈硬化：50歳以上の男性に多く，腎動脈近位1/3に好発。両側性が多い。
②線維筋性過形成：50歳以下の女性に多く，腎動脈遠位2/3に好発する。
③大動脈炎症候群：20歳代の女性に多く，腎動脈極近位（起始部）に好発する。

4. 片側性と両側性の違い

片側だけ閉塞していると，反対の腎臓が代償するため，反対の腎臓からNa圧利尿で大量に尿が出る➡体液量は減少したまま一定なので，レニン亢進はそのままで減弱しない。
両側閉塞していると，初期はレニンが出るが尿排泄ができない➡体液量が増えてRAAは抑制される。
もちろん片側だけ閉塞している場合でも，もう一側の腎臓が高血圧腎障害➡腎不全を起こしていた場合は同様の所見になる。

5. スクリーニング検査

臨床所見の腹部血管雑音は特徴的であるが，感度・特異度ともに高くない。

カプトプリル試験

カプトプリルはACE阻害薬である。アンジオテンシンⅡ濃度を減少させレニンの分泌を促す。

腎臓のGFRがさらに低下する＋患側腎臓からレニンが過剰分泌 ➡ PRA値が，以下のすべてを満たせば陽性である。

①服用後1時間で，12 ng/mL/時以上
②基礎値より10 ng/mL/時以上の増加
③基礎値より1.5倍以上増加する（基礎値が3 ng/mL/時未満であれば4倍以上の増加）

両側性や単腎であればしばしば偽陰性になることがあるので注意する。

カプトプリル負荷レノグラム・レノシンチグラフィ

『New専門医を目指すケース・メソッド・アプローチ 内分泌疾患』（第3版）CASE 22を参照。

腎血流を反映するレノグラム，GFRを反映するレノシンチグラフィである。カプトプリル服用で感度・特異度が90％以上となる。

画像検査

腹部エコー，造影ヘリカルCT，MRAが有用である。

6. 確定診断

腎動脈造影

ゴールドスタンダードの検査として，治療法の選択や治療効果予測に重要である。以下①～③を重要視する。

①腎動脈75％以上の狭窄があるか。
②狭窄後拡張が存在しているか。
③側副血行路が存在しているか。

腎静脈レニン測定

片側か両側か，またどちらのほうが狭窄しているかの機能的確定診断として用いられる。

経皮経静脈的に左右腎静脈採血を行う。左右でのPRA比が1.5倍以上であれば，高値側に狭窄があると判定される。

第6章

性　腺

　内分泌代謝科専門医試験は，内科，小児科，産婦人科とあり，性腺（特に女性関連）は産婦人科の試験で多く出題される。内科では性腺ホルモンの基礎知識，男性の性腺機能低下症，代謝障害も伴う PCOS などが問われる。

第6章 性　腺

1 性腺関連ホルモン

Key Question

性腺関連ホルモンについて誤っているものはどれか。

A：レプチンは GnRH 分泌を活性化する。
B：キスペプチン末梢投与は GnRH 分泌を調節する。
C：GnRH 分泌パルス高頻度のほうが低頻度より FSH を優位に刺激する。
D：インヒビン A は黄体期に，インヒビン B は卵胞期に分泌が最大となる。
E：インヒビンは LH に作用し，卵胞成熟に関与している。

Answer

C

解説

A：栄養状態と性機能は密接に関係している。低栄養状態ではレプチン作用の低下により食行動と代謝が促進される。同時に，レプチンは GnRH 分泌調節作用を併せもっており，低下すれば GnRH 分泌が抑制される。体重減少性無月経の機序の解明につながっている。

B：これまで調べられた多くの動物種において，キスペプチンの末梢投与により GnRH の分泌が強く刺激されると言われている。

C：正常妊婦において，卵胞期初期には GnRH は比較的低頻度のパルス状に分泌され，FSH が優位に上昇して卵胞を刺激，卵胞を発育させ，エストロゲン合成を促進する。その後排卵が近くなると GnRH 分泌は高頻度パルス状に変化して LH を優位に増加させる。

D：インヒビン A は黄体期中に，インヒビン B は卵胞期中にピークとなる。

E：インヒビンは，卵胞数の情報担体であり，FSH 分泌量の調節因子として作用し，FSH の分泌量を介して，卵胞成熟が調節される。

Key Lesson

○脊椎動物においては，視床下部から GnRH が分泌され，GnRH の作用により脳下垂体から生殖腺刺激ホルモンであるゴナドトロピン（LH, FSH）が分泌され

る。LHは黄体形成ホルモン，FSHは卵胞刺激ホルモンである。そして，LHまたはFSHにより生殖腺から性ステロイドホルモンが分泌される。この性ステロイドホルモンが脳に達してGnRH分泌量を調節することにより，生殖腺機能の恒常性が神経・内分泌的に保たれる。

知識の整理

▶ゴナドトロピン（LH, FSH）

1. LH

LHは，①成熟した卵胞（グラーフ卵胞）に対して排卵を促す，②排卵後の卵胞に対して黄体化を促すといった作用をもつ。黄体化が起こることによって，卵胞ホルモン（エストロゲン）に加えて，妊娠維持に必要なホルモンである黄体ホルモン（プロゲステロン）が分泌されるようになる。卵胞発育に対してはFSHの補助的役割を担うと考えられている。

排卵およびプロゲステロン分泌（黄体化）を促すのはLHである。

脳下垂体からのLH，FSHは卵巣を刺激し，卵巣には周期的変化が生まれ，卵胞・黄体どちらからも放出されるエストロゲンと，黄体からのみ放出されるプロゲステロンの2種類の女性ホルモンが，図1・2に示したような周期性変化を示す。

図1　卵巣周期的変化

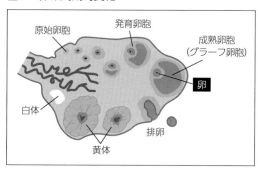

図2　正常ホルモン状態

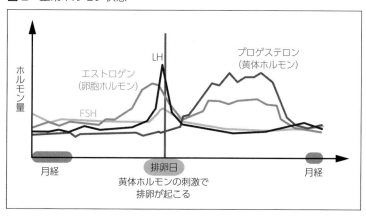

2. FSH

卵胞発育のメインは FSH である。

①卵巣に存在する卵胞（卵を取り囲んで卵の発育を補助する胞状体）を刺激して発育を促す，②卵胞が発育することによって卵が成熟し，同時に卵胞ホルモン（エストロゲン）も増量するといった作用をもつ。

インヒビン

インヒビンは，卵胞数の情報担体であり，FSH 分泌量の調節因子として作用し，FSH の分泌量を介して，発育卵胞数が調節される（卵巣に作用して卵胞数を増加させる主要なホルモンは FSH である）。

インヒビン A：黄体期中にピークとなる。

インヒビン B：卵胞期中にピークとなる。

人間は，平均 28 日周期で排卵を繰り返す単排卵動物であり，他の動物と異なり，黄体がインヒビンを分泌することが知られている。

血中インヒビン B 濃度は卵胞期に高いのに対し，インヒビン A 濃度は黄体期に高く，インヒビン A とインヒビン B が異なった分泌パターンを示している。これまでの報告とも考え合わせると，ヒトでは卵胞が主としてインヒビン B を分泌し，黄体は主としてインヒビン A を分泌すると考えられる。

▶ GnRH のパルス分泌と LH，FSH の関係

下垂体ゴナドトロピンである LH および FSH は主として視床下部から分泌される GnRH により制御されている。視床下部から分泌された GnRH は，その分泌パターンを変化させることで LH および FSH を特異的に下垂体ゴナドトロピン産生細胞より合成・分泌させる。

卵胞期初期：GnRH は比較的低頻度のパルス状に分泌 ➡ FSH が LH よりも優位に上昇して卵胞を刺激・発育させ，エストロゲン合成を促進する。

排卵前：GnRH は高頻度パルス状に変化して分泌 ➡ LH を FSH よりも優位に増加させる。

排卵直前：エストロゲン上昇に伴うポジティブフィードバック機構が LH サージをもたらす ➡ 排卵を誘発する。

その後，LH または FSH により生殖腺から十分な性ステロイドが分泌されると，ネガティブフィードバック機構により GnRH 分泌あるいはゴナドトロピン分泌が制御される。

男性の場合は，LH による Leydig 細胞刺激でテストステロン産生，FSH による Sertoli 細胞の刺激で精子形成が維持されている。

1. キスペプチン

最近では，視床下部 GnRH 自体の分泌を制御する新規ペプチドであるキスペプチンが発見され，GnRH のパルス分泌あるいはサージ分泌を制御する機構が解明されつつある。

①視床下部が合成するペプチドである。

②*KISS1* 遺伝子の産物で，約 54 個のアミノ酸からなる。

③癌の転移（metastasis）抑制因子として 2001 年に発見され，メタスチン（metastin）と呼ばれていた。メタスチンが脳下垂体からの生殖腺刺激ホルモンの強力な分泌促進作用をもち，思春期の開始に重要であることが報告され，生殖神経内分泌分野でにわかに注目を浴びはじめた。

④生殖腺機能の恒常性
- 視床下部から GnRH が分泌
- GnRH ➡ ゴナドトロピン（LH または FSH）が分泌
- LH または FSH により生殖腺から性ステロイドホルモンが分泌
- 性ステロイドホルモンが脳に達して GnRH 分泌量を調節する

⑤上記④の脳内生殖制御回路において，キスペプチン産生ニューロン（Kiss1 ニューロン）は，血中の性ステロイド濃度情報を GnRH ニューロンに伝える重要な働きをするとされる。

キスペプチンと体重減少性無月経の関連

脂肪組織からレプチンが産生され，Kiss1 ニューロンを活性化させる。

Kiss1 ニューロンは，GnRH ニューロンの働きを促進させ，最終的に生殖機能が活性化する。

①やせて脂肪が極度に減少 ➡ レプチン↓ ➡ Kiss1 ニューロン活性↓ ➡ GnRH ニューロン活性↓ ➡ GnRH パルスの消失 ➡ LH/FSH 分泌↓ ➡ 卵胞発育障害 ➡ 月経異常/無月経。

②体重減少性無月経は体重が回復しても，30％は無月経が続き，GnRH 分泌も減少する。

第6章

性腺

第6章 性　腺

2 性腺機能低下症
原発性と続発性の様々な違い

Key Question

症例：30歳男性。挙児希望。2年間夫婦で妊娠を試みてきており，不妊の可能性について精査目的で来院した。パートナーは全身評価にて異常はなかった。患者は軽度のリビドー減退を訴えており，仕事でのストレス増大が原因であると考えている。

身体所見：バイタルサインは正常で，BMIは28である。思春期は正常に発来し，陰毛分布も問題はない。睾丸容積は両側ともやや減少しているが，そのほかに特記事項はない。

検査所見：AST 22 U/L，ALT 15 U/L，BUN 11 mg/dL，Cr 0.47 mg/dL，Na 140 mEq/L，K 4.1 mEq/L，Cl 107 mEq/L，LH＜0.2 mU/mL（1.7～8.6），FSH＜1.0 mU/mL（1.5～12.4），総テストステロン 3.36 ng/mL（2.01～7.50），TSH 0.01 μU/mL，FT₄ 1.15 ng/dL，PRL 1.1 ng/mL，ACTH＜1.0 pg/mL，コルチゾール 1.6 μg/dL，GH＜0.10 ng/mL，IGF-I 24 ng/mL。

診断検査のアプローチとして有用でないものはどれか。

A：hCG負荷試験
B：遊離テストステロン測定
C：LHRH負荷試験
D：精巣エコー
E：核型分析

Answer

E

解説
患者は，テストステロン，FSH，およびLHを含む下垂体前葉ホルモン基礎値の血清濃度が低く，中枢性性腺機能低下症が原因である可能性がある。
A：原発性精巣機能障害および続発性精巣機能障害の鑑別に重要である。
B：骨肥満，インスリン抵抗性，高齢などの所見があれば，SHBG濃度の異常を引き起こすため，血清総テストステロン濃度は疑わしいものとなり，遊離テストステロン量が性腺機能低下症の指標としてより好ましいものとなる。
C，D：原発性精巣機能障害および続発性精巣機能障害の鑑別に重要である。
E：核型分析は，原発性性腺機能低下症でゴナドトロピン濃度が増加している患者において，Klinefelter症候群などの可能性を除外する際に有用であるが，本症例では考えにくい。

Key Lesson

○性腺機能低下症を疑った場合は，血中性ステロイド（男性はテストステロン，女性はエストラジオール）およびゴナドトロピン（LH, FSH）を測定する。LHRH負荷試験（GnRH負荷試験）も必要である。

○ゴナドトロピンはGnとも表記され，原発性性腺機能低下症は高ゴナドトロピン性性腺機能低下症，続発性性腺機能低下症は低ゴナドトロピン性腺機能低下症と呼ばれる。

○下垂体性と視床下部性を鑑別する場合，GnRH 1回注射で，血清LH, FSHが高反応なら高Gn性，低反応なら低Gn性である。連続注射や長時間持続静注で行う場合もあり，低Gn性で視床下部性であれば下垂体が正常なので，正常に近い反応がみられるようになるが，下垂体性では低反応〜無反応のままである。

○また男性では，hCG負荷試験で血清テストステロンに反応がみられない場合は原発性性腺機能低下症であり，増加するなら続発性性腺機能低下症である。女性ではhCG試験は卵巣過剰刺激症候群のリスクもあり，内科では行わない。

□続発性性腺機能低下症（低Gn性）
下垂体機能はLHRH試験（連続注射や長時間持続静注試験もある），視床下部機能はクロミフェン負荷試験にてチェックする。

□原発性性腺機能低下症（高Gn性）鑑別のための負荷試験
hCG負荷試験にてチェックする。

知識の整理

▶ 性腺ホルモン負荷試験

LHRH負荷試験（GnRH負荷試験），hCG負荷試験，クロミフェン試験などがある。

1. LHRH負荷試験（GnRH負荷試験）

ゴナドトロピン刺激ホルモンであり，下垂体の機能異常を検出する。
①下垂体を刺激して性腺刺激ホルモンを放出させる。
②LHRHを静脈注射して120〜180分の間血中FSH, LHを測定する。
③FSH, LHを放出する下垂体の機能を検査する。
　・下垂体に障害があれば➡FSH, LHの値は正常値より低い。
　・下垂体機能が正常ならば➡FSH, LHの値は正常値より高い。

たとえば，女性の無月経は実臨床でもよく遭遇するが，視床下部性か下垂体性かを鑑別する際，LH, FSHが正常もしくは低値の場合によく行われる。なお，無月経の重症度判定には，プロゲステロン負荷試験，エストロゲン・プロゲステロン負荷試験を行い，第1度無月経か第2度無月経かを判断する。

2. hCG負荷試験

ヒト絨毛性性腺刺激ホルモンであり，性腺機能異常を検出する。
①LH作用があり，Leydig細胞を刺激し，男性ホルモンであるテストステロンを産生する。

②hCG 3,000〜5,000 単位を 3〜7 日間連続して筋肉注射を行い，連日または負荷前後に血中テストステロン濃度を測定して Leydig 細胞の機能を検査する。
③原発性精巣機能障害 ➡ テストステロン濃度は正常値より低い。
④続発性精巣機能障害 ➡ 負荷前の低値がしだいに増加して正常値またはそれ以上。
⑤正常な場合 ➡ 負荷後の値はテストステロン濃度の負荷前値より 2〜4 倍上昇。

3. クロミフェン試験

抗エストロゲン作用をもつクロミフェンは，視床下部異常を検出する。
①視床下部へのフィードバックを遮断させ，FSH，LH 分泌量を測定する。
②クロミフェンを 50〜100 mg を 7 日間連続経口投与して，投与前後の FSH，LH 分泌量を測定する ➡ FSH が 1.5 倍上昇，LH が 2 倍上昇になれば正常反応である。

Key Question

低ゴナドトロピン性性腺機能異常（続発性性腺機能低下症）を引き起こす疾患はどれか，2 つ選べ。

A：Prader-Willi 症候群
B：Kallmann 症候群
C：McCune-Albright 症候群
D：Marfan 症候群
E：Russel-Silver 症候群

Answer

A，B

解説

A：Prader-Willi 症候群は小児期および青年期の肥満，筋緊張低下，精神遅滞，および低ゴナドトロピン性性腺機能低下が特徴である。
B：Kallman 症候群は視床下部 GnRH の欠乏による低ゴナドトロピン性性腺機能低下を特徴とする。
C：McCune-Albright 症候群は多骨性線維性異形成，思春期早発およびカフェオレ色素斑の 3 徴が特徴である。時間とともに他の合併内分泌異常が認知されてくる ➡ 甲状腺機能亢進症，GH 過剰，FGF23 性 P 喪失，Cushing 症候群など。
D：Marfann 症候群はフィブリンと弾性線維の先天異常症による結合組織病であり，大動脈，網膜，硬膜，骨などの形成異常を引き起こすが，性腺機能異常は呈さない。
E：Russel-Silver 症候群は子宮内発育遅延および出生後の成長不良が特徴である。一般的に，低身長，正常頭囲，特徴的顔貌，四肢左右非対称（罹患側の成長遅れによる片側肥大）がみられる。

Key Lesson

○性腺機能低下症は，原発性と続発性に分けられる。原発性（高ゴナドトロピン性）の，Turner 症候群，Klinefelter 症候群は確実に記憶すること。
□原発性（高ゴナドトロピン性）
　Turner 症候群/Klinefelter 症候群など
□続発性（低ゴナドトロピン性）
　Kallman 症候群/Laurence-Moon-Biedl 症候群，Prader-Willi 症候群，神経性食欲不振（体重減少性無月経）

▶ 性腺機能低下症の鑑別

　　LHRH 試験で LH, FSH が，
　　高反応 ➡ 高ゴナドトロピン性
　　低反応 ➡ 低ゴナドトロピン性
である。低ゴナドトロピン性には視床下部性と下垂体性に分類される。
　性腺機能低下症を GnRH 試験で分けると，
　視床下部性：LH, FSH は正常に上昇反応 ➡ 低ゴナドトロピン〜正常，もしくは最初は低反応であるが，連続注射負荷試験や長時間持続静注試験すると反応が正常に近くなる。
　下垂体性：LH, FSH は低反応 ➡ 低ゴナドトロピン
　原発性：LH, FSH は高反応 ➡ 高ゴナドトロピン

1. 原発性（高ゴナドトロピン性）

　原発性性腺機能低下症では，精巣や卵巣などの性腺に原因があり，テストステロンやエストロゲン分泌低下からゴナドトロピンの上昇をきたす。
　Turner 症候群，Klinefelter 症候群，停留精巣，両側性無精巣症，Leydig 細胞無形成，Noonan 症候群，筋強直性ジストロフィーがある。

Turner 症候群

　女児において性染色体の一部に欠損がみられる染色体異常（45, XO）が原因で，卵巣に異常がみられる（約 20% に索状卵巣がみられる）。女性の原発性性腺機能低下といえば Turner 症候群であり，原発性無月経の原因として最も多い。

(1) 合併症

　翼状頸，外反肘は最もよくみられる特徴である。
　そのほかには，リンパ浮腫，中手骨短縮，小顎，大動脈縮窄，2 尖弁，馬蹄腎（重複尿管），中耳炎の高罹患率，糖尿病，橋本病，骨粗鬆症，高血圧などがある。

(2) 治療のポイント

　GH 分泌不全に関係なく，低身長（−1.5SD）であれば，低身長に対して GH 補充が有効である（投与前の GH 負荷試験は不要）。
　エストロゲン補充は 12〜15 歳くらいから開始し，3 年ほど経過して Kaufmann 療法を行うことが多い。

Klinefelter 症候群

①性分化異常で最も多い：1,000 人に 1 人（Turner 症候群は 2,000 人に 1 人）。
②染色体（47, XXY）の核型に関連した精細管異形成が原因。過剰な X 染色体が母方，少数例では父方の減数分裂での不分離により発生。
③ゴナドトロピン（LH，FSH）高値およびテストステロンの正常値下限～正常値以下。LHRH 試験で LH，FSH は高反応であるが，hCG 試験ではテストステロンに変化なく，原発性性腺機能低下（高ゴナドトロピン）と診断できる。
④男性不妊の 10～20％と言われている。
⑤女性化乳房は 85％にみられる。
⑥ Turner 症候群と同じく，甲状腺機能異常や糖尿病が合併しやすい。

治療

①二次性徴の維持：テストステロン補充（注射のみ）。
　なお，テストステロン補充は，前立腺癌，睡眠時無呼吸，赤血球増多症などには禁忌である。
②妊孕性の獲得（精子形成）：hCG＋rFSH（リコンビナント FSH）混合療法を行う。

その他

①停留精巣：一方または両方の精巣が下降しない。両方の停留では精子数はきわめて少なくなる。
②両側性無精巣症：精巣が出生前あるいは出生時に吸収消失される。
③ Leydig 細胞無形成：Leydig 細胞の先天性欠失である。
④ Noonan 症候群：皮膚過弾性，眼間開離，眼瞼下垂，耳介低位，低身長，第四中手骨短縮，高口蓋，および主に右側性の心血管系異常（例；肺動脈弁狭窄，心房中隔欠損）が特徴の先天性疾患である。精巣は小さいか停留していることが多い。

1. 続発性（低ゴナドトロピン性）

精巣や卵巣などの性腺を刺激する，視床下部または脳下垂体からの性腺刺激ホルモン低下によって引き起こされる。
汎下垂体機能低下症，視床下部下垂体腫瘍，ゴナドトロピン単独欠損症，Kallmann 症候群，Laurence-Moon-Biedl 症候群，体質性思春期遅発または早発，黄体形成ホルモン単独欠損症，Prader-Willi 症候群，Fröhlich 症候群，中枢神経系の機能的および後天性障害（例：外傷，感染），神経性食欲不振（体重減少性無月経），*GPR54* 変異（思春期調節）がある。

汎下垂体機能低下症（下垂体性性腺機能低下）

先天的な原因：中隔－視神経形成異常，Dandy-Walker 症候群。
後天的な原因：悪性新生物，血管障害，浸潤性疾患（サルコイドーシス，Langerhans 細胞組織球増加症），感染症（脳炎，髄膜炎），または外傷など。

Kallmann 症候群（視床下部性性腺機能低下）

嗅葉の無形成による嗅覚消失，および単独型 LH/FSH の欠乏による性腺機能低下を特徴とする。胎児の GnRH 神経分泌ニューロンが嗅板から視床下部へ移動しないことが原

因である。遺伝は，通常は伴性劣性遺伝（*KAL1* 変異）である。嗅覚異常，第二次性徴の欠如意外に，腎形態異常（片側無形成腎），口唇口蓋裂，鏡像運動，難聴などを伴う。

静脈性嗅覚検査（アリナミンテスト）をすることがある。においのついた薬液を静脈内に注射し，ニンニク臭（タマネギ臭）を感じるまでの時間（潜伏時間）と，感じてからにおいが消えるまでの時間（持続時間）を測定する。

Laurence-Moon-Biedl 症候群（視床下部性性腺機能低下）

肥満，精神遅滞（80％にみられる），網膜色素変性（90％にみられ，夜盲症が初発症状として多い），多指症，性腺機能低下症（75％にみられ，視床下部性）により特徴づけられる常染色体劣性遺伝性の先天性疾患である。

腎障害も高頻度に合併するといわれている。

Fröhlich 症候群〔視床下部・下垂体性性腺機能低下（先天性ではない）〕

頭蓋咽頭腫など腫瘍や，炎症，外傷などの器質性疾患による肥満と性器発育不全を特徴とする。

1900 年に Fröhlich（フレーリッヒ）により，頭痛・めまい・痙攣発作を主訴とする高度肥満の子どもを診察し，死亡後，病理解剖にて下垂体付近の腫瘍が視床下部を圧迫していることが報告されたため，名がついている。

思春期遅発（視床下部性性腺機能低下）

14 歳以上の男子において，思春期発達のみられないことが特徴である。典型的には小児期，青年期，またはその両時期に低身長を示すのが通常であるが，最終的には正常範囲に達する。診断は成長ホルモン分泌不全症，甲状腺機能低下症，その他の原因による低ゴナドトロピン性性腺機能低下症の除外による。ちなみに，思春期早発症は女児に多く，特発性が 70～90％占めるのに対し，男子は器質性が 60％を占める。当然骨端線が早く閉じて低身長になる。

GPR54 遺伝子変異（視床下部性性腺機能低下）

GPR54（G-protein coupled receptor 54）は，単独型 LH または FSH 分泌不全（idiopathic hypogonadotropic hypogonadism：IHH）家系における責任遺伝子であり，外因性のゴナドトロピンおよび GnRH に反応する。*GPR54* は思春期出現の調節因子とみなされている。

黄体形成ホルモン単独欠損症（下垂体性性腺機能低下）

男子における LH 分泌の単独欠損であり，FSH の値は正常である。思春期で精巣発育は正常である（精巣の大部分が精細管からなり，これが FSH に反応するため）。

精細管の成長が進行すれば精子形成は行われる。しかし，LH を欠くために Leydig 細胞の萎縮とテストステロンの欠乏が起こる。患者は正常な第二次性徴を示さず成長が続き，骨端が閉鎖しないために類宦官体型となる。

Prader-Willi 症候群（視床下部性性腺機能低下）

胎児活動の減少，幼児期の発育不全，小児期および青年期の肥満，筋緊張低下，精神遅滞，および性腺機能低下（視床下部性）により特徴づけられる。筋緊張低下（Hypotonia），性腺発育不全（Hypogonadism），知的障害（Hypomentia），肥満（Obesity）を 4 徴として，HHHO 症候群とも呼ばれる。

2 性腺機能低下症 原発性と続発性の様々な違い **257**

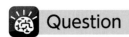# Question　　　　　　　　　　　　　鍵穴のマークは問題の難易度を示します。

Q1 性腺形成不全（高ゴナドトロピン性）での代表疾患はどれか，2つ選べ。

A：Prader-Willi 症候群　　　D：Laurence-Moon-Biedl 症候群
B：Kallmann 症候群　　　　 E：Turner 症候群
C：Klinefelter 症候群

正答💡 **C, E**

Q2 精神発達遅滞を<u>伴わない</u>（<u>低ゴナドトロピン性ではない</u>）疾患はどれか，2つ選べ。

A：Laurence-Moon-Biedl 症候群　　D：Prader-Willi 症候群
B：Fröhlich 症候群　　　　　　　　E：Kallmann 症候群
C：思春期遅発症

正答💡 **B, C**

解説
　Prader-Willi 症候群，Laulence-Moon-Biedel 症候群，Kallmann 症候群は，低ゴナドトロピン性の疾患である。視床下部異常であり，多くは肥満となるが，Fröhlich 症候群（精神発達遅滞は稀）は例外である。

Q3 **症例**：18 歳男性。第二次性徴の遅れが気になり来院。12 歳時，トルコ鞍上に進展する径 4cm の頭蓋咽頭腫摘出術を受けた既往あり。精神発達の遅れや知的異常は指摘されていない。術後 1 年頃から肥満傾向が出現し，徐々に高度になってきた。陰毛を認めない。精巣サイズは左右とも長径 1cm である。

考えられる疾患はどれか。

A：Chiari-Frommel 症候群　　D：Laurence-Moon-Biedl 症候群
B：Fröhlich 症候群　　　　　　E：Prader-Willi 症候群
C：Kallmann 症候群

正答💡 **B**

Q4 **症例**：21 歳男性。特に自覚症状はないが，外性器の第二次性徴がこないため，心配で親に連れられて来院した。身長 174cm，体重 68kg。外性器は Turner 1 度。アリナミンテストで平均よりも潜伏時間の延長を認める。

この疾患に合併するものはどれか。

A：口唇口蓋裂　　　D：停留精巣
B：大動脈瘤　　　　E：味覚異常
C：脳室拡大

解答💡 **A**

第6章 性腺

3 多嚢胞性卵巣症候群（PCOS）

Key Question

症例：40歳女性。肥満，糖尿病および生理不順があり，多嚢胞性卵巣症候群（PCOS）疑いで紹介となった。

本症例について正しいものはどれか，2つ選べ。

- **A**：PCOSであればメトホルミンが有効であり，生理不順の改善も期待できる。
- **B**：第一選択は食事・運動療法および薬物療法である。
- **C**：高LH血症（≧7mU/L）が診断確定に必要である。
- **D**：アンドロゲンおよびテストステロンが高値であることが診断確定に必要である。
- **E**：PCOSであれば第2度無月経が多い。

Answer

A，B

解説

- **A**：PCOSであればメトホルミン塩酸塩が有効であり，インスリン抵抗性改善，月経異常の改善の報告もある。
- **B**：第一選択は食事・運動療法および薬物療法である。
- **C**：肥満がある場合はLH＞FSHを満たすだけでよい。
- **D**：テストステロン，遊離テストステロンまたはアンドロステンジオンのいずれかを用いれば，診断基準に必要な男性ホルモン高値は証明できる。
- **E**：PCOSであれば第1度無月経が多い。

Key Lesson

- ○排卵障害による稀発月経や無月経など月経異常の原因となる。
- ○超音波で卵巣に多数の閉鎖卵胞を認め，高LH血症，高アンドロゲン血症を伴うことがある。
- ○主な病態はインスリン抵抗性であり，肥満，糖尿病，虚血性心疾患リスクも高く，小児科，産婦人科，内科と横断的な管理が必要となる。
- ○日本では非肥満型PCOSが70％と多く，肥満型PCOSは約30％程度である。

PCOSのインスリン抵抗性の評価も通常の糖尿病と比べて一定の見解はまだ得られていない。肥満がある場合は診断基準の条件が変わることをしっかり記憶することが重要である。

知識の整理

▶PCOSの病態

卵巣楔状切除により排卵率および妊娠率の改善を認めることから，多囊胞性卵巣症候群（polycystic ovarian syndrome：PCOS）は，卵巣自体の異常のみが原因とされていたが，現在は，視床下部－下垂体－卵巣系の異常に加えて，副腎系および糖代謝異常が複雑に関与した病態が考えられている（図1）[1]。

つまり，病態の主体は，LHの中等度過剰分泌，卵巣の自律的アンドロゲン産生の増加と理解しておくとよい。

図1 PCOSの成因

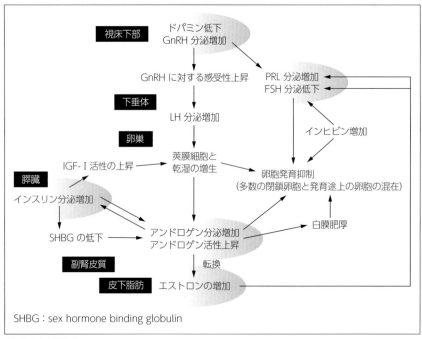

SHBG：sex hormone binding globulin

（文献1より引用）

▶PCOSの診断基準

①月経異常，②PCO（多囊胞性卵巣）の確認，③LH基礎値高値，FSH正常もしくは男性ホルモン高値の3つを満たす必要がある[1]。

日本におけるPCOSの新しい診断基準

①月経異常は，無月経，稀発月経，無排卵周期症のいずれかとする。

②PCOS は，エコー断層法で両側卵巣に多数の小卵胞がみられ，少なくとも一方の卵巣で 2~9mm の小卵胞が 10 個以上存在するものとする。

③内分泌検査は，排卵誘発薬や女性ホルモン薬を投与していない時期に，1cm 以上の卵胞が存在しないことを確認の上で行う。また，月経または消退出血から 10 日目までの時期は高 LH の検出率が低いことに留意する。

④男性ホルモン高値は，テストステロン，遊離テストステロンまたはアンドロステンジオンのいずれかを用い，各測定系の正常範囲上限を超えるものとする。

　高 LH が認められた場合，診断という点では男性ホルモン値測定は必ずしも行わなくてもよい。ただし，より的確な病態把握のためには測定するのが望ましい。

⑤LH 高値の判定は，LH≧7mU/mL かつ LH＞FSH とし，肥満例（BMI≧25）では LH＞FSH のみでも可とする。Cushing 症候群，副腎酵素異常，体重減少性無月経の回復期など，本症候群と類似の病態を示すものを除外する。

▶参考となる検査所見

必須ではないが，参考となる検査項目として以下がある。

1. ゲスターゲン試験（エストロゲン・プロゲステロン試験）

①PCOS に限らず，無月経の原因検索のための検査の一環として行われる。

②PCOS のなかで無月経（稀発月経）を呈する症例が対象となる。

③無月経を呈する PCOS の 80~90％は第 1 度無月経である。

④エストラジオール（E_2）値でも代用可能であるが，第 1 度／第 2 度無月経の鑑別は，どの排卵誘発剤あるいはホルモン療法を選択するかを判断する際に参考となる。

　無月経は，視床下部性，下垂体性，原発性（卵巣性と子宮体性）に分かれる。たとえば，過剰なダイエットなどによる体重減少性無月経は視床下部性である。

　• プロゲステロンの負荷だけで，消退出血あり➡第 1 度無月経

　• プロゲステロンおよびエストロゲンの負荷で，消退出血あり➡第 2 度無月経

　• プロゲステロンおよびエストロゲンの負荷で，消退出血なし➡子宮性無月経（卵巣からの刺激は十分代用しているので子宮に原因がある）

　第 2 度無月経は，LH，FSH，PRL をみて卵巣性または PCOS または高プロラクチン血症かを見分ける。さらに LH，FSH を GnRH 試験でみて，下垂体か視床下部か見分ける（詳細は婦人科の成書に譲る）。

2. LHRH 負荷試験

LH 過剰反応かつ FSH 正常反応となる。

3. DHEA-S

DHEA-S は主に副腎由来のアンドロゲンであるが，PCOS の約 10％に高値を認める。PCOS では副腎での ACTH に対する反応性が亢進し，17-OHase を活性化するため，卵巣のみならず副腎由来のアンドロゲンを増加させる。

4. エストロン（E_1）

PCOS の約 40％に高値がみられる。E_1/E_2 比の高値は，PCOS のほぼ 100％に認められる。

5. 抗Muller管ホルモン（AMH）

卵巣の顆粒膜細胞から分泌されるホルモンで，カットオフ値は35pmol/L（5ng/mL）であるが，PCOSでは増加し，小胞状卵胞の数と相関するといわれる。

6. その他の注意事項

①検査上では高ゴナドトロピン性無月経であるが，病態が複雑に絡み合っているため正確な分類表記ではない。
②PCOSは家族集積性があり，母親の既往や兄弟などの同胞発生は多い。
③男性化（アンドロゲン過剰）＋肥満はアジア系民族では少なく，男性化は2％にとどまる。日本では肥満型PCOSは約30％程度である。しかしインスリン抵抗性については欧米と大差ないとされる。
④PCOSでは長期の無排卵から高エストロゲン血症を引き起こし，子宮内膜癌増加のリスクとなる。

なぜPCOSでは男性化するの？

FSHが抑制されることで，正常な卵胞の発育が抑制され，アロマターゼによるエストロゲン変換がうまくいかず，前駆物質のアンドロゲンが相対的に増加するためと考えられている。

月経開始前から，FSHは卵巣の卵胞を刺激し，成長を促している。原始卵胞から成熟卵胞に発育する過程において，顆粒膜細胞と内莢膜細胞の層が分離され，内莢膜細胞ではエストロゲンをつくる前駆物質（DHEAやアンドロステンジオン，テストステロンなどのアンドロゲン）が顆粒膜細胞に送られ，顆粒膜層にあるアロマターゼ酵素によってエストロゲンとなる。PCOSなどでFSHが抑制されている場合，この前駆物質からエストロゲンに変換されにくくなり，アンドロゲン作用，すなわち多毛やにきびなどの男性化症状が出てくることがある。

▶PCOSの治療

治療手順を**図2**[1)]に示す。

1. 肥満の改善

肥満がある場合は，体重の5～7％の減量で排卵率と妊娠率の改善を認める。

まずは食事・運動療法として，食事指導やライフスタイルの改善を行い，適切な減量に努める。インスリン抵抗性があるため，平行してメトホルミン塩酸塩やインスリン抵抗性改善薬（ピオグリタゾン塩酸塩など）の投与も考慮する。インスリン抵抗性は高アンドロゲン血症の要因にもなりうるためである。高アンドロゲン血症に対しては，スピロノラクトンや5αリダクターゼ阻害薬（フィナステリド）が使われる。またPCOSの病態にPRLが絡んでおり，高PRL血症の症例も多く，その場合は，治療としてドパミン作動薬なども考慮する。

2. 排卵障害および月経異常

食事・運動療法を優先，平行して行う。

図 2 PCOS に対する排卵障害の治療手順

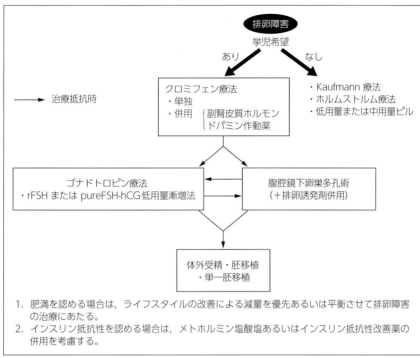

(文献 1 より引用)

挙児希望の場合

①クロミフェン療法（間接的卵巣刺激）：第1度無月経を呈する PCOS に対して行われる。一般に PCOS では 50％の排卵率と 10〜20％の妊娠率が得られている。

②hMG-hCG 療法（LH，FSH 療法）：クロミフェン単独あるいは併用療法が無効の場合に行う直接的卵巣刺激法であるが，多胎と卵巣過剰刺激症候群（ovarian hyperstimulation syndrome：OHSS）が発生しやすいので注意を要する。hMG 製剤には FSH と LH が両方含まれており，直接卵巣に作用し卵胞発育を促す。卵胞発育には FSH が重要な役目を示すので，LH をできるだけ排除した製品が開発されている。LH をほとんど含まないものは精製 hMG 製剤や高純度 FSH 製剤と呼ばれ，最近では遺伝子組み換え技術を駆使して作られた純粋な FSH 製剤（rFSH）も日本で使用できる。hMG 製剤のみでは排卵しない場合もあるため，LH 作用をもつ hCG を注射して LH サージを人工的に起こし，排卵へ導く。

③腹腔鏡下卵巣多孔術，生殖補助技術（assisted reproductive technology：ART）。

クロミフェンとは？

視床下部に作用して，卵胞発育を促進，排卵誘発を行う。排卵誘発剤である hMG（ヒト閉経ゴナドトロピン）は卵巣に直接作用して過排卵を起こすのに対し，クロミフェンは間接的に卵巣を刺激する。エストロゲン（内因性エストロゲン）類似化合物であり，視床下部のエストロゲン受容体に結合し，内因性エストロゲンに対する拮抗作用を示す。視床下部細胞はエストロゲン減少と誤認し GnRH 分泌量を増加し，排卵誘発を行う。

OHSS とは？

hMG 製剤などで卵巣が過剰刺激されることで出てくる様々な症状のことで，卵巣の腫大と血管透過性亢進による腹水の貯留が 2 大症状となる。

OHSS のリスク因子として，若年（35 歳以下），やせ型，PCOS あるいは PCOS に似た検査所見，OHSS の既往歴がある，血中 E_2 の異常高値，発育卵胞数が 20 個以上，高用量のゴナドトロピン製剤使用などが挙げられる。

挙児希望のない場合

月経周期の改善や子宮体癌予防のために，
①第 1 度無月経 ➡ アンドロゲン作用の少ないゲスターゲン製剤を単独で用いるホルムストルム療法
②第 2 度無月経 ➡ 定期的に消退出血を起こさせる Kaufmann 療法
を行う。ただし，第 1 度であっても内因性エストロゲンレベルは低いので，適宜 Kaufmann 療法を考慮する。

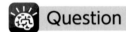

 高度肥満と無月経で来院した 28 歳女性，PCOS の診断確定に必要でないのはどれか，2 つ選べ。

A：インスリン抵抗性 　　**D**：高 PRL 血症
B：多嚢胞性卵巣 　　　　**E**：高 LH 血症
C：高アンドロゲン血症

正答 **A, D**

文献
1) 丸山哲夫，他：3. 内分泌疾患．D. 婦人科疾患の診断・治療・管理．日産婦誌．2003；55：N-4, 7.

第 7 章

糖尿病

非常に基本的な内容（糖尿病の診断基準，妊娠糖尿病の診断基準，腎不全の Stage に合わせたカロリー計算）が問われることが多い。新しい内服薬，注射薬についての副作用や注意点なども問われるが，易問も多く，落としてはならない。

第7章 糖尿病

1　1型糖尿病

 Key Question

症例：18歳女性。多尿，口渇のため受診。3カ月前から毎日約6Lの水分を摂取している。
身体所見：血圧124/75mmHg，その他のバイタルサインは正常で，BMIは35である。一般的な健康診断および神経学的検査所見に特記事項なし。
検査所見：HbA1c 8.9%，随時血糖288mg/dL，尿ケトン体陰性。家族歴：母親，兄が2型糖尿病である。

管理方法として最も適切な次のステップはどれか。

A：空腹時血中C-ペプチド測定
B：尿中C-ペプチド測定
C：グルカゴン負荷後C-ペプチド測定
D：膵島細胞抗体（ICA）やGAD抗体価測定
E：空腹時血中インスリン測定

 Answer

D

解説

　膵島関連自己抗体を早急に検査すべきである。
患者は肥満で母親は2型糖尿病であるが，肥満およびインスリン抵抗性から，実際は初期段階（内因性インスリン分泌残存）の1型糖尿病の可能性がある。糖尿病が疑われる若年患者において，1型糖尿病と2型糖尿病の鑑別はできるだけ早く行うべきである。肥満で高血糖であるがケトン尿症またはアシドーシスがない➡今の段階では十分な内因性インスリンを産生している➡血中C-ペプチドまたは空腹時血中インスリン値を検査しても，1型糖尿病と2型糖尿病の鑑別に役立たない。

 Key Lesson

○1型糖尿病と2型糖尿病の鑑別には抗体測定が最も重要である。ただし，陽性になるまでに時間を要することも覚えておく。

○発症後 2 週間以内の 1 型糖尿病では抗 GAD 抗体約 70%，抗 IA-2 抗体約 60%，インスリン自己抗体（IAA）約 50%であり，約 90%が 3 抗体のいずれかが陽性である。

知識の整理

▶1 型糖尿病の分類

表1[1) に示すように分類される。

表1　1 型糖尿病の亜分類

1.　成因による
・自己免疫性（1A 型）
・特発性（1B 型）
2.　臨床所見による
・劇症 1 型（fulminant Type 1）
・急性発症（典型例）（acute typical Type 1）
・緩徐進行（slowly progressive Type 1）

▶1 型糖尿病の病態

1.　成因による分類

自己免疫性（1A 型）糖尿病

膵島関連自己抗体が陽性。いわゆる自己免疫性で内因性インスリン分泌能が徐々〜急速に廃絶することでインスリン注射が生命維持に不可欠となるタイプで，膵島関連自己抗体の採血がその診断に有効である。重症低血糖になりやすく，血糖コントロールに難渋するケースが多い。

糖尿病以外の自己免疫疾患，慢性関節リウマチや甲状腺疾患（Basedow 病，橋本病），自己免疫性肝炎，悪性貧血，自己免疫性膵炎などの合併症が多い。

特発性（1B 型）糖尿病

膵島関連自己抗体が陰性。いわゆる特発性で，内因性インスリン分泌能が廃絶している糖尿病。高齢発症の 1 型糖尿病に多い。ただし，1A 型の中には発症当初は膵島関連自己抗体が陽性でも年々抗体価が低下し陰性化することがあり，初診時の診断が適切になされなかった 1A 型が 1B 型に多く含まれていると考えられている。

2.　臨床所見による分類

劇症 1 型糖尿病

日単位でインスリン依存に至る糖尿病。感冒様症状や消化器症状を前駆症状とすることが多い。

1B 型糖尿病の亜型で，HbA1c 値は軽度上昇〜正常にもかかわらず，インスリン分泌能が廃絶している状態であるため，膵島関連自己抗体が原則陰性となる。膵臓の内分泌系細胞または外分泌系細胞が破壊されるため，膵酵素の上昇がみられるのが特徴である。

1　1 型糖尿病　**267**

診断基準（2012）[1]：下記①～③のすべての項目を満たす。

①糖尿病症状発現後1週間前後以内でケトーシスあるいはケトアシドーシスに陥る（初診時尿ケトン体陽性，血中ケトン体上昇のいずれかを認める）。

　ケトーシスと診断されるまで原則として1週間以内であるが，1～2週間の症例も存在する。

②初診時の随時血糖値が288mg/dL（16.0mmol/L）以上であり，かつHbA1c（NGSP）＜8.7％である。

　劇症1型糖尿病発症前に耐糖能異常が存在した場合は，必ずしもHbA1c値は該当しない。

③発症時の尿中Cペプチド＜10μg/日，または空腹時血清Cペプチド＜0.3ng/mLかつグルカゴン負荷後（または食後2時間）血清Cペプチド＜0.5ng/mLである。

参考所見としては以下が挙げられる。

- 原則としてGAD抗体などの膵島関連自己抗体は陰性である。

　劇症のため，抗体が陽性になる以前に症状が出ると判断される。通常，1型糖尿病では発症後2週間以内の場合，抗GAD抗体約70％，抗IA-2抗体約60％，インスリン自己抗体（insulin autoantibody：IAA）約50％であり，約90％が3抗体のいずれかが陽性である。

- 約98％の症例で発症時に何らかの血中膵外分泌酵素（アミラーゼ，リパーゼ，エラスターゼ1など）が上昇している。
- 約70％の症例で前駆症状として上気道炎症状（発熱，咽頭痛など），消化器症状（上腹部痛，悪心・嘔吐など）を認める。
- 妊娠に関連して発症することがある（妊娠後期，分娩後2週間以内に好発する）。
- *HLADR4*，*HLADR9*との関連が明らかにされて示唆されている（特に劇症ではDR4）。

急性発症（典型例）1型糖尿病

症状出現から3カ月くらいの間に依存に至る糖尿病で，1型糖尿病の典型例。

診断基準（2012）[1]は，

①糖尿病症状（口渇，多飲，多尿，体重減少など）の出現後，おおむね3カ月以内にケトーシスあるいはケトアシドーシスに陥る。

②糖尿病の診断早期より継続してインスリン治療を必要とする。

③膵島関連自己抗体が陽性である。

④膵島関連自己抗体が証明できないが，内因性インスリン分泌が欠乏している。

判定は，以下の通りである。

①，②，③を満たす場合 ➡ 急性発症自己免疫性（1A型）糖尿病

①，②，④を満たす場合 ➡ 急性発症（典型例）1型糖尿病

参考所見としては，以下が挙げられる。

- 1型糖尿病の診断当初にインスリン治療を必要とした後，数カ月間インスリン治療なしで血糖コントロールが可能な時期（honeymoon period）が一過性に存在しても，再度インスリン治療が必要な状態となり，それが持続する場合も含める。
- GAD抗体，IA-2抗体，IAA，亜鉛輸送担体8（ZnT8）抗体，膵島細胞抗体（islet cell antibody：ICA）のうちいずれかの自己抗体の陽性が経過中に確認された場合，膵島関連自己抗体陽性と判定する。ただし，IAAはインスリン治療開始前に測定した場合に限る。

- 空腹時血清Cペプチド＜0.6ng/mLを，内因性インスリン分泌欠乏の基準とする。ただし，劇症1型糖尿病の診断基準を満たす場合は，それに従う。また，*HNF-1α*遺伝子異常，ミトコンドリア遺伝子異常，*KCNJ11*遺伝子異常などの単一遺伝子異常を鑑別する。

緩徐進行1型糖尿病〔SPIDDM/LADA（latent autoimmune diabetes in adults）〕

　当初は食事や経口血糖降下薬のみで治療が可能な2型糖尿病の病態を呈するが，膵島自己抗体が持続陽性で，緩徐にインスリン分泌能が低下し，最終的にインスリン依存状態となる糖尿病である。

　2型糖尿病のようにみえて，血糖値やHbA1c値もそれほど高くないにもかかわらず1型特有の膵島関連自己抗体が陽性のタイプである。2型糖尿病として治療を受けている患者の5%を占める。急性発症1A型糖尿病に比べてゆっくり膵臓破壊が進行し，インスリン分泌能が廃絶する。発症早期からインスリン療法を導入することで膵臓の破壊を遅らせることができると考えられており，初診時の診断が特に重要である。

▶その他注意事項

①1型糖尿病のうち自己抗体陽性を1A型，陰性を1B型とする。
②1型糖尿病は女性に多い（日本）。
③家系内血縁者にしばしば糖尿病を認めない（認めるのは2型である）。
④多因子遺伝子（*HLA*，*INS*，*CTLA-4*，*PTPN22*，*ILRA*）疾患であるが，そのうち*HLA*が最も強く疾患に関わる。
⑤環境因子としては，コクサッキーB4ウイルス，流行耳下腺炎，風疹，Epstein-Barrウイルス，サイトメガロウイルス，ヘルペスウイルスなどの感染症に注意する。
⑥成人1型糖尿病の60%は緩徐進行型であり，2型糖尿病として治療中に1型と診断されることもある。
⑦1A型糖尿病はほかの自己免疫疾患を合併しやすい。家族性では，甲状腺疾患＞リウマチ性疾患＞悪性貧血の順に多い。

Question　　　　　　　　　　　　　　　鍵穴のマークは問題の難易度を示します。

　劇症1型糖尿病の特徴に当てはまらないものはどれか。

A：随時血糖値300mg/dL，血清Cペプチド0.2ng/mL
B：口渇，多尿の症状が出現後，9日目にケトアシドーシスが発症
C：初診時にHbA1c 10%
D：GAD抗体価陰性
E：血中膵外分泌酵素（アミラーゼ，リパーゼ，エラスターゼ1）上昇

正答　C

　症例：11歳女性。2カ月半前から，口渇，多飲，多尿が出現，1カ月前からは体重が13kg減少した。倦怠感が強く，精査目的に来院した。HbA1c 9.7%，血糖653mg/

dL，pH 7.213，尿ケトン陽性，アニオンギャップは 12 以上であった。

①診断はどれか。

A：糖尿病ケトーシス　　　　**D**：高血糖高浸透圧症候群
B：糖尿病ケトアシドーシス　　**E**：2 型糖尿病
C：劇症 1 型糖尿病

正答💡 B

②受診後，最初に開始する治療について，適切なものはどれか。

A：重炭酸の投与を行う。
B：生理食塩水の静脈内投与を行う。
C：カリウムの補充を行う。
D：少量インスリンの持続静脈内投与を行う。
E：経口糖尿病薬の投与を行う。

正答💡 B

文献

1）今川彰久，他：1 型糖尿病調査研究委員会報告―劇症 1 型糖尿病の新しい診断基準（2012）．糖尿
　　病．2012；55：815-820．

第7章 糖尿病

2 2型糖尿病

Key Question

現時点で糖尿病と診断できないものはどれか。

- **A**：随時血糖値220mg/dLで口渇・多尿がある35歳男性。
- **B**：随時血糖値250mg/dLだったが，再度来院時では空腹時血糖値135mg/dLの40歳女性。
- **C**：眼科で糖尿病網膜性変化が疑われ，空腹時血糖値が140mg/dLであった18歳男性。
- **D**：空腹時血糖値122mg/dLで，HbA1c（NGSP）7.0%の20歳女性。
- **E**：随時血糖値200mg/dLでHbA1c（NGSP）8.2%の30歳男性。

Answer

D

解説

- **A**：随時血糖値≧200mg/dLおよび糖尿病の典型的症状あり。
- **B**：随時血糖値≧200mg/dLおよび空腹時血糖値≧126mg/dL。
- **C**：確実な糖尿病網膜性あり，および空腹時血糖値≧126mg/dL。
- **D**：HbA1c≧6.5%（NGSP）であり糖尿病型だが，空腹時血糖値≧126mg/dLではないため診断はできない。
- **E**：随時血糖値≧200mg/dLおよびHbA1c≧6.5%（NGSP）。

Key Lesson

○糖尿病の診断基準をおさえておく。

知識の整理

▶2型糖尿病の診断基準

図1[1]に診断のフローチャートを示す。

図1 糖尿病の臨床診断のフローチャート

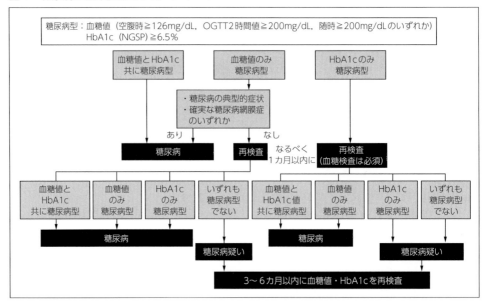

(文献1より引用)

▶その他のポイント

①東アジア人で重要な遺伝子は，*KCNQ1*，*UBE2E2* である．インスリン分泌能低下に関与し，抵抗性を代償しきれない．
②グルカゴン負荷試験6分後の評価で，血中 CPR＜1.0ng/mL の場合はインスリン療法が必要と考える（尿中 CPR＜20μg/日）．
③インスリン抵抗性を示す HOMA-R は，日本人の正常値は≦1.6 であり，≧2.5 の場合にインスリン抵抗性ありとされる．
空腹時の血糖値≧140mg/dL ではあてにならないことに注意する．
④糖尿病の死因の第1位は悪性新生物，2位が血管障害，3位が感染症である．血管障害が第1位と思いがちなので注意する．

▶血糖コントロールの指標

図2[2]に血糖コントロールの指標を示す．

図2 血糖コントロール目標

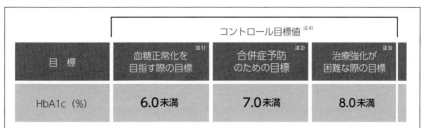

(文献2より引用)

文献

1) 日本糖尿病学会:糖尿病の分類と診断基準に関する委員会報告(国際標準化対応版).糖尿病. 2012;55:494.
2) 日本糖尿病学会,編:糖尿病治療ガイド2020-2021.文光堂,2020.

第7章 糖尿病

3 インスリン自己免疫症候群

Key Question

症例：40歳女性。生来健康で糖尿病歴や薬剤内服歴はない。インターネットで注文したサプリメントを服用して1カ月後より，発汗，動悸，手指振戦が出現し，受診となる。血糖値 59 mg/dL，IRI 4,600 mU/mL，著明な高インスリン血症を認めたため入院となる。

最も考えやすい診断はどれか。

A：インスリン自己免疫症候群　　D：ミトコンドリア病
B：インスリン受容体異常症A型　　E：*HNF-1α*遺伝子異常
C：インスリン受容体異常症B型

Answer

A

解説
典型的なインスリン自己免疫症候群の症例である。

Key Lesson

□インスリン自己免疫症候群の特徴
- 血中のインスリン濃度が非常に高い
- *HLADR4* と強い相関をもつ
- 日本を中心とした極東アジアに多く発症する
- 抗甲状腺薬のチアマゾール（MMI），アンチエイジングのサプリメントであるα-リポ酸などが誘因となる

274

知識の整理

▶インスリン自己免疫症候群

インスリン自己免疫症候群は，1970 年に日本から世界に先駆けて報告された疾患概念[1] で，自発性低血糖症のひとつである。

①インスリン注射歴がないにもかかわらず重症の低血糖発作（血糖値 50 mg/dL 以下）で発見されるケースが典型的である。自然寛解例も多い。

②患者の血中には大量のインスリンが存在する。特に低血糖発作時は，血中インスリン値が 1 万 5,000～3 万 μU/mL に及び，血中 CPR も上昇する。

③IAA が存在し，血中インスリンのほとんどと結合している。ただし，抗 C ペプチド，抗インスリン受容体抗体は検出されない。

④*HLADR4*（DRB1-0406）と強い相関をもつ。Basedow 病や慢性関節リウマチ，全身性エリテマトーデス（systemic lupus erythematosus：SLE）などを基礎疾患として有していることが多い。

⑤日本を中心とした極東アジアに多く発症する。

⑥誘発薬剤 MMI（チアマゾール，プロピルチオウラシル）：MMI 服用中の Basedow病患者に低血糖症状が出現することが報告され，MMI でインスリン自己免疫症候群を発症した患者が全員 HLADR4 を保持すること，MMI などの SH 基を含む薬剤，たとえばチオプロニン（肝疾患用製剤），グルタチオン（解毒剤），カプトプリル（血圧降下剤），ペニシラミン（解毒剤），βラクタム系ペニシリン G などに注意する。

⑦誘発薬物 α−リポ酸：α−リポ酸は体内でジヒドロリポ酸に還元されて強力な抗酸化作用を発揮する。α−リポ酸はやせ薬やアンチエイジングのサプリメントとして使われることが多い。

⑧治療法：比較的短期間に自然寛解を示す例が多い。一過性に起こる低血糖をみたら本症を疑う必要がある。低血糖の頻発期は糖質の頻回摂取で切り抜けると 1 週間前後で寛解を示し，長くても 1 年以上にわたることはない。低血糖が持続するときはステロイド療法が有効である。原因と考えられる薬物を中止し，糖質投与，高張ブドウ糖静注など低血糖発作時の一般的な方法をとる。また，SH 基を有する薬剤の使用では，使用開始 2 カ月の時点および再開例では 2 週間の時点におけるインスリン自己免疫抗体のチェックが必要である。

▶インスリン自己抗体（IAA）

インスリン抗体は 2 種類存在する。

①インスリン注射を行っていることで生じたインスリン抗体：低結合能・高親和性抗体➡あまり血糖コントロールに影響しない。

②インスリン自己免疫症候群に認められるインスリン抗体：高結合能・低親和性抗体➡血糖変動が大きい。インスリンと結合しやすく，かつ離れやすいため，結合状態では高血糖をきたすが，離れてしまうと低血糖へ。

なお，親和性，結合能の評価は，抗体とヒトインスリンとの Scatchard 解析を用いる。

▶インスリン受容体異常症

インスリン自体に対する抗体の存在とともに，インスリン受容体に対しても自己抗体が産生されることが知られている。1976 年の Kahn らによって確立された[1]。インス

リン受容体後のシグナル伝達に障害が起こるために，インスリン抵抗性を引き起こす。

①インスリン受容体異常症 A 型：先天的なインスリン受容体そのものの異常。

先天的な遺伝子異常によりインスリン受容体異常をきたし，多毛，黒色表皮腫 (acanthosis nigricans)，原発性無月経，多嚢胞性卵巣 (PCO)，陰核肥大など特徴的な臨床症状を有する。

②インスリン受容体異常症 B 型：後天的なインスリン受容体の抗体のためにインスリンのインスリン受容体への結合が阻害される。

中年女性に多く発症し，Sjögren 症候群，SLE，全身性強皮症などの自己免疫疾患を合併することが特徴である。

文献

1）Kahn CR, et al：The syndromes of insulin resistance and acanthosis nigricans. Insulin-receptor disorders in man. *N Engl J Med*. 1976；294：739-745.

第7章 糖尿病

4 遺伝子異常による糖尿病, 続発性糖尿病

Key Question
設問なし。

Key Lesson
○遺伝性糖尿病はMODYをおさえておく。
○続発性糖尿病の原因は特に薬剤はしっかり記憶する。

知識の整理

▶遺伝子異常による糖尿病

「遺伝因子として遺伝子異常が同定された糖尿病」であり，インスリン遺伝子，インスリン受容体遺伝子異常，常染色体優性の若年発症成人型糖尿病（Tattersall症候群），ミトコンドリアDNA（mtDNA）の異常などがある。糖尿病成因の1%未満であることと，ゲノムワイド解析にて後述で知られているような既知の2型糖尿病疾患感受性遺伝子の糖尿病発症に関するオッズ比は低いこと（1.1～1.4倍程度）も課題となっている。

1. MODY

若年発症成人型糖尿病（maturity-onset diabetes of the young：MODY）では1～6までの6種類の病型があり，常染色体優性遺伝である（**表1**）[1]。

MODYは常染色体優性遺伝で一概に肥満を有さず，通常25歳以下で発症する若年糖尿病であり，糖代謝に関わる単一遺伝子の機能障害（遺伝子変異，遺伝子全体または一部の欠失などによる）が原因となって糖尿病を発症する。若年発症の糖尿病家族例を有する。病因に自己免疫は関与しておらず，膵島関連自己抗体は検出されない。

原因遺伝子としては今日までに10種類以上が報告されているが，原因不明のMODYも存在する。下記の症例以外はいずれの頻度もきわめて低い。

全糖尿病の1～3%の頻度と考えられている。日本ではMODY2やMODY3の頻度が高いことが認識されている。MODYは学校検尿糖尿病検診や偶然の検査で発見されることが少なくないため，今後患者数が増加することが予想される。

　①MODY1：MODY2，MODY3に次いで頻度が高いが，細小血管合併症の頻度が高く，予後は不良である。

表1 MODY の原因遺伝子と特徴

MODY の種類	原因遺伝子	当施設での頻度	特　徴
MODY1	HNF-4 α	2%	2 型あるいは 1 型糖尿病様
MODY2	GCK	0%	軽症 2 型糖尿病様。食餌療法が経口薬で管理可能，合併症も軽度。ホモ変異（きわめて稀）では生下直後より重症糖尿病
MODY3	HNF-1 α	15%	診断時年齢平均 14 歳。2 型あるいは 1 型糖尿病様。尿糖は移設閾値は低下。非肥満。合併症の進行例あり。SU 薬に対する感受性良好
MODY4	IPF-1	0%	MODY 家系以外に中年以降発症の 2 型糖尿病も存在する（フランス）。ホモ変異（きわめて稀）では膵無形成のため生下直後より高血糖となる
MODY5	HNF-1 β	2%	泌尿生殖器系の発生異常や腎嚢胞，腎機能障害などを合併する。内因性インスリン分泌低下例が多い
MODY6	NeuroD/Beta2	0%	体重は理想体重の 104 〜 144% と肥満傾向あり（米国白人例）

HNF：hepatocyte nuclear factor，GCK：glucokinase，IPF：insulin promoter factor，NeuroD/Beta2：neurogenic differentiation 1/Beta 2
（文献 1 より引用）

②MODY2：血糖値に比してインスリン分泌の閾値が高く，空腹時血糖値の上昇はみられるが，食後血糖値や経口血糖負荷試験 2 時間血糖値は糖尿病域でないことも少なくない。インスリン分泌能は保持される。本症は無症状で，学校検尿糖尿病検診や偶然の検査で発見される頻度が高い。

③MODY3 は糖尿病発症に先立って尿糖が陽性になることがあるが，経過に伴いインスリン分泌能は進行性に低下し，腎症や網膜症などの細小血管合併症を併発する頻度が高いことが特徴である。約 2/3 の症例が薬物療法の適応になる。

④MODY5：糖尿病を約半数の症例に認めるが，本質はむしろ腎疾患であり，腎嚢胞，家族性高尿酸血性腎症，その他の腎奇形を約 80% の症例が有する。

MODY2 の大半は無治療あるいは食事・運動療法で治療され，予後は良好である。

MODY3，MODY1 は薬物療法の適応になる症例が多く，第一選択薬は SU 薬である。その後進行性にインスリン分泌能が低下してインスリン治療に移行する症例も少なくない。細小血管合併症の頻度が高く，予後は不良である。

2. ミトコンドリア遺伝子異常

母方から遺伝するのが特徴で，多くは難聴を伴い，重症型になると，脳卒中や乳酸アシドーシスなどが特徴である。ミトコンドリア病の一種で mtDNA の突然変異によって引き起こされる。mtDNA 異常は細胞・組織ごとに異常 mtDNA の割合が異なることもあり，末梢血 mtDNA に異常を認めない場合があることに注意する。

3. インスリン受容体異常症

後述。

4. インスリン遺伝子異常

インスリンの遺伝子自体に異常が起こるもので，きわめて稀である。

▶続発性糖尿病

続発性糖尿病は二次性糖尿病とも呼ばれる。他の疾患によって引き起こされる糖尿病である（**表2**）。

表2 続発性糖尿病の原因

これから出題が
予想される問題

内分泌疾患	Cushing症候群，先端巨大症，褐色細胞腫，甲状腺機能亢進症*1
膵疾患	膵炎，膵癌，膵摘除後
肝疾患	肝炎，肝硬変，アルコール性肝障害
薬剤	経口避妊薬，副腎皮質ステロイド，免疫抑制剤，サイアザイド系利尿薬，カルシウム拮抗薬，インターフェロン*2

＊1：消化管からの糖吸収が早く，食後高血糖をきたしやすくなる
＊2：1型糖尿病との関連もあるため注意する

▶脂肪萎縮症による糖尿病

　脂肪萎縮症は全身性または部分性に脂肪組織が消失する疾患で，脂肪組織の消失とともに重度のインスリン抵抗性糖尿病や高中性脂肪血症，非アルコール性脂肪肝炎など様々な代謝異常を発症する予後不良な難治性疾患である。脂肪萎縮そのものに対する根治療法はいまだ確立しておらず，脂肪萎縮に伴うインスリン抵抗性を中心とする代謝異常に対しては，レプチンの有効性が証明されている。

文献
1) 岩﨑直子：第2章分類・診断．糖尿病ナビゲーター 第2版 MODY，門脇孝，編．メディカルレビュー社，2009, p144-145.

4 遺伝子異常による糖尿病，続発性糖尿病

5 糖尿病治療薬の副作用

Key Question

グルカゴンが上昇する糖尿病薬はどれか。

A：DPP-4 阻害薬
B：SGLT2 阻害薬
C：SU 薬
D：ピオグリタゾン
E：メトホルミン

Answer

B

解説
　現在使用されている糖尿病薬でグルカゴン分泌を促進するのは SGLT2 阻害薬のみである。

Key Question

症例：70 歳男性。2 型糖尿病でコントロールが悪く，近医で薬剤を追加され，インスリンも使用されている。腎機能が悪化しており紹介された。
身体所見：身長 160.5cm，体重 70.9kg，血圧 142/82mmHg，脈拍 78 回/分 整，四肢に両下腿浮腫あり。
尿検査：蛋白質（4+），潜血（1+），ブドウ糖（1+），ケトン体（−）。
血液検査：WBC 7,410/μL，RBC 396 万/μL，Hb 11.6g/dL，Plt 19.2 万/μL，総蛋白 6.5g/dL，Alb 3.0g/dL，BUN 23mg/dL，Cr 4.12mg/dL，Na 142mEq/L，K 5.1mEq/L，Cl 109mEq/L，FBS 198mg/dL，HbA1c 6.2%。

投与を<u>中止</u>すべき薬剤はどれか。

A：チアゾリジン
B：DPP-4 阻害薬
C：α-グルコシダーゼ阻害薬
D：インスリン
E：グリニド製剤

Answer

A

解説

腎不全（4期以上）における使用不可の経口糖尿病薬は**表1**[1]に示す通りである。

表1 腎不全（4期以上）と経口糖尿病薬の使用

	腎不全での使用
SU薬	禁忌
ビグアナイド薬	禁忌
チアゾリジン薬	禁忌
αグルコシダーゼ阻害薬	慎重投与
速効型インスリン分泌促進薬	ナテグリニド：禁忌 ミチグリニド，レパグリニド：慎重投与
DPP-4阻害薬	慎重投与。リナグリプチンとテネリグリプチンは用量調整の必要なし。トレラグリプチンは腎不全で禁忌
SGLT2阻害薬	適応なし（重度の腎機能障害では本剤の効果が期待できない）

上記薬剤の使用方法に関しては，2015年5月現在の薬剤添付文書を引用して作成した。
（文献1より引用）

Key Lesson

○最も重要なのは末期腎不全の際に使える薬剤の使い分けである。

知識の整理

▶ α-GI（α-グルコシダーゼ阻害薬）

1. 種類

アカルボース，ボグリボース，ミグリトール

2. 作用機序―食直前服用だが食後服用では無効か？

特にミグリトールでは食直前投与のほうが食後30～60分の血糖抑制はよいが，血中濃度曲線下面積（area under the blood concentration-time curve：AUC，0～180分）では同様の血糖抑制効果と報告もある。

食前に飲み忘れてskipするくらいなら，少し遅れても服用を勧めてよい。

3. 副作用

未消化で結腸に達した二糖類に対して，腸内細菌がガスを発生することによる放屁や鼓腸がある。特に服用開始1～2週に多く現れるが，その後症状が軽減・消失する場合がほとんどである。早食い・過食や服用初期のイモ類，豆類，乳製品の過剰摂取をしないこと，また炭酸飲料水で薬を服用しないことなどが指導のポイントである。

▶ ビグアナイド薬

1. 種類と由来

血糖降下作用の成分はグアニジンで，フレンチライラック（*Galega officinalis*；ガレガ草）から見つかった。

グアジニン誘導体であるフェンホルミン（販売中止），ブホルミン塩酸塩，メトホルミン塩酸塩がある。

体重を増やさない＋安価であるため第一選択薬として使われることも多い。

2. 作用機序

メトホルミン塩酸塩はAMPキナーゼ（AMPK）を活性化させる。AMPKは乳酸からブドウ糖を合成する糖新生，アセチルCoAより中性脂肪（TG）やコレステロールを合成する経路に関係し，いずれもATPを増加させる作用をもつ。肝臓のAMPKが活性化されると細胞内脂肪がエネルギー源として燃焼される方向に働き，さらに脂肪肝ではインスリン抵抗性が改善➡血糖も改善する。またメトホルミン塩酸塩は乳酸からの肝臓における糖産生量（グリコーゲン分解と糖新生）を抑制して血糖を低下させる。

3. 副作用

最も重要なのは乳酸アシドーシスである。造影検査をする場合，ヨード造影剤により一時的に腎機能が低下し，乳酸アシドーシスを起こしやすくなるため検査前後3日は休薬が推奨される。

乳酸アシドーシス以外の主な副作用は，悪心や下痢などの消化器症状であるが，＜750mg/日までの量であれば頻度は多くない。

禁忌例：心不全，重度の肝障害，過度のアルコール摂取者，重症感染症および，中等度以上の腎不全（男性はCre＞1.3md/dL，女性はCre＞1.2mg/dL）も禁忌である。

▶ ピオグリタゾン（チアゾリジン薬）

1. 種類

ピオグリタゾン塩酸塩（インスリン抵抗性改善薬）

2. 作用機序

核内受容体のPPARγ（peroxisome proliferator-activated receptor γ）に作用し，脂肪細胞の分化を促進，肥大化した脂肪細胞を正常の小型脂肪細胞に置換➡筋肉・肝臓・脂肪での糖取り込みを促進，肝臓で糖新生を抑制し血糖値を低下する。

TNFα，IL-6などの悪玉アディポサイトカインを低下させ，抗動脈硬化作用をもつアディポネクチンの血中濃度が上昇する。

マクロファージに対する抗炎症作用や血管内皮機能改善など多くの研究結果が報告されている。安全性（practical試験），2型糖尿病患者に対する大血管障害抑制（proactive試験）で，他科でもよく使用されている。

3. 注意点

尿細管でNaと水の再吸収を促進し，体液貯留傾向を示すため，心不全・浮腫の出現

に注意が必要である。

海外の試験（フランスの CNAMTS 研究，米国の KPNC 試験）[2]では膀胱癌の発症率がわずかながら有意に高いため膀胱癌の治療中の投与は避ける。

▶SU 薬（スルホニル尿素薬）

1. 種類

- 第一世代：カルブタミド，トルブタミド
- 第二世代：グリベンクラミド，グリクラジド
- 第三世代：グリメピリド

2. 作用機序

まずインスリンの分泌機序について把握する必要がある（**図 1**）[3]。

①膵 β 細胞膜にあるグルコーストランスポーター（GLUT2）により，血糖依存的にブドウ糖が細胞内に輸送される。

②ブドウ糖は解糖系でピルビン酸になり，ミトコンドリアで ATP が産生される。

③細胞内 ATP 濃度が上昇すると ATP 感受性 K^+ チャネル（K_{ATP} チャネル）が閉じて膜の脱分極へ。

④電位依存性 Ca^{2+} チャネルが開口し，Ca^{2+} が流入し，インスリン分泌顆粒からインスリンが分泌される。

SU 薬はこの中の K_{ATP} チャネルを血糖非依存的に閉じることでインスリン分泌を刺激する。

慢性的な高血糖下では，膵 β 細胞は脱分極が困難となり，インスリン追加分泌能が極度に低下する。

ここで膵 β 細胞の残存症例に SU 薬を使用すると，**図 1**[3] に示した機序でインスリン分泌が起こる。継続する高血糖という慢性刺激にメリハリが出て膵 β 細胞が休める時間帯が生じる。➡インスリン分泌能が改善，同時にインスリン抵抗性も不完全ながら改善される。

3. 一次無効，二次無効

一次無効とは，SU 薬の薬効で最初から効果がない場合をいう。

二次無効とは，最初の一定期間は血糖コントロールが改善していたが，その後，悪化する場合を言う。二次無効の定義として SU 薬を最大量使用しても無効の場合との考えもあるが，実臨床ではより早めに二次無効を診断すべきである。

二次無効の原因としては，①不十分な血糖コントロールの継続による膵 β 細胞の疲弊・減少，②食事・運動療法に対する油断，③K_{ATP} チャネルの SU 薬への感受性低下などが考えられる。

二次無効状態と判断したら速やかに生活習慣の乱れの有無を患者に確認し，ビグアナイド薬を加えるなど併用薬を早めに開始する。改善しなければ速やかに短期インスリン療法を行い，早めに空腹時血糖を 120 mg/dL 未満に達するような治療に移行することにより，膵 β 細胞を少しでも温存しておくことが重要である。

5 糖尿病治療薬の副作用　283

図1 膵β細胞からのインスリン分泌

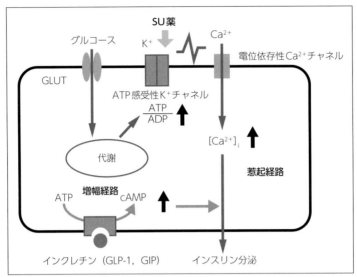

(文献3より引用)

▶グリニド薬

1. 種類と由来

ナテグリニド，ミチグリニド，レパグリニドなどがある。グリニド薬は，短時間のインスリン分泌促進作用をもっている。食前内服である。

日本人のインスリン分泌能は欧米人に比べて低いという特徴があり，特に耐糖能異常者は食後のインスリン分泌が血糖上昇に比べて遅い。日本人のために作られた薬と考えよう。

2. 作用機序

グリニド薬は，SU構造はもたないものの，SU薬と同様に膵β細胞のSU受容体に作用し，インスリン分泌を促進させる。単純に考えれば「低血糖をきたしにくい弱いSU薬」という認識であるが，SU薬の難点である食前の低血糖をきたしにくいのみでなく，日本人2型糖尿病の弱点である「インスリン初期分泌の遅延」が改善されるという利点がある。

▶DPP-4阻害薬/GLP-1製剤

1. 種類

新薬としては他科も含めて非常に高い伸び率で処方されており，多種類存在する。
①GLP-1製剤：消化管ホルモンであるインクレチン［グルカゴン様ペプチド-1（GLP-1）］の受容体作動薬。
②DPP-4阻害薬：分解酵素であるジペプチジルペプチダーゼ-4（dipeptidyl peptidase-4）を阻害する薬。

2. 作用機序

食物の流入を感知して消化管から分泌されるインクレチン（GLP-1など）は，血糖値が上昇したときのみに作用してインスリンの分泌を促進して血糖を降下させる。その後インクレチンの分解酵素であるDPP-4により，体内では半減期2～3分という短い時間で分解される。DPP-4を阻害することによりインクレチンの効果を持続させるのがDPP-4阻害薬で，インクレチンの受容体を活性化し膵β細胞からのインスリン分泌を増強するのがGLP-1製剤である。

DPP-4阻害薬やGLP-1製剤では，血糖値が下がるとインクレチンを介したインスリンの分泌が停止するため，単剤では低血糖がきわめて起こりにくいとされている。また，胃内容の排出遅延，膵β細胞保護またグルカゴン分泌の抑制などの付加作用もある。

GLP-1は下部小腸のL細胞から分泌される小腸ホルモンで，上部小腸のK細胞から出されるGIPとは異なる。

3. 副作用の注意点

特にSU薬と併用での重症低血糖を起こすことがある。そのほかに，β遮断薬，サリチル酸剤，モノアミン酸化酵素阻害薬の併用で低血糖が危惧される。また急性膵炎，腸閉塞，横紋筋融解症の注意喚起がなされている。

4. DPP-4阻害薬と併用薬

SU薬との併用（図1[3]）

SU薬は膵β細胞のSU受容体に結合し，K_{ATP}チャネルを閉鎖，細胞内Ca^{2+}濃度が上昇しインスリン分泌が増加する（惹起経路）。DPP-4阻害薬で増えたインクレチンは膵β細胞内のcAMP濃度を高め，グルコース濃度依存性のインスリン分泌を増強する（増幅経路）。

α-GIとの併用

α-GIは糖質の吸収を遅延させることにより，小腸下部からのGLP-1分泌を増加させDPP-4阻害薬と相乗効果がある。

ビグアナイド薬との併用

ビグアナイド薬は肝臓において糖新生を抑制し，またGLP-1分泌の促進作用も有するためDPP-4阻害薬と相乗効果がある。

チアゾリジン薬との併用

チアゾリジン薬はインスリン抵抗性を改善するが，分泌系であるDPP-4阻害薬とはやはり相乗効果がある。

▶インスリン

1. 種類

詳細は成書に譲る。試験で問われやすい見落としがちな知識について確認すること。

2. インスリン1単位

インスリンの1単位は，「24時間絶食にした約2kgの健康なウサギに注射し，3時間以内に痙攣を起こす血糖値：約45mg/dLを下げる最小量」と定義されている。また，乾燥インスリン1mgあたり26単位以上の力価を有するものと定義されている。

3. インスリンの保存や注意点

①高温：インスリン蛋白質が高温で変性失活する➡30℃以下で保存するように指導。
②凍結：凍らせると極端に力価が低下する➡未使用製剤は冷蔵庫の扉部分に保存するように指導。
③混合製剤の混和不足：濁っている亜鉛入り懸濁液➡十分混和するように指導。
④注射部位の変更不足：同一部位に繰り返し注射をすることで，インスリン・リポハイパートロフィーと呼ばれる硬結・肥大を起こす➡皮下脂肪の硬い部位を避けるように指導。

▶SGLT2阻害薬

1. 作用機序

近位尿細管上皮細胞の尿管側のSGLT〔sodium glucose（Na$^+$/glucose）cotransporter〕はブドウ糖を能動輸送する。

SGLT1
小腸に多く発現・近位尿細管遠位部にも発現する。

SGLT2
近位尿細管の近位部に存在し，ブドウ糖の吸収能力が高く，その結果，健常人では尿中のブドウ糖濃度はごく微量となる。
SGLT2を阻害することで尿中へのブドウ糖排出を促進するのがSGLT2阻害薬である。食後・空腹時のどちらも血糖依存的に下げる。SGLT2阻害薬と糖質制限食とは同じことではない点に注意して指導する（糖質制限食では，腸管➡門脈➡肝臓に直接流れ込む糖質量は減るが，SGLT2阻害薬では減らない）。

2. その他の特徴

SGLT2阻害薬投与で尿中に糖が排泄されると，肝の糖新生を増加させるためにグルカゴン濃度が上昇する。

3. 副作用

皮膚症状の副作用が多い。皮疹・紅斑の発現は，特に投与1～2週以内が目立っており，Stevens-Johnson症候群が疑われる症例も報告されている。
インスリンとの併用で重症低血糖が複数報告されている。低血糖，体液量減少（脱水），脳梗塞，尿路・性器感染症など，副作用報告は高齢者症例で特に多く，これを防ぐために65歳以下の肥満例への使用が無難である。

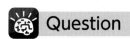

 Q1 副作用の組み合わせで誤っているものはどれか。

　A：チアゾリジン薬 ── 浮腫，骨折
　B：ビグアナイド薬 ── 乳酸アシドーシス，急性膵炎
　C：α-グルコシダーゼ阻害薬 ── 腹部膨満，肝障害
　D：SGLT2阻害薬 ── 尿路感染症，脱水
　E：スルホニル尿素薬 ── 低血糖，貧血，黄疸

正答 B

解説
急性膵炎はDPP-4阻害薬の副作用である。

 Q2 ビグアナイド薬の特徴で正しいものはどれか。

　A：PPARγ作動薬であり，動脈硬化進展を抑える。
　B：肝での糖産生を促進する。
　C：高齢者や腎機能低下例でも使用しやすい。
　D：骨折しやすくなる。
　E：消化器症状が出現しやすい。

正答 E

 Q3 インスリン分泌を促進する作用を有する薬剤はどれか，2つ選べ。

　A：ビグアナイド薬　　　D：α-グルコシダーゼ阻害薬
　B：グリニド薬　　　　　E：スルホニル尿素薬
　C：チアゾリジン薬

正答 B，E

 Q4 75歳女性。下血の精査で下行結腸に進行性大腸癌を指摘された。現在糖尿病治療を行っているが，この時点で中止すべき薬剤はどれか，2つ選べ。

　A：スルホニル尿素薬　　D：インスリン製剤
　B：ビグアナイド薬　　　E：α-グルコシダーゼ阻害薬
　C：DPP-4阻害薬

正答 B，E

 Q5 糖尿病治療歴がある60歳代男性。血糖コントロールが不十分でCr 2.7mg/dLと慢性腎不全を認める。次に選択する治療として誤っているものはどれか，2つ選べ。

　A：α-グルコシダーゼ阻害薬　　D：インスリン製剤
　B：ナテグリニド　　　　　　　E：ビグアナイド薬
　C：SGLT2阻害薬

正答 C, E

文献

1) 成瀬光栄, 他, 編：内分泌代謝専門医のセルフスタディ. 診断と治療社, 2015, p111.
2) U.S. Food and Drug Administration：FDA Drug Safety Communication：Update to ongoing safety review of Actos（pioglitazone）and increased risk of bladder cancer. [http://www.fda.gov/Drugs/DrugSafety/ucm259150.htm]
3) Hinke SA, et al：Plasticity of the beta cell insulin secretory competence：preparing the pancreatic beta cell for the next meal. *J Physiol.* 2004；558：369-380.

第7章 糖尿病

6 食事療法・運動療法
糖尿病性腎症の栄養指導

Key Question

症例：70歳女性。50歳時より糖尿病を指摘されている。現在経口血糖降下薬としてSU薬，ビグアナイド薬，チアゾリジン薬に加え，グラルギン8単位を使用している。
身体所見：身長145cm，体重42.9kg，血圧122/62mmHg，脈拍98回/分 整，体温35.9℃，意識清明，頭頸部は眼瞼結膜貧血なし，眼球結膜黄染なし，甲状腺腫大なし，頸部リンパ節触知せず。胸部は心音・呼吸音正常，腹部は異常所見なし。四肢は両下腿浮腫あり。
神経学的所見：振動覚低下，膝蓋腱反射・アキレス腱反射遅延あり。両足底に感覚異常なし。
尿検査：蛋白質（3+），潜血（1+），ブドウ糖（1+），ケトン体（−）。
血液検査：WBC 4,410/μL，RBC 396万/μL，Hb 12.6g/dL，Plt 19.2万/μL，総蛋白質6.5g/dL，Alb 3.5g/dL，BUN 12mg/dL，Cr 2.12mg/dL，Na 142mEq/L，K 4.2mEq/L，Cl 109mEq/L，AST 20U/L，ALT 25U/L，ALP 110U/L，γ-GTP 13U/L，TG 55mg/dL，LDL-Chol 67mg/dL，HDL-Chol 40mg/dL，FBS 198mg/dL，HbA1c 8.2%，グリコアルブミン23.4%，抗GAD抗体<0.4U/mL，CPR 0.3ng/mL。

今後の方針として正しいものはどれか，2つ選べ。

A：α-GIを追加する。
B：グラルギン単位を増やす。
C：食事は1,200kcal/日，蛋白質50g/日で指導する。
D：コレステロール600mg/日で指導する。
E：食塩は1日6g/日以下とする。

Answer

B，E

解説
A：既に3剤入っており，腎不全もあるため経口糖尿病薬の追加は低血糖の遷延をまねく可能性もある。内服は一度中止し，インスリン治療へ移行することも考慮すべきである。
B：基礎インスリンの追加は，空腹時血糖からも必要と考える。まずは入院し内服を中止した上で，膵臓を含めた悪性腫瘍の鑑別も考慮すべきである。

C：適正体重からの食事は1,400 kcal/日前後は必要であり，蛋白質は40 g/日前後と減量する必要がある。
D：腎不全のためコレステロール300 mg/日以下で指導する。
E：腎不全のため食塩は1日6 g/日以下とする。

Key Lesson

○糖尿病性腎症病期分類と食事内容の確認は必ず直前に行う。

知識の整理

▶糖尿病性腎症と食事療法

以前の分類の3期AとB（顕性腎症前期・後期）の区分は行わないこと。尿Alb値の程度にかかわらず，GFR 30 mL/分/1.73 m² 未満をすべて腎不全としたことが大きな変更点である（**表1**）[1,2]。

表1 糖尿病性腎症の病期分類

病期	尿アルブミン値 (mg/gCr) あるいは 尿蛋白値 (g/gCr)	GFR (eGFR) (mL/分 /1.73 m²)	総エネルギー[*5] kcal/kg 標準体重/日	蛋白質	食塩相当量	カリウム	治療，食事，生活のポイント
第1期 (腎症前期)	正常アルブミン尿 (30未満)	30以上[*1]	25～30	20％エネルギー以下	高血圧があれば6 g未満/日	制限せず	・糖尿病食を基本とし，血糖コントロールに努める ・降圧治療 ・脂質管理 ・禁煙
第2期 (早期腎症期)	微量アルブミン尿 (30～299)[*2]	30以上	25～30	20％エネルギー以下[*8]	高血圧があれば6 g未満/日	制限せず	・糖尿病食を基本とし，血糖コントロールに努める ・降圧治療 ・脂質管理 ・禁煙 ・蛋白質の過剰摂取は好ましくない
第3期 (顕性腎症期)	顕性アルブミン尿 (300以上) あるいは 持続性蛋白尿 (0.5以上)	30以上[*3]	25～30[*6]	0.8～1.0[*6] g/kg 標準体重/日	6 g未満/日	制限せず（高カリウム血症があれば<2.0 g/日）	・適切な血糖コントロール ・降圧治療 ・脂質管理 ・禁煙 ・蛋白質制限食
第4期 (腎不全期)	問わない[*4]	30未満	25～35	0.6～0.8 g/kg 標準体重/日	6 g未満/日	<1.5 g/日	・適切な血糖コントロール ・降圧治療 ・脂質管理 ・禁煙 ・蛋白質制限食 ・貧血治療
第5期 (透析療法期)	透析療法中		血液透析（HD）[*7]：30～35 腹膜透析（PD）[*7]：30～35	0.9～1.2 g/kg 標準体重/日 0.9～1.2 g/kg 標準体重/日	6 g未満/日[*9] PD除水量 (L)×7.5+尿量 (L)×5 (g)/日	<2.0 g/日 原則制限せず	・適切な血糖コントロール ・降圧治療 ・脂質管理 ・禁煙 ・透析療法または腎移植 ・水分制限（血液透析患者の場合，最大透析間隔日の体重増加を6％未満とする）

（次頁につづく）

＊1：GFR 60mL/分/1.73m² 未満の症例は CKD に該当し，糖尿病性腎症以外の原因が存在しうるため，他の腎臓病との鑑別診断が必要である。
＊2：微量アルブミン尿を認めた症例では，糖尿病性腎症早期診断基準に従って鑑別診断を行った上で，早期腎症と診断する。
＊3：顕性アルブミン尿の症例では，GFR 60mL/分/1.73m² 未満から GFR の低下に伴い腎イベント（eGFR の半減，透析導入）が増加するため注意が必要である。
＊4：GFR 30mL/分/1.73m² 未満の症例は，尿アルブミン値あるいは尿蛋白値にかかわらず，腎不全期に分類される。しかし，特に正常アルブミン尿・微量アルブミン尿の場合は，糖尿病性腎症以外の腎臓病との鑑別診断が必要である。
＊5：軽い労作の場合を例示した。
＊6：GFR<45 では第 4 期の食事内容への変更も考慮する。
＊7：血糖および体重コントロールを目的として 25〜30kcal/kg 標準体重/日までの制限も考慮する。
＊8：一般的な糖尿病の食事基準に従う。
＊9：尿量，身体活動度，体格，栄養状態，透析間体重増加を考慮して適宜調整する。
（文献 1，2 をもとに作成）

▶腎不全と高血圧

①降圧目標は診察室血圧で 130/80mmHg 以下である。
② ACE 阻害薬や ARB が第一択薬である。

▶腎不全と脂質異常症

脂質異常症は，慢性腎不全の新規発症および進行に関与する。

腎不全患者の管理目標として，LDL-Chol<120mg/dL が推奨される（可能ならく100mg/dL）。生活習慣の改善により管理目標値に達しない場合，薬物療法を考慮する。スタチンを用いた脂質管理により，腎不全進行抑制および心血管イベント発症予防が期待される。

管理目標

①脂肪：総摂取エネルギーの 20〜25％（鳥獣性脂肪ではなく，植物性・魚肉性脂肪を多くする）。
②コレステロール：300mg/日以下（健常人では 600mg/日以下を推奨）。
③食物繊維：25g/日以上。
④アルコール：25g/日以下。
⑤運動療法（速歩，水泳など）：30 分/日以上（可能なら毎日），180 分/週以上。

(1) 高中性脂肪血症が持続する場合（上記①〜⑤のうち，以下を変更）

①脂肪：総摂取エネルギーの 20％以下（鳥獣性脂肪ではなく，植物性・魚肉性脂肪を多くする）。
④アルコール：禁酒。

(2) 高 LDL コレステロール血症が持続する場合（上記①〜⑤のうち，以下を変更・追加）

②コレステロール：200mg/日以下。
上記に加え，SMP 比飽和脂肪酸：一価不飽和脂肪酸：多価不飽和脂肪酸＝3：4：3 の割合とする。

文献

1）日本糖尿病学会 糖尿病性腎症合同委員会：糖尿病性腎症病期分類 2014 の策定（糖尿病性腎症病期分類改訂）について．糖尿病．2016；57：529-534.
2）日本糖尿病学会編・著：糖尿病治療ガイド 2016-2017．p82，84-85，文光堂，2016.

6 食事療法・運動療法 糖尿病性腎症の栄養指導 291

第7章 糖尿病

妊娠・産後に関わる糖尿病
妊娠糖尿病，糖尿病合併妊娠，管理目標

Key Question

HbA1c 7.4%の妊婦（妊娠12週4日目）への介入として正しいものはどれか。

A：GLP-1製剤を使用する。
B：HbA1c値は器官形成期（4～8週）以降は緩和され，7%前半でコントロールするため経過観察とする。
C：インスリンスライディングで対応する。
D：食後2時間血糖値120 mg/dL以下になるよう調整する。
E：HbA1c値が7.0%未満になるよう調整する。

Answer

D

解説

妊娠糖尿病の診断基準と妊娠時の血糖管理目標基準を混同しないようにしなければならない。健常妊婦と同じ血糖値を目指すため，厳しく，こまめに指導する必要がある。

A：妊娠成立後は，基本的にインスリンのみである。速効型インスリンのRや中間型インスリンのN，超速効型インスリンのインスリンリスプロ（ヒューマログ®）やインスリンアスパルト（ノボラピッド®），持続型インスリンデテミル（レベミル®）は妊娠中の使用に関して安全性が確認されている。
B：放置すれば，新生児および母体合併症のリスクが高くなる。
C：空腹時低血糖，食後高血糖の妊娠糖尿病にはより不向きである。
D：管理目標は空腹時血糖値95 mg/dL，食後1時間<140 mg/dL，食後2時間<120 mg/dL，HbA1c<6.0～6.5%が求められる。
E：HbA1c<6.0～6.5%未満になるよう調整する。

Key Lesson

○妊娠中の血糖管理は健常妊婦と同じ血糖値を目標に治療を行う。
□推奨されている血糖コントロール許容値
　①食前血糖値95 mg/dL未満

②食後 1 時間血糖値 140mg/dL 未満

③食後 2 時間血糖値 120mg/dL 未満

知識の整理

▶妊娠中の糖代謝異常と診断基準

妊娠中に血糖値が高いと，新生児期に様々な合併症（巨大児：4,000g 以上と定義，低血糖，高ビリルビン血症，多血症，低カルシウム血症，呼吸障害）が起こりやすくなる。母親にも様々な産科的合併症（早産，妊娠高血圧症候群，羊水過多症，尿路感染症）が起こりやすくなる。

妊娠中に取り扱う「糖代謝異常」として，①妊娠糖尿病（GDM），②妊娠中の明らかな糖尿病，③糖尿病合併妊娠に分類される。

▶GDM の診断基準[1]

妊娠糖尿病（GDM）は，「妊娠中に初めて発見または発症した糖尿病に至っていない糖代謝異常である」と定義され[1]，妊娠中の明らかな糖尿病（overt diabetes），糖尿病合併妊娠は含めない。

まず妊婦の随時血糖値≧100mg/dL であれば，75gOGTT のスクリーニング対象となる。

75gOGTT は妊娠判明時と妊娠後期（24〜28 週）に行う。

75gOGTT において以下の基準を 1 つ以上を満たした場合に診断する。

①空腹時血糖値≧92mg/dL

②1 時間値≧180mg/dL

③2 時間値≧153mg/dL

分娩後も 2 型糖尿病の発症が高頻度であり，定期的なフォローが必要である。

▶ハイリスク GDM

GDM の診断を満たす者のうち，HbA1c＜6.5％であるが，75gOGTT 2 時間値≧200mg/dL と通常の糖尿病の診断基準を満たす場合と定義される。すなわち，「妊娠中の明らかな糖尿病」には至らないが，GDM よりも重症の妊娠中の糖代謝異常という点と，分娩後に糖尿病に進行するリスクが高いという 2 つ概念を反映させたものである。わが国独自の表記であり，インスリンを使用しなくても血糖自己測定（seif-monitoring of blood glucose：SMBG）の保険適用があるのが特徴である。

妊娠中の明らかな糖尿病（overt diabetes）とは？

妊娠前に見逃されていた糖尿病である。妊娠中の糖代謝の変化の影響を受けた糖代謝異常，および妊娠中に発症した 1 型糖尿病が含まれる。いずれも分娩後は診断の再確認が必要である。以下のいずれかを満たした場合に診断する。

①空腹時血糖値≧126mg/dL

②HbA1c≧6.5％

特に，外来で随時血糖値≧200mg/dL あるいは 75gOGTT で 2 時間値≧200mg/dL

の場合は，妊娠中の明らかな糖尿病の存在を念頭に置き，①または②の基準を満たすかどうか確認する。

▶75gOGTT を診断基準に使わない理由

1. 高血糖の危険性

スクリーニングで，①空腹時血糖値≧126mg/dL，②HbA1c≧6.5%のどちらかを満たしている場合は「妊娠中の明らかな糖尿病」と診断できる。また，75gOGTT を行うとさらに高血糖状態になり，胎児にも悪影響が出てしまうため意義がない。

2. 妊娠中 / 非妊時の診断基準の適否

妊娠中，特に妊娠後期（24～28 週）は胎児成長期に移行し，胎盤ホルモンの分泌が亢進する。その結果，生理的なインスリン抵抗性の増大を反映して糖負荷後血糖値は非妊時よりも高値を示すため，随時血糖値や 75gOGTT 後の血糖値は非妊時の糖尿病の診断基準をそのまま当てはめることはできない。また，これらは妊娠中の基準であり，分娩後は改めて非妊娠時の「糖尿病の診断基準」に基づき再評価することが必要である。

▶糖尿病合併妊娠

①妊娠前に既に診断されている糖尿病（「糖尿病の診断基準」に基づく）。
②確実な糖尿病網膜症がある場合。
基本的には，妊娠前に**表1**[1) に示した条件を満たすように指導する。
特に合併症に関しては，
• 糖尿病網膜症：眼底所見が正常，または単純網膜症
• 糖尿病腎症：腎症第 1 期（腎症前期）～腎症第 2 期（早期腎症期）
に管理されていることが望ましいとされる。

表1 妊娠前管理

• 良好な血糖コントロールの達成，維持 【目安：HbA1c（NGSP）<7.0%】 • 食事療法，血糖モニタリング，インスリン療法の徹底的な教育 • 網膜症，腎症，神経障害の評価と治療 • 経口血糖降下薬のインスリンへの変更 • ACE 阻害薬，ARB，スタチン，フィブラートなどの薬剤中止

（文献 1 をもとに作成）

▶妊娠・産後に関わる糖尿病治療の目標基準

健常妊婦と同じ血糖値を目標に治療を行う。
推奨されている血糖コントロール許容値は，以下の通りである。
①食前血糖値 95mg/dL 未満
②食後 1 時間血糖値 140mg/dL 未満
③食後 2 時間血糖値 120mg/dL 未満
長期の血糖コントロール指標として，妊娠中は HbA1c のみでなく，グリコアルブミン（GA）を用いる。健常妊婦の検討結果では，HbA1c 値が 5.8%未満，GA 値が 15.8%

未満の場合，新生児合併症の頻度が低く，GA のほうが長期血糖コントロール指標としてよりよいことが報告されている。

▶妊娠・産後に関わる糖尿病の治療

1. 食事療法

妊娠中の食事療法の特徴は，妊娠週数で変わる付加量と分割食である。

エネルギー量

1 日に必要なエネルギー量は，［非妊娠時の標準体重×30 kcal/kg］に妊娠中・授乳中に必要な量を加える。妊娠週数ごとの付加量の目安は**表 2**[1]の通りである。なお標準体重は，［標準体重（kg）＝身長（m）^{2}×22］で求める。

肥満例（BMI≧25）は妊娠中の付加はないこと，産褥期の付加は肥満の程度により個別対応になることに注意する。

分割食

1 日 3 回食でコントロールできない場合，5～6 回に分割する。

例）1 日量が 1,600 kcal の場合，1,200 kcal（3 食分）＋400 kcal（5 単位：1 単位＝80 kcal）に分け，5 単位分を食間に 1・2・2 に分けて摂取する。

表 2　糖代謝異常妊婦における食事エネルギー量

妊娠時期	日本糖尿病学会	日本産科婦人科学会
妊娠初期	非肥満（非妊時 BMI<25）：標準体重×30＋50 kcal 肥満（非妊時 BMI≧25）：標準体重×30 kcal	普通体格の妊婦（非妊時 BMI<25）： 　標準体重×30＋200 kcal 肥満妊婦（非妊時 BMI≧25）： 　標準体重×30 kcal
妊娠中期	非肥満（非妊時 BMI<25）：標準体重× 30＋250 kcal 肥満（非妊時 BMI≧25）：標準体重×30 kcal	
妊娠末期	非肥満（非妊時 BMI<25）：標準体重×30＋450 kcal 肥満（非妊時 BMI≧25）：標準体重×30 kcal	

（文献 1 より引用）

2. 薬物療法

食事療法のみで不可能なときにはインスリン治療を行う。インスリンは胎盤を通過して胎児に移行しないが，経口血糖降下薬は胎児の低血糖をきたす危険があるため原則として妊娠中には用いない。

経口血糖降下薬で治療をしていて妊娠を希望する場合には，妊娠前にインスリン療法に変更する。

インスリンの種類にも注意を払う必要がある（**表 3**）[1]。①速効型インスリンの R や中間型インスリンの N，②超速効型インスリン：インスリンリスプロ（ヒューマログ®），③インスリンアスパルト（ノボラピッド®），④持続型インスリンデテミル（レベミル®）は妊娠中の使用に関して安全性が確認されている。

持続型インスリンのインスリングラルギン（ランタス®）は，現在のところ妊娠中の使用に関しての安全性が確認されていないため，一般的には用いない。妊娠を希望するときには，妊娠前にランタス®を中間型に変更して血糖コントロールを安定させる。

妊娠中は妊娠時期によってインスリンの効き方が異なる。妊娠初期にはインスリンは

表3 各種インスリンと旧 FDA 分類および妊婦への安全性についての添付文書上の記載内容

分類名	一般名	主な商品名	旧 FDA 分類	添付文書上の記載（妊婦への安全性についての記載）
速攻型インスリン	ヒトインスリン	ノボリン®R	B	慎重投与
		ヒューマリン R	B	慎重投与
超速攻型インスリン	インスリンアスパルト	ノボラピッド®	B	慎重投与（本剤の妊婦への使用経験は少ない）
	インスリンリスプロ	ヒューマログ®	B	慎重投与 [*]
	インスリングルリジン	アピドラ®	C	慎重投与 [*]
中間型インスリン	ヒトイソフェンインスン水性懸濁	ノボリン®N	B	慎重投与
		ヒューマリン®N	B	慎重投与
	中間型インスリンリスプロ	ヒューマログ®N	（米国未発売）	慎重投与 [*]
混合型インスリン	ヒト二相性イソフェンインスリン水性懸濁	ノボリン® 30R	B	慎重投与
		ヒューマリン® 3/7	B	慎重投与
	二相性プロタミン結晶性インスリンアナログ水性懸濁	ノボラピッド® 30 ミックス	B	慎重投与 [*]
		ノボラピッド® 50 ミックス	（米国未発売）	慎重投与 [*]
		ノボラピッド® 70 ミックス	（米国未発売）	慎重投与 [*]
	インスリンリスプロ混合	ヒューマログ®ミックス 25	B	慎重投与 [*]
		ヒューマログ®ミックス 50	B	慎重投与 [*]
配合溶解インスリン	インスリンデグルデク/インスリンアスパルト配合	ライゾデグ®	（米国未発売）	慎重投与 [*]
特効型溶解インスリン	インスインデテミル	レベミル®	B	慎重投与 [*]
	インスリングラルギン	ランタス®	C	慎重投与 [*]
	インスリングラルギン	ランタス®XR	（米国 2015 年 3 月発売）	慎重投与 [*]
	インスリングラルギン	インスリングラルギン BS	（米国 2015 年 12 月発売）	慎重投与 [*]
	インスリンデグルデク	トレシーバ®	（米国 2016 年 1 月発売）	慎重投与 [*]

＊：妊娠中の投与に関する安全性は確立していない（2021 年 1 月現在）
（文献 1 より引用）

効きやすいが，妊娠中期以降にはインスリンは効きにくくなり（インスリン抵抗性），血糖値が上昇しやすくなる。よい血糖コントロールを達成するために，食事療法のみで治療をしていた妊婦でも妊娠中期以降にインスリンを開始し，妊娠前からインスリン療法を行っていた妊婦ではインスリン使用量を増やす。

Question

鍵穴のマークは問題の難易度を示します。

 Q1 インスリンアナログ製剤のうち，妊婦への安全性が確立していないもの（FDA分類C以下）はどれか（2016年現在），2つ選べ．

A：インスリンアスパルト　　D：インスリンデテミル
B：インスリングルリジン　　E：インスリンリスプロ
C：インスリングラルギン

正答💡 B，C

 Q2 妊娠糖尿病の75gOGTTにおける診断基準に含まれるものはどれか，2つ選べ．

A：空腹時血糖 ―― 92 mg/dL 以上
B：負荷後1時間値 ―― 153 mg/dL 以上
C：負荷後1時間値 ―― 140 mg/dL 以上
D：負荷後2時間値 ―― 153 mg/dL 以上
E：負荷後2時間値 ―― 120 mg/dL 以上

正答💡 A，D

 Q3 妊娠糖尿病の診断基準に含まれるものはどれか．

A：HbA1c 6.5%以上
B：随時血糖値 ―― 100 mg/dL 以上
C：食後血糖値 ―― 140 mg/dL 以上
D：空腹時血糖 ―― 92 mg/dL 以上
E：75gOGTT後2時間値 ―― 200 mg/dL 以上

正答💡 D

 Q4 妊娠糖尿病に関して誤っているものを選べ．

A：白人に比べるとアジア系民族に多い．
B：持効型インスリンを用いることは少ない．
C：2型糖尿病の発症リスクが高い．
D：妊娠後期は妊娠糖尿病のリスクが高い．
E：胎児の形態異常などには関与しない．

正答💡 E

文献
1）日本糖尿病学会，編：糖尿病診療ガイドライン2019．南江堂，2019．

第7章 糖尿病

糖尿病の合併症
糖尿病ケトアシドーシス，高浸透圧高血糖症候群

Key Question

糖尿病急性合併症についての特徴に当てはまらないものはどれか。

A：糖尿病ケトアシドーシスでは血液中 pH 7.0 未満および循環虚脱などがない限り重炭酸塩を投与することは原則行わない。
B：糖尿病ケトアシドーシスでは Kussmaul 大呼吸が特徴である。
C：高浸透圧高血糖症候群は 2 型糖尿病に多い。
D：糖尿病ケトアシドーシスは低ナトリウム血症，高浸透圧高血糖症候群は高ナトリウム血症になりやすい。
E：痙攣は高浸透圧高血糖症候群に比べ，糖尿病ケトアシドーシスで多い。

Answer

E

解説

A：正しい。基本的には輸液とインスリン持続注入である。pH が正常化し，経口摂取が可能になれば持続注入は固定うちに切り替える。
B：アシドーシスを代償するための呼吸であり糖尿病ケトアシドーシスの特徴である。
C：高浸透圧高血糖症候群は 2 型糖尿病の高齢者に多い。
D：その通りである。高浸透圧高血糖症候群は脱水のため高 Na となりやすい。
E：痙攣は高浸透圧高血糖症候群に多い。

Key Lesson

○糖尿病ケトアシドーシスと高浸透圧高血糖症候群の違いについて整理する。

知識の整理

▶糖尿病の合併症

糖尿病の合併症の一覧を**表1**[1]に示す。

表1　糖尿病の合併症

	急性合併症	慢性合併症
1.　糖尿病性昏睡 　1)　ケトアシドーシス 　2)　高浸透圧高血糖症候群 　3)　乳酸アシドーシス 　4)　低血糖性昏睡	1.　細小血管障害 　1)　糖尿病性網膜症 　2)　糖尿病性腎症 　3)　糖尿病性神経障害 2.　大血管障害 　1)　脳血管障害 　2)　虚血性心疾患 　3)　糖尿病性壊疽 3.　その他 　脂質異常症・慢性感染症 　胆石症，白内障など

（文献1より引用）

▶糖尿病ケトアシドーシスの診断

インスリンの極端な欠乏とインスリン拮抗ホルモン（グルカゴン，コルチゾール，アドレナリンなど）の増加により，

①高血糖➡≧250 mg/dL
②高ケトン血症➡β-ヒドロキシ酪酸の増加
③アシドーシス➡pH≦7.30，重炭酸塩濃度＜18 mEq/L

をきたした状態が糖尿病ケトアシドーシスであり，緊急の対応が必要である。

診断は，上記①～③を確認することが重要である。

血中ケトン体の測定結果は緊急で困難なため，翌日以降の報告を確認する。白血球数が上昇することも多く，誘因として感染なども考慮する必要があるが，循環虚脱のため発熱などの症状も乏しく，必ずCRP計測や血液培養画像検査も同時計測する。

また，大酒家，腎機能障害のある糖尿病患者にビグアナイドを処方することで起きやすい乳酸アシドーシスという疾患もおさえておきたい。診断基準は代謝性アシドーシスと同じく，血中pH＜7.35に加えて，乳酸濃度＞5～6 mmol/Lを満たす必要がある。

▶糖尿病ケトアシドーシスの治療

治療のポイントは，十分な輸液と電解質の補充，インスリンの適切な投与である。血糖，血中電解質（Na，K）を状態が安定するまでは経時的に（1時間ごとに）検査し，動脈血ガス分析も正常化まで，約6～12時間ごとにフォローする。

輸液

①生理食塩水を中心とした輸液で，水分とナトリウムを補充する。また，適切にKを補給することは重要である。
②アシドーシスの補正は原則として行わない。
③インスリンの少量持続投与：速効型インスリンの点滴静注を行う。

▶糖尿病ケトアシドーシスの合併症

脳浮腫，高クロール性代謝性アシドーシス，低カリウム血症の合併があるので，治療中には意識状態，バイタルサイン，電解質の経時的なモニターを行う。

▶高浸透圧高血糖症候群（HHS）の診断

高血糖（≧600 mg/dL），高浸透圧血症（≧320 mOsm/L）をもたらすものの，ア

シドーシスを認めない（pH>7.30，HCO_3>18～20mEq/L）状態は高浸透圧高血糖症候群（hyperosmolar hyperglycemic syndrome：HHS）と診断される。

HHS は DKA ほどのケトン体の産生までは起こらず，インスリン欠乏は DKA に比して相対的に軽く，脱水と高浸透圧が病態の中心である。また糖尿病ケトアシドーシスに比べると痙攣や振戦などの神経学的所見が多い特徴がある。

▶高浸透圧高血糖症候群（HHS）の治療

糖尿病ケトアシドーシスの治療と基本的には同じであるが，輸液による脱水の改善が最も大切である（**表2～4**）[1]。

表2 糖尿病ケトアシドーシスの治療手順

	初期（0～4時間）	4時間～8時間	8時間～24時間
検査項目	（1時間ごと）血糖，K，pH，バイタルサイン （2時間ごと～適宜）ケトン体，Na，Cl，BUN，Cr，pH	（2時間ごと）血糖，K，バイタルサイン	（2時間ごと～適宜）血糖，K，バイタルサイン （8時間ごと～適宜）ケトン体，Na，Cl，BUN，Cr，pH
補液速度	250～500mL/時（重度の脱水を伴う場合は1,000mL/時）	250mL/時	100～200mL/時
補液の種類	生理食塩水，生理食塩水でNa濃度が高い時は1/2生食	生理食塩水 血糖値<200mg/dLとなれば5～10%ブドウ糖を含んだ輸液	5～10%ブドウ糖を含んだ輸液
インスリン	速効型インスリンの0.1U/体重kg/時 ポンプで静脈内持続注入	尿ケトン体が消失するまで継続	経口摂取可能となれば，皮下注射に変更
K補充	5mmol/L以下で10mmol/時	3.5mmol/L以下で20mmol/時	適宜
P補充		1mg/dL以下で考慮	
HCO_3補充	pH<7.0で50～100mmolを30分以上かけて投与		

（文献1より引用）

表3 糖尿病ケトアシドーシスと高浸透圧高血糖症候群（HHS）の鑑別

		糖尿病ケトアシドーシス	HHS
糖尿病タイプ		1型糖尿病	2型糖尿病
発症年齢		若年	高齢
前駆症状		多飲，多尿，消化器症状	特異的なものなし
身体異常		脱水，アセトン臭，Kussmaul大呼吸	脱水，アセトン臭なし，痙攣・振戦などの神経学的所見
検査所見	尿ケトン体	陽性～強陽性	陰性～弱陽性
	血糖値	300～1,000mg/dL	600～1,500mg/dL
	浸透圧	正常～300mOsm/L	>350mOsm/L
	Na	正常～軽度低下	>150mmol/L
	pH	<7.3	7.3～7.4
	BUN	上昇	著明に上昇
	K	軽度高値，治療後低下	軽度高値，治療後低下
その他の特徴		反復傾向あり	改善後は血糖コントロール良好

（文献1より引用）

表4 高浸透圧高血糖症候群の誘発因子

1. 感染症	肺炎，尿路感染症，ウイルス感染
2. 脱水	嘔吐，下痢
3. 手術	胸部手術，腹部手術，脳外科手術
4. 脳血管障害	脳梗塞，脳出血
5. 薬剤	副腎皮質ステロイド，利尿薬，高カロリー輸液
6. 内分泌疾患	Cushing症候群，Basedow病
7. 心疾患	心筋梗塞，心不全

（文献1より引用）

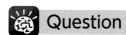 Question　　　　鍵穴のマークは問題の難易度を示します。

 症例：50歳代男性。糖尿病と診断された。毎日，焼酎を500mL飲んでいる。血糖値が高くなってきたためメトホルミンが処方された。最近1週間は食欲がなく，食べられていない。今朝から，悪心，嘔吐，痙攣があり，意識障害をきたしたため救急搬送となった。

この疾患の診断のために必要な検査はどれか，2つ選べ。

A：血中乳酸値　　　D：血中ケトン体濃度
B：血糖　　　　　　E：血中CK
C：血中電解質

正答 A, D

文献
1) 日本糖尿病学会，編：糖尿病専門医研修ガイドブック．改訂第7版．診断と治療社，2017．

第7章 糖尿病

9 糖尿病の慢性合併症と大規模試験

Key Question

糖尿病の臨床研究の対象・目的に関する組み合わせのうち誤っているものはどれか。

A：ACCORD ── 2型糖尿病 ── 従来療法と強化療法における合併症
B：DCCT ── 2型糖尿病 ── 従来療法と強化療法における合併症
C：J-DOIT1 ── 2型糖尿病 ── 糖尿病発症予防
D：J-DOIT2 ── 2型糖尿病 ── 受診中断率の改善
E：J-DOIT3 ── 2型糖尿病 ── 従来療法と強化療法における合併症

Answer

B

解説
A：正しい。大血管合併症の抑制に否定的であった。
B：1型糖尿病の間違いである。早期からの治療介入の必要性を示した。
C〜E：正しい。日本人に対するstudyである。

Key Lesson

- 1型糖尿病の大規模試験と言えばDCCT（Diabetes Control and Complications Trial）である。
- J-DOIT（Japan Diabetes Outcome Intervention Trial）は日本人2型糖尿病のための大規模試験であり，糖尿病予備群からの糖尿病発症を半減させる研究（J-DOIT 1），DM予防患者の治療中断を半減させる研究（J-DOIT 2），アドヒアランス合併症を30％減少させる研究（J-DOIT 3），に分類される。

知識の整理

▶糖尿病に関する大規模試験

厚生労働省の結果から推計される糖尿病患者数は，1997年には予備群を含め1,400

万人だったのが，2007 年には 2,200 万人となり，わずか 10 年で 1.6 倍に増えている。慢性合併症については，集学的治療が普及し，透析療法新規導入者数に占める糖尿病腎症の割合がわずかに低下し，糖尿病網膜症が視覚障害の原疾患 1 位から 2 位に下がるなど，糖尿病特有の細小血管症については増加が落ち着いてきている。高脂肪食に代表される生活習慣の欧米化は，細小血管症よりむしろ大血管症の促進因子である。

　糖尿病に関する大規模試験を**表 1**[1] にまとめた。

表 1　糖尿病に関する大規模試験（1993〜2008）

試験名	発表年	対　象	国・地域	研究成果など
DCCT (Diabetes Control and Complications Trial)	1993 年	1 型糖尿病	北米	細小血管障害予防には厳格な血糖コントロールが重要
KUMAMOTO STUDY	1995 年	2 型糖尿病	日本	日本での合併症抑制効果(HbAlc＜7.0%)を証明
UKPDS (United Kingdom Prospective Diabetes Study)	1997 年	新規発症 2 型糖尿病	欧州	糖尿病発症早期からの介入による合併症抑制効果を初めて示した
DECODE STUDY (Diabetes Epidemiology: Collaborative analysis of Diagnostic criteria in Europe)	1999 年	一般住人	欧州	食後高血糖は心血管疾患のリスクファクター
ADA/EASD (American Diabetes Association/European Association for the Study of Diabetes)	2006 年	2 型糖尿病	欧州	2 型糖尿病治療コンセンサス：インスリン治療の開始は Basal の併用から
IDF（国際糖尿病連合）食後高血糖管理ガイドライン	2007 年			血糖管理は空腹時・食後血糖共に同時に実施
ACCORD (Action to Control Cardiovascular Risk in Diabetes)	2008 年 2 月	一部中止発表		厳格な血糖コントロールの必要性に疑問
ADVANCE (Action in Diabetes and Vascular Disease Preterax and Damicron Modified Release Contorolled Evaluation)	2008 年 6 月			厳格な血糖コントロールの必要性に疑問
VADT (Veterans Affairs Diabetes Trial)	2008 年 6 月			厳格な血糖コントロールの必要性に疑問
Steno-2	2008 年 9 月			厳格な血糖コントロールは「早期から」がポイントであり，集学的治療介入の重要性を示した

（文献 1 をもとに作成）

1. ACCORD，ADVANCE，VADT―血糖コントロールを強化しても大血管症を抑止しえない？

　糖尿病大血管症の抑止に関する，ACCORD（Action to Control Cardiovascular Risk in Diabetes），ADVANCE（Action in Diabetes and Vascular Disease Preterax and Diamicron Modified Release Controlled Evaluation），VADT（Veterans Affairs Diabetes Trial）などの注目すべき複数の大規模臨床試験の報告が続いたが，長期の罹病期間を有する糖尿病患者では厳格な血糖コントロールを強化しても大血管症を抑止しえないことを示している。さらに ACCORD においては，原因は探索中であるが，血糖管理強化群でむしろ死亡が有意に増えた。重症低血糖の増加が一因であると示唆されている。大血管症抑止のための血糖管理の効果にネガティブな印象が広がった。

9　糖尿病の慢性合併症と大規模試験　**303**

2. DCCT（EDIC），UKPDS，Steno-2—積極的な血糖管理は糖尿病発症後の「より早期から」行うことが重要である

　一方で，DCCT（EDIC）と，UKPDS（United Kingdom Prospective Diabetes Study）35，80 という 2 型糖尿病患者を対象とした 2 つの大規模臨床試験では，試験期間中には強化療法による血管イベント発生率低下はみられなかったが，試験終了後の観察研究では約 10 年を経て群間差が生じ metabolic memory もしくは legacy effect として注目された。同様に，ACCORD，ADVANCE，VADT より長い試験期間が設定された Steno-2 では，血糖を含む危険因子の集学的治療により大血管症が減ることが報告されている。

　これら大規模臨床試験の結果から，低血糖を回避しつつ，積極的な血糖コントロールを含めた集学的治療を糖尿病発症後の「より早期から」行うことが重要であると考えられる。

3. 日本人に対する研究

　糖尿病やその合併症の発症には欧米人と東洋人の間で大きな人種差があるため，日本人でのエビデンスに基づいた介入法を探っていかねばならない。「糖尿病予防のための戦略研究（J-DOIT）」である。

　J-DOIT は，以下のように分類される。
　①糖尿病予備群からの糖尿病発症を半減させる研究（J-DOIT 1）➡ DM 予防
　②患者の治療中断を半減させる研究（J-DOIT 2）➡アドヒアランス
　③合併症を 30％減少させる研究（J-DOIT 3）➡合併症

J-DOIT 3

　対象は高血圧または脂質異常を併発している 45〜69 歳の 2 型糖尿病患者 2,542 人で，半数ずつ「従来治療群」と「強化療法群」の 2 群に分け 2016 年 3 月まで追跡する予定であり，結論が待たれている。

　以下の 3 点は確認されている。
　①現時点で強化療法群と従来療法群で一次エンドポイントの発生に有意差が認められない。
　②イベント発生時の HbA1c とイベントとの間に有意な関連が認められない。
　③強化療法群においても重篤な低血糖はほとんど発生していないことが確認された。

文献
1) 野田光彦，監：糖尿病の大規模研究．糖尿病ネットワーク．
　　[http://www.dm-net.co.jp/daikibo/]

第8章

脂質異常症

脂質異常症は，試験問題の作成者にもよるが，毎年必ずマニアックな問題（普段から高度な脂質異常症を診察・研究している方には易問かもしれない）が出題される。家族性高コレステロール血症は必出なので，まずはそれをベースにその他の脂質異常症も含めて整理するのがよい。

第8章 脂質異常症

1 リポ蛋白質とその代謝

Key Question

リポ蛋白質について，正しいものはどれか，2つ選べ．

A：脂質異常症の型分類にSDS-PAGEが必須である．
B：アガロース電気泳動以外に4℃での冷蔵保存なケースがある．
C：HDLはⅠ型脂質異常症で上昇する．
D：Ⅰ型，Ⅴ型では，胃潰瘍の発生に注意が必要である．
E：家族性Ⅲ型脂質異常症は，アポ蛋白質Eの異常によるものである．

Answer

B，E

解説

A：カイロミクロンやVLDLに含まれるアポC-ⅡがLPLを活性化し，カイロミクロンやVLDLを加水分解する．
B：CETP欠損症は代表的な高HDLコレステロール血症疾患であり，日本では原発性高HDLコレステロール血症の原因として最多である．
C：インスリン抵抗性はLPL活性の低下を引き起こし，高カイロミクロン血症となる．
D：Tangier病は代表的な低HDLコレステロール血症疾患で常染色体劣性遺伝であり，原因遺伝子は*ABCA1*である．所見としては，オレンジ色の扁桃腫大，角膜混濁，肝脾腫，末梢神経障害などが特徴である．
E：レシチン-コレステロールアシル転移酵素（LCAT）欠損症は代表的な低HDLコレステロール血症疾患で角膜混濁なども合併することがある．

Key Lesson

□リポ蛋白質（カイロミクロン，VLDL，IDL，LDL，HDL）＝脂質＋アポ蛋白質
○アポAの異常はHDLの異常を，アポBの異常はLDLの異常を，アポC，Eの異常はVLDL（特にTGなど）の異常を想定する．

知識の整理

▶リポ蛋白質

「脂質＋アポ蛋白質＝リポ蛋白質」である。脂質は油であり，そのままでは水に溶けない。そのため，脂質を血液中に溶かすための特別な輸送系が必要となる。脂質はアポ蛋白質と結合し，リポ蛋白質として血中をめぐる。

血中には①コレステロール＝遊離コレステロール (FC)＋コレステロールエステル (CE)，②中性脂肪 (TG)，③リン脂質 (PL)，④遊離脂肪酸 (FFA) の脂質が存在している。

④の大部分はAlbと結合するが，①～③はリポ蛋白質の構成成分として存在する。血中で脂質は疎水性の強いCE，TGを内部に閉じ込め，外側に比較的親水性のあるFC，PLで覆っている球体として存在しており，これがリポ蛋白質である（**図1**）[1]。

そしてそのリポ蛋白質の表面に埋め込まれている蛋白質がアポ蛋白質であり，多様な働きをする（結合や酵素の活性化，阻害など）。

▶リポ蛋白質の組成・分類

リポ蛋白質は，脂質構成などにより比重や粒子の大きさが異なる（**図1**）[1]。比重により，**表1**のように分類される。なお，この比重は超遠心法で判断する。超遠心機やローターにより異なるが，EDTA採血した血漿に，KBr，NaCl，重水などの比重液を加えて調節し，VLDL 16時間，IDL 18時間，LDL 20時間，HDL 40時間，遠心する。比重の調整や遠心後の透析（脱塩）などを含めて5日以上かかり，保険適用はない。

リポ蛋白質の比重はこの順に重くなり，粒子の大きさはこの順に小さくなる。

ポリアクリルアミドゲル電気泳動，アガロース電気泳動や超遠心法による分離により，脂質異常症の型分類がなされる。

図1 リポ蛋白質の構造

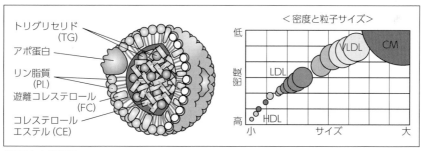

（文献1より引用）

表1 リポ蛋白質の分類と比重

カイロミクロン	<0.93
VLDL（超低比重）	0.93～1.006
IDL（中間比重）	1.006～1.019
LDL（低比重）	1.019～1.063
HDL（高比重）	1.063～1.210

カイロミクロン（CM）

　カイロミクロン（chylomicron：CM）中の食事由来のコレステロールは，肝臓のコレステロール合成系を抑制する。食事由来のコレステロールが増加すると，体内（肝臓）でのコレステロール合成は抑制され，コレステロールが過剰にならないように調節される。

　Ⅰ型脂質異常症の患者では，カイロミクロンが増加するため，遠心分離して血清にすると，血清の上層に白いクリーム層が見える。

　カイロミクロンの蛋白質は，65%がアポC（Ⅰ，Ⅱ，Ⅲ），22%がアポB（大部分は，腸由来のB-48），12%がアポAと言われる。カイロミクロンはリポ蛋白質の中で最大で，直径が1μm（1万Å）もあるので，乳状脂粒として光学的顕微鏡で見ることが可能である。

VLDL

　VLDLはTGが主成分（約55%）で，主に内因性の脂質（体内で合成された内因性TGと内因性コレステロール）を運搬する。糖質やアルコールはVLDL産生を亢進させる。

　大部分のVLDLは，カイロミクロンと同様に，含まれているTGがLPLによって徐々に分解され喪失し，小型化してIDLになる。VLDLはIDLを経てLDLに変化するが，その間にアポCを喪失し，アポEが血中に比較的豊富になる。VLDLの増加した血清は，冷所（4℃）に放置すると，白濁する（血清の白濁は，VLDLでなく，カイロミクロンや，カイロミクロンレムナントが原因とする説もある）。

　肝性VLDLは，アポ蛋白のB-100（37%）とアポE（13%）を含んでいる。VLDLは血清中に放出され，HDLからアポC（50%）を獲得する。

IDL

　前述のように，VLDLのTGがLPLによって分解されてIDLになる。

　IDLの一部は，アポ蛋白質のアポEを介して（レムナント受容体により）肝臓に取り込まれ，残りは肝性TGリパーゼ（hepatic TG lipase：HTGL，甲状腺ホルモンが活性に必要）により分解されてLDLになる。IDLは78%がアポBである。空腹時では血中のIDLは代謝されてほぼ存在しない。

LDL

①LDLは約45%がコレステロールで構成され，肝臓をはじめとしたほとんどの組織にコレステロールを供給している。

②血清総コレステロールの約2/3は，LDLに含まれている。

③血中LDLの2/3は，LDLのアポ蛋白質（アポB-100が98%）を認識するLDL受容体に結合して，肝臓や末梢組織（脂肪組織など）の細胞内に取り込まれる。

④血中LDLの1/3は，マクロファージに取り込まれる。

⑤LDLに含まれるアポ蛋白質は，ほとんどがアポB-100（98%）である。

⑥血清LDL-Chol値は，動脈硬化（特に冠動脈疾患）の主要なリスクファクターであるが，アポB/アポA-Ⅰ比は冠動脈疾患で上昇し，しかもその罹患枝が多岐にわたるほど，この比が上昇してくることが知られている。

　また，血清LDL-Chol値はインスリン抵抗性には関連がない（メタボリックシンドロームの診断基準に入らない）ことは重要である。

---
sd LDL

sd LDL（small dense LDL）とは，小型の比重が重い LDL のことである。

sd LDL は酸化 LDL になりやすく，LDL 受容体と結合親和性が悪いため，血中滞在時間が正常 LDL より長くなり，血管内皮と長時間接触する。粒子サイズが小さいため，血管内皮細胞の間隙を通過して，動脈壁に浸透し，血管壁に炎症を進展させる。なお，sd LDL は通常のアガロース電気泳動ではなく SDS-PAGE（sodium dodecyl sulfate polyacrylamide gel electrophoresis）で粒子径サイズでの同定方法が必要である。

リポ蛋白質（a）〔LP（a）〕は，LDL のアポ B-100 に，アポ蛋白質であるアポ（a）が結合して構成されるリポ蛋白質で，LP（a）中に含まれる脂溶性の抗酸化物質量は LDL より少ないため，LDL より酸化されやすい。酸化された LP（a）は，濃度依存性に，LDL より強く，血管拡張を阻害する。

HDL

HDL は，主に肝臓と小腸で合成され，またカイロミクロンや VLDL の代謝からも形成される。合成直後は円盤状をしていて，約 50％がアポ蛋白（アポ A-I，アポ A-II が主）により構成されている。

HDL のアポ A-I は，LCAT（lecithin cholesterol acyl transferase）および *ABCA1*（ATP-binding cassette transporter A1）を活性化させる。HDL は，血中の LCAT および ABCA1 の作用により，末梢組織の細胞膜表面から FC を引き抜く。

▶アポ蛋白質

脂質は水に溶けないため，血中では脂質粒子の周りを蛋白質（アポ蛋白質）が取り囲み，親水性が増した状態で存在している。言うなれば，アポ蛋白質は脂質の運び屋である。日常的に測定可能なアポ蛋白質は，アポ A-I，アポ A-II，アポ B，アポ C-II，アポ C-III，およびアポ E の 6 種類がある。

アポ B には，肝臓由来のアポ B-100 と，腸由来のアポ B-48 とがある。血液中のアポ B は，ほとんどがアポ B-100 で，大部分が LDL 中に存在し，LDL 受容体との結合に関与する。アポ B-100 は，VLDL や LDL では，1 粒子あたり 1 分子存在するので，アポ B-100 の測定は，これらの粒子の数を反映する。また，アポ B-48 は，カイロミクロンの主要な構成蛋白質である。

①アポ A の異常は HDL の異常，②アポ B の異常は LDL の異常，③アポ C，E の異常は VLDL（特に TG など）の異常を想定して考える。

アポ蛋白質の表記は？

例）28 歳女性。家族性高コレステロール血症（FH，FH ヘテロ接合）の検査所見
検査所見：総コレステロール 405mg/dL，LDL-Chol 268mg/dL，HDL-Chol 47mg/dL，TG 150mg/dL，アポ蛋白質（A-I 114mg/dL，A-II 25.3mg/dL，B 175mg/dL，C-II 5.6mg/dL，C-III 9.9mg/dL，E 5.3mg/dL）
実際の試験でも表記はされるが，正常値は年齢，性別で基準値が必ず書かれているので細かく覚える必要はない。この症例では，アポ B が基準値より高く，LDL-Chol も高値であることが示唆される。

---

1 リポ蛋白質とその代謝　**309**

1. リポ蛋白質に含まれる主なアポ蛋白質とその含有量

リポ蛋白質に含まれる主な蛋白質とその含有量を**表2**にまとめた。

表2 リポ蛋白質に含まれる主な蛋白質とその含有量

カイロミクロン	すべてのアポ蛋白質を含む
VLDL（超低比重）	アポB（37%），アポC-Ⅱ（6.7%），アポC-Ⅲ（40%），アポE（13%）
LDL（低比重）	大部分がアポB（98%）
HDL（高比重）	アポA-Ⅰ（67%），アポA-Ⅱ（22%）

2. アポ蛋白質の機能

アポ蛋白質の機能を**表3**にまとめた。

表3 アポ蛋白質の機能

種　類	指　標	作　用	基準値（mg／dL）	
			男性	女性
アポA-Ⅰ	HDLの変動	・LCATの活性化 ・HDL受容体との結合	120～155	125～165
アポA-Ⅱ	HDLの変動	・LCATの活性阻害 ・HTGLの活性阻害	26～36	25～33
アポB	LDLの変動	・LDL受容体との結合	70～110	65～100
アポC-Ⅱ	TGの変動	・LPLの重要な活性化因子	2.0～5.0	1.5～4.0
アポC-Ⅲ	TGの変動	・LPL，HTGLの活性阻害 ・レムナント受容体との結合を阻害	6.0～10.0	5.0～9.0
アポE	カイロミクロンや レムナントの変動	・レムナント受容体，VLDLやIDLのLDL受容体との結合 ・VLDL受容体との結合	3.0～4.0	3.0～5.0

HTGL：肝性TGリパーゼ

▶リポ蛋白質の代謝経路（外因性と内因性）

リポ蛋白質の代謝経路は，外因性（食事性）と内因性の経路に分類される（**図2**）[2]。

1. 外因性経路（食事性の中性脂肪などの脂質の流れ）

食事由来の中性脂肪などの脂質は小腸から吸収され，カイロミクロンとなり全身の組織へ運ばれる。カイロミクロンの内部に含まれる中性脂肪（約90%がTGで構成）はLPL（脂肪組織や筋肉の毛細血管内皮細胞表面に存在する）により分解され，粒子が小さくなり，コレステロールに富んだカイロミクロンレムナントになり，やがて肝臓へ取り込まれていく。

2. 内因性経路（肝臓と各組織との間での脂質の流れ）

肝臓ではコレステロールとTGが合成され，VLDLが形成され血中に分泌される。「カイロミクロンやVLDLはTGを多く含むリポ蛋白質粒子」，と覚えておく。

VLDLもカイロミクロンと同様に，LPLにより代謝されIDLとなり，さらにHTGLの作用を受けLDLへ代謝されていく。LDLは末梢組織にてLDL受容体を介し取り込

図2 リポ蛋白質の代謝経路

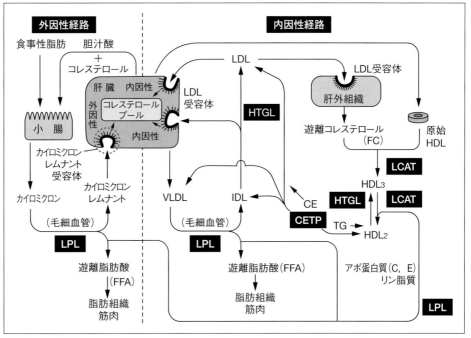

(文献2より引用)

まれ，肝臓や肝外へコレステロールを供給する．役目を終えたLDLは肝臓に取り込まれ回収される．

　一方で，組織で過剰になったコレステロールを末梢組織から引き抜き肝臓へ輸送する「コレステロール逆転送系」があり，この経路の主役がHDLである．小腸や肝臓で作られた新生HDLは，末梢組織からABCA1を介してFCを引き抜き取り込む．HDL中のFCはLCATおよびCETPにより，肝臓に運ばれ，胆汁中に排出される．成熟したHDLは肝臓でのHDL受容体を介して取り込まれる．

リポ蛋白質の代謝経路（アポ蛋白質も含めて）は？

①食事由来のカイロミクロンは，含まれているアポC-Ⅱというアポ蛋白質を介して，主に脂肪組織や筋肉の毛細血管内皮細胞表面のLPLを活性化させ，含まれているTGが分解され，粒子が小さくなり，コレステロールに富んだカイロミクロンレムナントになる．

②カイロミクロンレムナントは，含まれているアポEというアポ蛋白質を介して，レムナント受容体により，肝臓に取り込まれる（REMのEと覚える）．

③VLDLは，カイロミクロンと同様に，LPLによって，含まれているTGが徐々に分解されて，IDLになる．

④IDLの一部は，含まれるアポ蛋白質のアポEを介して，肝臓に取り込まれ，残りはHTGLにより分解されて，LDLになる．

⑤血中LDLの2/3は，含まれているアポB-100というアポ蛋白質を介して，細胞のLDL受容体に結合し，細胞内に取り込まれる．

VLDL，IDL，LDLは，HDLから，CETPの作用で，CEを受け取る．そのために，LDLは，コレステロールに富んだ粒子になる．

文献

1) Segrest JP, et al：The amphipathic alpha helix：a multifunctional structural motif in plasma apolipoproteins. *Adv Protein Chem*. 1994；45：303-369.

2) 肥塚直美, 編：New 専門医を目指すケース・メソッド・アプローチ 内分泌疾患. 第 3 版. 日本医事新報社, 2016, p303.

第8章 脂質異常症

2 脂質異常症

Key Question

高カイロミクロン血症を生じる疾患はどれか，2つ選べ．

- A：アポ C-Ⅱ 欠損症
- B：CETP 欠損症
- C：コントロール不良の糖尿病
- D：Tangier 病
- E：LCAT 欠損症

Answer

A，C

解説

- A：カイロミクロンや VLDL に含まれるアポ C-Ⅱ が LPL を活性化し，カイロミクロンや VLDL を加水分解する．
- B：CETP 欠損症は代表的な高 HDL コレステロール血症疾患であり，日本では原発性高 HDL コレステロール血症の原因として最多である．
- C：インスリン抵抗性は LPL 活性の低下を引き起こし，高カイロミクロン血症となる．
- D：Tangier 病は代表的な低 HDL コレステロール血症疾患で常染色体劣性遺伝であり，原因遺伝子は *ABCA1* である．所見としては，オレンジ色の扁桃腫大，角膜混濁，肝脾腫，末梢神経障害などが特徴である．
- E：レシチン-コレステロールアシル転移酵素（LCAT）欠損症は代表的な低 HDL コレステロール血症疾患で角膜混濁なども合併することがある．

Key Question

脂質異常の治療薬の副作用の組み合わせで**誤っている**ものはどれか．

- A：スタチン ── 横紋筋融解症状
- B：エゼミチブ ── 消化器症状
- C：*n*-3 多価不飽和脂肪酸 ── 凝固能亢進

D：プロブコール ── QT 延長
E：ニコチン酸 ── 顔面紅潮

Answer

C

解説

A：スタチンやフィブラート系薬剤では横紋筋融解症，消化器症状や肝障害が知られている。
B：エゼミチブは，化器症状や肝機能障害，クレアチンキナーゼ値の上昇が挙げられる。
C：n-3 多価不飽和脂肪酸は EPA や DHA の主成分であり，出血傾向となる問題がある。
D：プロブコールは可逆性の QT 延長が知られている。
E：ニコチン酸は顔面紅潮や頭痛などが挙げられる。少量からの開始が推奨される。

Key Lesson

□原発性高カイロミクロン血症 ➡ アポ C-Ⅱ欠損症
□高 HDL コレステロール血症 ➡ CETP 欠損症（原発性胆汁性肝硬変，飲酒，てんかん薬でも高 HDL になる）
□低 HDL コレステロール血症 ➡ Tangier 病，LCAT 欠損症

知識の整理

▶脂質異常症

臨床的に，脂質異常症とは，コレステロールや中性脂肪（TG）の増加した状態である。病態を理解するには，脂質の成り立ち，リポ蛋白質の合成亢進や異化障害の結果として生じることを理解する必要がある。

1. 診断・分類

診断

①高コレステロール血症 ➡ 血清総コレステロール≧220 mg/dL，血清 LDL-Chol≧140 mg/dL。
②高中性脂肪血症 ➡ 血清 TG≧150 mg/dL。
③低 HDL コレステロール血症 ➡ 血清 HDL-Chol＜40 mg/dL。

LDL-Chol 値に関しては，血清 TG 濃度が 400 mg/dL までは Friedewald の式 [LDL-Chol＝総コレステロール－（HDL-Chol）－TG/5] を用いて計算により求めることが可能であるが，TG≧400 mg/dL の場合，あるいは食後採血の場合は LDL-Chol 値を直接計測する必要がある。

病態把握に必要な検査項目

①LDL-Chol, LDL-Chol：アポ蛋白質（A-Ⅰ, A-Ⅱ, B, C-Ⅱ, C-Ⅲ, E）
②RLP-C（remnant like particles cholesterol）
③LP（a）
④LPL
⑤LCAT
⑥HTGL（hepatic TG lipase）：保険適用外
⑦CETP：保険適用外

分類

WHO 分類を**表1**[1] および**図1**[1] に示す。総コレステロールのみが増加するもの，TG のみが増加するもの，両者が増加するものがある。

実際の臨床としては，高コレステロール血症のみの場合，HDL-Chol 値が正常であればⅡa型，高中性脂肪血症のみの場合はⅠ型かⅣ型ということになるが，Ⅰ型はきわめて稀なので，ほとんどの場合Ⅳ型と考えてよい。

高コレステロール血症に高中性脂肪血症を伴う場合には，Ⅱb型，Ⅲ型，Ⅴ型の鑑別をする必要がある。

試験問題としては，以下を覚えておく。

①Ⅰ，Ⅱa型以外は VLDL が上昇している。
②β VLDL はⅢ型のみ，Ⅲ型の異常はアポ E が原因である。
③TG の異常高値（≧1,000 mg/dL）はⅠ，Ⅴ型である。
④Ⅰ型の代表疾患として家族性リポ蛋白リパーゼ（LPL）欠損症である。

家族性リポ蛋白質リパーゼ欠損症は常染色体劣性遺伝であり，カイロミクロンから分解せず，TG が 2,000～20,000 mg/dL と異常高値であり，発疹性黄色腫や繰り返す急性膵炎を特徴とする。粒子系が大きいために，血管壁に簡単に移行できず，動脈硬化疾患は少ない代わりに頻発する急性膵炎に注意する必要がある。

TG 値が 1,000 mg/dL 以上あればカイロミクロン血症があることがほぼ間違いないので，血清を 48 時間冷蔵庫に静置させて上層のクリーム層の出現をみてカイロミクロンの存在を確認する。

TG 値が 1,000 mg/dL 未満の場合は，アガロース電気泳動を行ってカイロミクロンと broad β の有無をみる必要がある。すなわち，脂質異常症型の分類にはアガロース電気泳動までで十分であり，SDS-PAGE や超遠心法など特殊な検査は必須ではない。

ひっかけ問題で，「脂質異常症型の分類にはアガロース電気泳動に加え，SDS-PAGE も必要である」という選択肢が出題されることがあるが（内科認定医試験より），誤り

第8章
脂質異常症

表1 脂質異常症の WHO 分類

型	Ⅰ	Ⅱa	Ⅱb	Ⅲ	Ⅳ	Ⅴ
増加するリポ蛋白質	カイロミクロン	LDL	VLDL, LDL	β-VLDL または IDL	VLDL	カイロミクロン, VLDL
血清脂質	TC～ TG ↑↑↑	TC ↑～↑↑↑ TG～	TC ↑～↑↑ TG ↑～↑↑	TC ↑↑ TG ↑↑	TC～または ↑ TG ↑↑	TC ↑～↑↑ TG ↑↑↑

TC：総コレステロール
（文献 1 より引用）

2 脂質異常症　315

図1 高コレステロール血症のタイプ分類

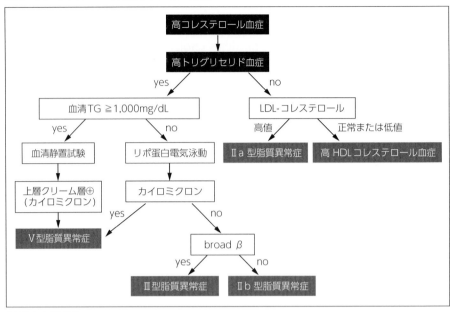

(文献1より引用)

である。レムナントやsd LDLの検出など粒子径によってリポ蛋白質を分類する際には，western blottingで使用されるSDS-PAGEは有効である。

2. 原発性および続発性脂質異常症の鑑別

脂質異常症のWHO分類はI～V型まであるが，原発性か続発性の鑑別も重要である。

続発性脂質異常症

表2[1]に，原因疾患と続発性脂質異常症のタイプを示す。
続発性で特に重要なのは，糖尿病と甲状腺機能低下症である。

糖尿病の場合

糖尿病に続発する場合は，VLDLが増加するIV型と，VLDLとLDLとが増加するIIb型が多いとされている。重症の糖尿病では，V型脂質異常症になることがある。LPLは，インスリンによって活性が促進されるが，インスリン抵抗性が亢進した糖尿病などでは，VLDLに含まれる中性脂肪（TG）分解が低下する。

甲状腺機能低下症の場合

肝臓におけるHTGL活性に甲状腺ホルモンが必要であり，IIa，III型になることが多い。

表2 続発性脂質異常症

原因疾患		脂質異常症タイプ
内分泌代謝疾患	糖原病	Ⅳ, Ⅱb, (Ⅴ)
	甲状腺機能低下症	Ⅱa, (Ⅲ)
	Cushing 症候群	Ⅱb, Ⅱa
	肥満	Ⅱb, Ⅳ
	先端肥大症	Ⅳ
	神経性食欲不振症	Ⅱa
	糖原病	Ⅳ, (Ⅴ)
	Werner 症候群	Ⅱa
	ポルフィリア	Ⅱa
	妊娠	Ⅱb
	痛風	Ⅳ
肝疾患	閉塞性黄疸	Ⅱa
	肝癌	Ⅱa
	肝炎	Ⅳ
腎疾患	ネフローゼ症候群	Ⅱa, Ⅱb
	慢性腎不全	Ⅳ, (Ⅲ)
免疫異常	全身性エリテマトーデス	Ⅳ, (Ⅴ, Ⅲ)
	骨髄腫	Ⅳ
薬剤性その他	ステロイドホルモン	Ⅱb, Ⅱa
	サイアザイド	Ⅱb, Ⅳ
	β遮断薬	Ⅳ
	経口避妊薬	Ⅳ, (Ⅴ)
	アルコール	Ⅳ, (Ⅴ)

(文献1より引用)

原発性脂質異常症

表3[1,2] および**表4**[3] に，原発性脂質異常症の分類と診断のための検査を示す。

ポイントは，以下の通りである。

①Ⅰ型脂質異常症は先天性 LPL 欠損や先天性アポ C-Ⅱ欠損が原因で発症する。

②Ⅱa 型脂質異常症は，LDL 受容体の異常が原因で，遺伝性の FH を発症する。FH はヘテロ接合体型とホモ接合体型がある。ヘテロ接合体型は 500 人に 1 人程度と頻度が高く存在し，総コレステロール値は 250〜500 mg/dL 程度の値を示す。ホモ接合体型は 100 万人に 1 人程度と頻度は稀であるが，若いうちから動脈硬化性病変を発症しやすい。

表3 原発性脂質異常症の分類と診断のための検査

疾患名		検査名
原発性高カイロミクロン血症	家族性リポ蛋白質リパーゼ（LPL）欠損症	ヘパリン静注後 LPL 活性測定 アポ C-II測定 高脂肪食負荷，高炭水化物食負荷
	アポ蛋白質 C-II欠損症	アポ C-II測定 アポ C-II添加後 LPL活性測定 高脂肪食負荷，高炭水化物食負荷
	原発性V型脂質異常症	血清静置試験 LPL，アポ C-II測定 高脂肪食負荷，高炭水化物食負荷
	特発性高カイロミクロン血症	抗 LPL抗体
原発性高コレステロール血症	家族性高コレステロール血症（FH）	アキレス腱の X線軟線撮影 LDL受容体活性測定
	家族性複合型脂質異常症（FCHL）	家系調査
	特発性高コレステロール血症	家系調査
内因性高中性脂肪血症	家族性IV型脂質異常症 特発性高中性脂肪血症	インスリン測定，血清静置試験 家系調査
家族性III型脂質異常症		リポ蛋白質電気泳動 アポ E測定 アポ E等電点電気泳動
原発性高 HDL コレステロール血症		CETP，HTGL
原発性低 HDL コレステロール血症		アポA-I，ABCA1，LCAT

HTGL：肝性 TG リパーゼ，ABCA1：ATP-binding cassette transporter A1
（文献 1 より引用）

　試験前に，**表4**だけでも一度確認しておく。III型の broad β は頻出である。

　アガロース電気泳動に表示されるバンドにおけるリポ蛋白質の分画は，①α が HDL 分画：30～50％程度，②β が LDL 分画：35～50％程度，③pre β が VLDL 分画：3～25％程度を反映している。

　III型は pre β と β が境目ない broad β になる。

　画像で出題されることもあれば，リポ蛋白質（α が 30％，pre β が 18％，β が 52％）などのように表記されることもあるため，注意を要する。

表4 リポ蛋白質分画による脂質異常症の型（WHO分類）の判定

型（WHO分類）		I	IIa	IIb	III	IV	V
増加するリポ蛋白質		カイロミクロン	LDL	LDL VLDL	IDL	VLDL	カイロミクロン VLDL
血清脂質	TC	↑〜	↑↑↑	↑↑	↑↑	〜↑	↑
	TG	↑↑↑	〜↑	↑↑	↑↑	↑↑	↑↑↑
TC／TG		<0.2	1.5<	>0.5 変動大	0.3〜2.0 (1.0)	<0.2 変動大	0.15〜0.6
アガロースゲル電気泳動*	カイロミクロン β pre β α	原点 ⊕					
血清外観		クリーム層 透明	透明	白濁	白濁	白濁	クリーム層 白濁
発 症		10歳以下	幼児期〜青年期	幼児期〜青年期	成人後	成人後	成人後
頻 度		稀	普通	普通	稀	普通	稀
原因	原発性	LPL欠損症 / アポC-II欠損症 / その他	FH / 家族性アポB異常症 / FCHL	FCHL その他	家族性III型脂質異常症 / アポE欠損症 / HTGL欠損症	家族性高中性脂肪血症 / FCHL / その他	LPL欠損症 / アポC-II欠損症 / 家族性高中性脂肪血症
	続発性	異常γ-グロブリン血症 / 糖尿病 / 甲状腺機能低下症	ネフローゼ症候群 / 甲状腺機能低下症 / 胆道閉鎖症 / マクログロブリン血症 / 糖尿病 / 妊娠 / 副腎皮質機能亢進 / 脂肪肝 / アルコール中毒		異常γ-グロブリン血症 / 糖尿病 / 甲状腺機能低下症 / 多発性骨髄腫 / アルコール中毒	糖尿病 / 下垂体機能低下症 / 褐色細胞腫 / 膵炎 / ネフローゼ症候群 / アルコール中毒 / 多発性骨髄腫 / 脂肪肝	糖尿病 / アルコール中毒 / 甲状腺機能低下症 / 下垂体機能低下症 / 副腎皮質機能亢進 / 膵炎 / ネフローゼ症候群 / 多発性骨髄腫

＊：アガロース電気泳動（陽極から陰極へ流す）
TC：総コレステロール，FH：家族性高コレステロール血症，FCHL：家族性複合型脂質異常症，LPL：リポ蛋白リパーゼ
（文献2より引用）

3. 脂質異常症の治療基準

日本動脈硬化学会ガイドラインに沿って治療指針が決められている（**表5**）[3]。

①脂質異常症があり，冠動脈疾患既往があれば，二次予防でLDL-Chol≦100mg/dLが目標（既往とは心筋梗塞既往もしくはトレッドミル陽性で狭心症と診断されたものも含める）

表5 リスク区分別脂質管理目標値

治療方針の原則	管理区分	脂質管理目標値（mg/dL）			
		LDL-C	non HDL-C	TG	HDL-C
一次予防 まず生活習慣の改善を行った後，薬物療法の適用を考慮する	低リスク	<160	<190	<150	≧40
	中リスク	<140	<170		
	高リスク	<120	<150		
二次予防 生活習慣の是正とともに薬物療法を考慮する	冠動脈疾患の既往	<100 （<70）*	<130 （<100）*		

＊：家族性高コレステロール血症，急性冠症候群の時に考慮する．糖尿病でも他の高リスク病態を合併する時は
　これに準ずる．
・一次予防における管理目標達成の手段は非薬物療法が基本であるが，低リスクにおいても LDL-C が 180 mg/dL
　以上の場合は薬物療法を考慮するとともに，家族性高コレステロール血症の可能性を念頭においておく．
・まず LDL-C の管理目標値を達成し，その後 non-HDL-C の達成を目指す．
・これらの値はあくまでも到達努力目標値であり，一次予防（低・中リスク）においては LDL-C 低下率 20〜
　30％，二次予防においては LDL-C 低下率 50％以上も目標値となりうる．
・高齢者（75 歳以上）については文献 3 の第 7 章を参照．
（文献 3 より改変引用）

②脂質異常症があり，冠動脈疾患がない場合で，以下のいずれかがあればカテゴリー
　Ⅲとなり，LDL-Chol≦120 mg/dL が目標
　　a）糖尿病
　　b）慢性腎臓病（CKD）
　　c）非心原性脳梗塞
　　d）末梢動脈疾患（PAD）
③脂質異常症があり，冠動脈疾患がない場合で，上記 a）〜d）もない場合，以下の
　因子からカテゴリーを決定
　　ⅰ）喫煙
　　ⅱ）高血圧
　　ⅲ）低 HDL-C
　　ⅳ）耐糖能異常
　　ⅴ）早発性冠動脈疾患の家族歴
　　ⅵ）年齢
　　ⅶ）性別

　おそらく試験問題では，このカテゴリーを決定する因子に飲酒などは含まれていない
ことなどが問われる．さらに，カテゴリーⅢ以下で，「HDL-Chol＜40 mg/dL」「糖尿
病でない耐糖能異常」「早発性冠動脈疾患の家族歴」のいずれかがある場合は，カテゴ
リーレベルを 1 つ上げることが問われるが，①および②まで記憶していれば試験レベ
ルでは十分であると思われる．

1. 脂質異常症の治療薬の特徴 [4]

コレステロールが高い場合によく使われる薬剤

(1) HMG-CoA 還元酵素阻害薬：スタチン
長所：強力な LDL-Chol 低下作用，一部のスタチンではレムナントの低下も期待できる，HDL-Chol 上昇作用，いわゆる pleiotropic effects（多面的効果），日本人でのエビデンス（MEGA Study）[5]。

短所：長期的な副作用について不明（若年者・妊婦に使いにくい），腎機能低下患者ではフィブラート製剤との併用が原則不可，腎機能低下患者に使用しにくい，薬価が高い。

(2) 陰イオン交換樹脂（胆汁酸吸着作用）：コレスチラミン，コレスチミド
長所：体内に吸収されないため比較的安全で若年者・妊婦にも使用可能。

短所：飲みづらい，腹部症状と消化吸収障害，TG 増加作用あり。

(3) コレステロール吸収抑制薬〔腸管コレステロールトランスポーター（NPC1-L1）阻害作用〕：エゼチミブ
長所：食事＋胆汁由来のコレステロールの吸収を強力に抑制，どのスタチンとの併用も効果的。

短所：エビデンスが少ない〔ただし最近，急性冠症候群患者で大規模なエビデンス（IMPROVEIT）あり〕[6]，薬価が高い。

(4) プロブコール（LDL 異化亢進，CETP 活性化作用）
長所：強力な抗酸化作用，黄色腫・アキレス腱肥厚の退縮効果，PTCA 後の再狭窄の予防効果，腎機能低下者でも使用可能。

短所：作用機序に不明な点が多い，HDL-Chol の低下作用が大，QT 延長症候群，体内からの排出が遅いため（脂肪組織への蓄積がある）老年者には不可。

中性脂肪（TG）が高い場合によく使われる薬剤

(1) フィブラート製剤（PPAR α 活性化 ➡ LPL 遺伝子発現亢進作用）
長所：強力なレムナントリポ蛋白の低下作用，インスリン感受性の改善効果，PPAR α を介する抗動脈硬化作用，尿酸と LP（a）の低下作用（フェノフィブラート）。

短所：トランスアミナーゼとクレアチンキナーゼの上昇，血清クレアチニン 2.5mg/dL 以上と透析患者・妊婦で禁忌，スタチンとの併用が原則不可，スタチンに比べてエビデンスの蓄積が少ない。

(2) ニコチン酸誘導体
長所：腎機能低下患者でも使用可能，LP（a）の低下作用，末梢循環の改善作用。

短所：耐糖能の悪化，尿酸上昇作用，高率に皮膚紅潮，血圧低下・出血傾向。

(3) EPA 製剤：多価不飽和脂肪酸
長所：肝臓での SREBP（sterol regulatory element-binding protein）-1c の抑制による脂肪酸合成の低下，閉塞性動脈硬化症（ASO：arteriosclerosis obliterans）

にも有効な抗血栓作用，LP（a）の低下作用，日本人でのエビデンス（JELIS）[7]。
短所：胃腸障害，発疹，出血傾向。

2. 脂質異常症治療薬の副作用

脂質異常症治療薬の副作用について**表6**[8]に示す。

表6 脂質異常症治療薬の主な副作用

治療方針の原則	管理区分
HMG-CoA 還元酵素阻害薬：スタチン	横紋筋融解症，筋肉痛や脱力感などミオパチー様症状，肝障害，認知機能障害，空腹時血糖値および HbA1c 値の上昇，間質性肺炎
陰イオン交換樹脂	消化器症状：ジキタリス，ワルファリンとの併用ではそれら薬剤の薬効を減ずることがあるので注意が必要である
コレステロール吸収抑制薬（腸管コレステロールトランスポーター）	消化器症状，肝障害，CK 上昇
フィブラート製剤	横紋筋融解症，肝障害など
ニコチン酸誘導体	顔面潮紅や頭痛など：日本人では多いと言われているが，慣れの現象があり，少量から開始し，漸増するか，アスピリンを併用することで解決できる
プロブコール	可逆性の QT 延長や消化器症状など
EPA 製剤：多価不飽和脂肪酸	消化器症状，出血傾向や発疹など

（文献 8 より引用）

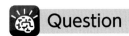 Question　　　　　　　　　　　　　　　　　　　　　鍵穴のマークは問題の難易度を示します。

 カイロミクロンが増加する脂質異常症はどれか，2 つ選べ。

A：Ⅰ型　　　　　　D：Ⅳ型
B：Ⅱa型　　　　　 E：Ⅴ型
C：Ⅲ型

正答 A，E

文献

1) 中谷矩章：28. 高脂血症．診断群別臨床検査のガイドライン―医療の標準化に向けて．日本臨床検査医学会，編．2003，p118-121.
2) 協和メデックス：1 WHO の高脂血症分類．
3) 日本動脈硬化学会，編：動脈硬化性疾患予防ガイドライン 2017 年版．2017.
4) 肥塚直美，編：New 専門医を目指すケース・メソッド・アプローチ 内分泌疾患．第 3 版．日本医事新報社，2016，p310.
5) Nakamura H, et al：Primary prevention of cardiovascular disease with pravastatin in Japan（MEGA Study）：a prospective randomised controlled trial. *Lancet*. 2006；368：1155-1163.
6) Cannon CP, et al：Ezetimibe added to statin therapy after acute coronary syndromes. *N Engl J Med*. 2015；372：2387-2397.
7) Yokoyama M, et al：Effects of eicosapentaenoic acid on major coronary events in hypercholesterolaemic patients（JELIS）：a randomised open-label, blinded endpoint analysis. *Lancet*. 2007；369：1090-1098.

8) 日本動脈硬化学会, 編：9. 脂質異常症の治療. 動脈硬化性疾患予防のための脂質異常症治療ガイド 2013年版. 2013, p51.

〈Ⅰ, Ⅴ型 ➡ カイロミクロン, Ⅱa型 ➡ LDL, Ⅲ型 ➡ IDL〉

いちごを	買いに行って	煮えるまで待つ	3人	アイドル
Ⅰ, Ⅴ型	カイロミクロン	Ⅱa型LDL	Ⅲ型	IDL

ⅡbはⅡvと読み替えて ➡ Ⅱb, Ⅳ型, Ⅴ型はVを含むのでVLDL

第8章 脂質異常症

3 家族性高コレステロール血症（FH）

Key Question

家族性高コレステロール血症（FH，ヘテロ型）が疑われる症例について正しいものはどれか，2つ選べ。

A：常染色体劣性遺伝形式である。
B：HDL受容体の異常である。
C：スタチンが無効な場合が多い。
D：角膜輪を認めることがある。
E：冠動脈疾患は無治療の男性では特に30歳代から認める。

Answer

D，E

解説

　FHで最も注意すべきは，診断において血清総コレステロールが高値であることではなく（糖尿病や他の脂質異常でも起こりうるため），皮膚結節性黄色腫の存在である。

A：常染色体優性遺伝形式である。
B：LDL受容体の異常である。
C：スタチンは第一選択薬であり，効果に個人差があるが無効とは言えない。
D：角膜輪や腱黄色腫は10歳代後半から現れ，30歳までに50％の症例に現れる。50歳未満で角膜輪がみられれば，FHの可能性が高い。
E：男性のほうが冠動脈疾患を罹患する年齢が若く，罹患頻度も高い。冠動脈疾患の罹患数は，男性で30歳代から，女性で40歳代から増加するとされる。

Key Lesson

○FH（ヘテロ型）の診断基準を確実に復唱できるようにすること。
○実際の黄色腫の画像も確認しておく ➡ 日本動脈硬化学会ウェブサイト
　[https://www.j-athero.org/jp/specialist/fh_for_ms/]。

知識の整理

▶FH の病態

①LDL 受容体関連遺伝子の変異による遺伝性疾患であり，血清中に増加しているリポ蛋白は主に LDL（電気泳動バンドでは β）であり，WHO 分類では II a 型脂質異常症を示す例が多い。

②常染色体優性遺伝形式である。

③高 LDL コレステロール血症，皮膚ならびに腱黄色腫早発性冠動脈硬化症を主徴とする。

角膜輪や腱黄色腫は 10 歳代後半から現れ，30 歳までに 50％の症例に現れる。50 歳未満で角膜輪がみられれば，FH の可能性が高く，死亡するまでには，80％の症例でこれらの症状が出現すると言われている。

④FH ヘテロ接合体患者は 500 人に 1 人程度，FH ホモ接合体患者は 100 万人に 1 人以上の頻度で認め，治療を受けている高 LDL コレステロール血症患者の約 8.5％を占めるとする報告もある。

▶FH の病因

①～③のいずれも，LDL 受容体経路において重要な役割を果たす分子での変異が原因である。

①LDL 受容体の遺伝子変異：100～1,000 種同定されている。

②アポ B-100 欠損：アポ B-100 は LDL 受容体に対するリガンドである。

③PCSK9（proprotein convertase subtilisin/kexin type 9）の活性変異。

PCSK9 とは？

PCSK9 は LDL 受容体の分解に関与し，活性型変異は LDL 受容体を減少させるため，高 LDL コレステロール血症をきたす。活性型変異を有する PCSK9 は，LDL 受容体との結合力が強く，LDL 受容体の分解が促進されるため，LDL 受容体活性が低下して，LDL 受容体の遺伝子変異と同様の病態を示すと考えられている。

現在は日本でも注射薬で PCSK9 阻害薬が承認され，注目が集まっている〔レパーサ®（エボロクマブ）〕。

▶FH の診断と鑑別診断

1. FH ヘテロ接合体と FH ホモ接合体との鑑別

一般臨床では，FH に出会う場合はヘテロ型が多いと思われる。

FH ヘテロ接合体の血清総コレステロール値の平均は 250～500 mg/dL で，日本人の未治療時平均 LDL-Chol 値は 250 mg/dL 前後（平均年齢 51 歳）である。

FH ホモ接合体の場合は血清総コレステロール値の平均は，600～1,200 mg/dL で，FH ヘテロ接合体と比べてはるかに高値である。

2. FH ヘテロ接合体の診断基準[1]

未治療時の LDL-Chol 値が高値であること，アキレス腱黄色腫や皮膚結節性黄色腫などの高 LDL コレステロール血症に伴う身体症状，FH や早発性冠動脈疾患の家族歴が診断の根拠となる。

成人（15歳以上）のFHヘテロ接合体診断基準は，

①高LDLコレステロール血症（未治療時のLDL-Chol値が180mg/dL以上）

②腱黄色腫（手背，肘，膝などの腱黄色腫あるいはアキレス腱肥厚）あるいは皮膚結節性黄色腫

③FHあるいは早発性冠動脈疾患の家族歴（2親等以内の血族）

であり，上記の2項目が当てはまる場合にFHと診断する。ただし，以下の条件も重要であるため，必ず復唱できるようにすること。

- 皮膚結節性黄色腫に眼瞼黄色腫は含まない（眼瞼黄色腫はFHに特異的なものではなく，正脂血症の患者にも認められるのため，診断的な価値はない）。
- アキレス腱肥厚は軟線撮影により9mm以上にて診断する（一般にアキレス腱肥厚には両側性であまり左右差はない）。
- LDL-Chol値が250mg/dL以上の場合，FHを強く疑う。
- 既に薬物治療中の場合，治療のきっかけとなった脂質値を参考とする。
- 早発性冠動脈疾患は男性55歳未満，女性65歳未満と定義する。

男性のほうが冠動脈疾患を罹患する年齢が若く，罹患頻度も高い。冠動脈疾患の罹患数は，男性で30歳代から，女性で40歳代から増加する。特にFHにおいてはLDL-Cholの高値（LDL≧260mg/dL），アキレス腱肥厚の程度（≧14.5mm）などがリスクとして報告されている。冠動脈硬化のほか，腹部大動脈瘤を合併することも多く，その頻度は約26%と報告されている。

3. FHヘテロ接合体とその他の鑑別疾患

実際の鑑別には，高LDLコレステロール血症を呈する3つの疾患がある。特に①，②との鑑別が重要である。

①続発性脂質異常症：糖尿病，甲状腺機能低下症，ネフローゼ症候群など

②類似疾患である家族性複合型脂質異常症（FCHL）

③家族性Ⅲ型脂質異常症：アポE欠損症，broad β病，手掌線状黄色腫

②のFCHLは，腱黄色腫を合併しないこと，sd LDLの増加，家系内に他のタイプの脂質異常症（Ⅱa型，Ⅱb型，Ⅳ型）が存在すること，幼少期ではLDL-Chol値がFHでみられるほど上昇しないことなどから鑑別されるが，詳細な家系調査が必要となる。最近，原因としてUSF-1（upstream transcription factor 1）の転写遺伝子異常も報告された[2]。

③は試験問題の選択肢に出題される鑑別疾患で，血清総コレステロール，TG共に高く，アガロース電気泳動でVLDL～LDLへの連続性broad βパターンを示す。アポEの異常で，血清中のアポ蛋白質E濃度は増加する。黄色腫では手掌線状黄色腫がみられる。

▶FHの治療と予後

治療の基本は，冠動脈疾患など若年齢で起きる動脈硬化症の発症および進展の予防であり，生活習慣の改善のみでは，LDL-Chol値を安全域まで十分に低下させることは困難な場合が多く，早期診断と厳格な治療が最も重要である。

- LDL-Chol以外のリスクを厳格にコントロールすることも重要
- LDL-Cholの管理目標値は100mg/dL未満とする。この目標値に到達しない場合，50%以上の低下

を治療目標の目安にする。

治療は，
①第一選択：HMG-CoA還元酵素阻害薬（スタチン）
②第二選択（スタチン単剤で十分な効果が得られない場合）：コレステロール吸収抑制薬であるエゼチミブ，陰イオン交換樹脂（胆汁酸吸着作用）であるコレスチラミンやコレスチミド，あるいはプロブコール，そして日本では2016年1月に認可されたPCSK9阻害薬（エボクロマブ）などを併用

①，②などの薬物療法でも，血清総コレステロール値が250mg/dL以下に低下せず，明らかな冠動脈硬化を有するFHヘテロ接合体，およびFHホモ接合体に対しては，体外循環により血中LDLを直接取り除くLDLアフェレシスの適用となる。

文献
1) 日本動脈硬化学会，編：動脈硬化性疾患予防のための脂質異常症治療のエッセンス．2014．
2) Pajukanta P, et al：Familial combined hyperlipidemia is associated with upstream transcription factor 1（USF1）．*Nat Genet.* 2004；36：371-376．

〈家族性Ⅲ型脂質異常症（アポE欠損症，broad β病，手掌線状黄色腫）〉
Ⅲ型 ➡ 横にしたらEに見えるし，手という漢字も三に見える

第9章

肥満症

メタボリックシンドロームの診断基準を満たすかどうかは確実
に出題される。診断基準を満たす症例について，肥満症の定義
と絡めて，糖尿病，高血圧症，脂質異常症の正確な診断基準や
肥満症の治療の種類などを記憶しているかどうかが問われる。

第9章 肥満症

1 メタボリックシンドロームの診断基準

Key Question

症例：38歳男性。夜間のいびき・無呼吸を家族に指摘され来院。20歳時は標準体重だったが，就職を期に過食が始まり，体重が増加していった。
身体所見：身長170cm，体重90kg，ウエスト89cm，体温36.5℃，脈拍77回/分，血圧145/92mmHg。
血液検査：AST 53U/L，ALT 70U/L，γGTP 88U/L，空腹時血糖148mg/dL，HbA1c 6.1%，総コレステロール250mg/dL，TG 146mg/dL，HDL-Chol 40mg/dL。
その他：腹部エコーでは脂肪肝あり。夜間睡眠時ポリソムノグラフィでのAHI（無呼吸低呼吸指数）は23であった。

①誤っているものはどれか，2つ選べ。

A：患者はメタボリックシンドロームと診断できる。
B：経鼻的持続陽圧呼吸療法（CPAP）の導入の適応である。
C：高度肥満と定義できる。
D：肥満症である。
E：BMIは体脂肪率でも代用できる。

②治療方針として正しいものはどれか，2つ選べ。

A：600kcalの超低エネルギー食より開始する。
B：マジンドールの適応である。
C：スリーブ状胃切除術は保険適用が可能である。
D：まずは体重の5～10%低下を目指す。
E：肥満症治療には行動療法を用いたライフスタイル修正が必要である。

Answer

① C, E

解説
A：男性で，ウエストが85cm以上，高血圧，空腹時血糖の項目を満たしており，診断できる。
B：AHIが20以上であり，第一選択となる。

C：本症例は BMI が 31.1 の肥満であり，肥満 2 度であり，BMI が 35 以上の高度肥満ではない。
D：脂肪肝および睡眠時無呼吸症候群など肥満に付随する健康障害があるため正しい。
E：代用はできない。浮腫やるい痩など特殊な病態を除き，国際的にも脂肪蓄積の増減を簡便に反映できるのは BMI である。

② D, E

解説

A：まずは 1,000～1,800 kcal の食事療法から開始する（200 kcal ごとに漸減）。
B：食事・運動療法を行っても効果の乏しい，BMI が 35 以上が対象となる。
C：本症例は BMI が 31.1 の肥満であり，糖尿病も確定ではないため保険適用外である。
D：その通りである。
E：行動療法はリバウンド予防にもつながる。

Key Lesson

- 肥満は，生活習慣を起因として生じ，主に内臓脂肪蓄積を伴うことにより多様な合併症を引き起こすことがわかってきた。
- 1998 年，世界保健機関（WHO）がメタボリックシンドロームと名称を統一し，診断基準を発表した。

知識の整理

▶メタボリックシンドロームの診断基準

メタボリックシンドロームの診断基準を**表 1**[1] に示す。

- 欧米人に比べ，東アジア人女性ではウエスト径 80 cm 以上から心血管系疾患リスクが増大する。

表 1 メタボリックシンドロームの診断基準

必須項目	（内臓脂肪蓄積）ウエスト周囲径*	男性≧85 cm 女性≧90 cm
選択項目 （3 項目のうち 2 項目以上）	高中性脂肪血症 かつ/または 低 HDL コレステロール血症	≧150 mg/dL <40 mg/dL
	収縮期（最大）血圧 かつ/または 拡張期（最小）血圧	≧130 mmHg ≧85 mmHg
	空腹時高血糖	≧110 mg/dL

*：内臓脂肪面積は男女ともに≧100 cm² に相当する。CT スキャンなどで内臓脂肪量測定を行うことが望ましい。ウエスト周囲径は立ったまま，軽く息を吐いた状態で臍周りを測定する。
高中性脂肪血症・低 HDL コレステロール血症・高血圧・糖尿病に対する薬剤治療を受けている場合は，それぞれの項目に含める。
（文献 1 より改変引用）

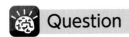

 メタボリックシンドロームについて正しいものはどれか。

A：皮下脂肪の蓄積は，内臓脂肪蓄積に比べて，より糖尿病や動脈硬化症のリスクになる。
B：欧米人と比べて，東アジア人女性では腹囲80cm以上から心血管リスク増大の報告がある。
C：わが国の肥満外科手術の適応は15〜65歳の原発性肥満症患者である。
D：わが国のLDLコレステロールはメタボリックシンドロームの診断基準項目に入る。
E：睡眠時無呼吸症候群とは無関係である。

正答 B

文献
1) メタボリックシンドロームの診断基準検討委員会：メタボリックシンドロームの定義と診断基準．日内会誌．2005；94：188-203．

第9章 肥満症

2 肥満症（原発性肥満，続発性肥満），高度肥満の治療

Key Question

肥満治療について正しいものはどれか。

A：Roux-en-Y 胃バイパス術はスリーブ状胃切除術より体重低下持続作用がある。
B：マジンドールは BMI≧30 で初めて適応となる。
C：脂肪吸引術も代謝異常改善に効果が著しいことが一部で証明されている。
D：セチリスタットは BMI≧35 の肥満患者であれば使用可能である。
E：日本で最も多く施行されているのは，Roux-en-Y 胃バイパス手術である。

Answer

A

解説

A：正しい。
B：マジンドールは食事・運動療法に抵抗性があり，かつ BMI≧35 で初めて適応となる。
C：脂肪吸引術が代謝異常改善に効果があるというエビデンスはない。
D：セチリスタットは 2 型糖尿病および脂質異常症をともに有し，食事療法・運動療法を行っても BMI が 25 以上の肥満症で適応となる。
E：日本で最も多く施行されているのは，スリーブ状胃切除術である。

Key Lesson

□肥満手術適応条件
　手術適応となる肥満症患者は年齢が 18～65 歳までの原発性（一次性）肥満であり，内科治療を受けていても十分な効果が得られず，次のいずれかの条件を満たすもの。
①減量が主目的の手術（bariatric surgery）適応は，BMI≧35 であること。
②併存疾患（糖尿病，高血圧，脂質異常症，肝機能障害，睡眠時無呼吸症候群など）治療が主目的の手術（metabolic surgery）適応は，BMI≧32 であること。ただし，この適応での手術は臨床研究としてのものであり，厳格なインフォームドコンセント，臨床登録および追跡調査などを必須とする。
○日本では，世界的にはめずらしく，スリーブ状胃切除術が最も施行されている。

知識の整理

▶肥満と肥満症の違い

肥満とは，脂肪組織が過剰に蓄積した状態を言う。

肥満症とは，肥満に起因ないし関連する健康障害を合併するか，その合併が予測される場合で，医学的に減量を必要とする病態を言う。

▶肥満の診断

日本では，BMI（kg/m²）が 18.5 以上 25 未満を普通の体重とし，特に BMI が 22 を標準体重と呼ぶ。したがって，肥満は BMI が 25 以上と定義されている。この定義による日本の肥満者は，男性で約 30％，女性で約 20％にもなる（**図 1**）[1]。ただし，国際的にみて最も肥満度が低い民族の部類に入る。

①男性の肥満度が増加：高脂肪食の摂取が多い，運動不足。
②女性の肥満度が減少：体型に対する意識の変化（国際的には特異であり，日本の文化が大きく影響している）。

なお，世界保健機関（WHO）では，BMI が 25 以上 30 未満を overweight（過体重），BMI が 30 以上を obesity（肥満）と定義している。欧米をはじめ海外のデータをみる際には，一般に obesity は，BMI が 25 以上ではなく，30 以上を指すという点に留意する必要がある。

図 1 日本における BMI が 25 以上の成人の割合の推移（男女別）

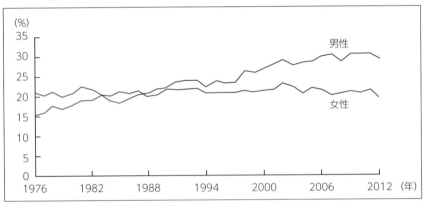

（文献 1 より引用）

▶肥満のクラス分け―高度肥満とは？

BMI が 25 以上は肥満と判定し，さらに肥満を 4 段階に分け，以下のように定義している（**表 1**）[2]。BMI が 35 以上は「高度肥満」と定義され，診断や治療の対象と位置づけられている。

①肥満 1 度は BMI が 25 以上 30 未満
②肥満 2 度は BMI が 30 以上 35 未満
③肥満 3 度は BMI が 35 以上 40 未満
④肥満 4 度は BMI が 40 以上

表1 肥満度分類

BMI (kg/m²)	判定	WHO 基準
<18.5	低体重	underweight
≧18.5～<25	普通体重	normal range
≧25～<30	肥満（1度）	pre-obese
≧30～<35	肥満（2度）	obese class Ⅰ
≧35～<40	肥満（3度）	obese class Ⅱ
≧40	肥満（4度）	obese class Ⅲ

注1：ただし，肥満（BMI≧25）は，医学的に減量を要する状態とは限らない。
注2：BMI≧35を高度肥満と定義する。
肥満の定義：脂肪細胞が過剰に蓄積した状態で，BMI≧25のもの。
肥満の判定：身長あたりの体重指数（BMI）［体重（kg）÷身長（m)²］をもとに上記のように判定する。
肥満症の定義：肥満に起因ないし関連する健康障害を合併するか，その合併が予測される場合で，医学的に減量を必要とする病態を言い，疾患単位として取り扱う。
肥満症の診断：肥満と診断されたもの（BMI≧25）のうち，以下のいずれかの条件を満たすもの。
　①肥満に起因ないし関連し，減量を要する（減量により改善する，または進展が防止される）健康障害を有するもの。
　②健康障害を伴いやすいハイリスク肥満：ウエスト周囲径のスクリーニングにより内臓脂肪蓄積が疑われ，腹部CT検査によって確定診断された内臓脂肪型肥満。
（文献2より引用）

▶肥満症の診断

肥満症は以下の①または②で診断する。

① BMIが25以上で肥満と判定されたなかで，基準になる11の病態のいずれか1つでもあれば，肥満症と診断する。

②内臓脂肪量をCTで測定し，内臓脂肪型肥満の場合に肥満症と診断する。

内臓脂肪量的判定は，臍高レベルでの腹部CT断面像で内臓脂肪面積が $100\,cm^2$ を基準として，それを超えれば内臓脂肪過剰蓄積である。内臓脂肪面積が $100\,cm^2$ がウエスト周囲径の男性85cm，女性90cmに相当する。

内臓脂肪型肥満＝肥満症と診断できる理由は，内臓脂肪面積が $100\,cm^2$ を超えた症例の95％以上に，高血糖，脂質異常，脂肪肝などの肥満症の診断基準に挙げた病態を有しているためである。

1. 11の合併症

上記の①において肥満症の診断基準に必須の11の合併症を，**表2**[2] にまとめた。このうち1つでも合併している肥満の場合は肥満症と診断される。なお，診断基準には含めないが肥満に関連する疾患[3]は，以下である。

良性疾患：胆石症，静脈血栓症・肺塞栓症，気管支喘息，皮膚疾患（偽性黒色表皮腫，摩擦疹，汗疹）

悪性疾患：胆道癌，大腸癌，乳癌，子宮内膜癌

2. 内臓脂肪と皮下脂肪の違い

内臓脂肪は皮下脂肪に比べて，以下の違いがある。

①脂肪細胞内に中性脂肪（TG）として備蓄しやすい

②運動時や空腹時には皮下脂肪よりも速やかに脂肪分解を行い，FFAとグリセロールを放出する

2 肥満症（原発性肥満，続発性肥満），高度肥満の治療　335

表2　肥満症の診断基準に必須の 11 の合併症

- 耐糖能障害（2 型糖尿病，耐糖能異常など）
- 脂質異常症
- 高血圧
- 高尿酸血症・痛風
- 冠動脈疾患：心筋梗塞・狭心症
- 脳梗塞：脳血栓症・一過性脳虚血発作（TIA）
- 脂肪肝（非アルコール性脂肪性肝疾患/NAFLD）
- 月経異常および妊娠合併症（妊娠高血圧症候群，妊娠糖尿病，難産）：排卵障害と月経異常をもたらし，妊孕力低下の原因となる。妊娠中は肥満度とともに妊娠高血圧症候群や糖尿病の合併頻度が増加し，さらに帝王切開率も増加する。
- 睡眠時無呼吸症候群・肥満低換気症候群
- 整形外科的疾患：変形性関節症（膝・股関節）・変形性脊椎症，腰痛症
- 肥満関連腎臓病（尿蛋白質が出やすくなる）

（文献 2 より引用）

▶内分泌疾患と肥満

　95％は単純性肥満（原発性肥満）で，いわゆる過食と生活習慣によるものである。

　続発性肥満は 5％程度であるが，偽性副甲状腺機能低下症や Klinefelter 症候群などすぐに肥満と結びつけにくいイメージの疾患もリストに入っているので注意が必要である（**表3**）[2]。

表3　続発性肥満（症候性肥満）

内分泌性肥満	Cushing 症候群，甲状腺機能低下症，偽性副甲状腺機能低下症，インスリノーマ，性腺機能低下症，Stein-Leventhal 症候群（多嚢胞性卵巣症候群），その他
遺伝性肥満（先天異常症候群）	Bardet-Biedl 症候群（Laurence-Moon-Biedl 症候群），Prader-Willi 症候群，Klinefelter 症候群，その他
視床下部性肥満	間脳腫瘍，Fröhlich 症候群，empty sella 症候群，その他
薬物による肥満	向精神薬，副腎皮質ホルモン，その他

（文献 2 より改変して引用）

▶摂食調節ホルモンと肥満

　内臓脂肪が蓄積すると，脂肪細胞の肥大や増殖により生理活性物質（アディポサイトカイン）に変化が起こる。アディポサイトカインには，糖尿病，脂質異常症，高血圧といった生活習慣病や動脈硬化を促進させる「悪玉」と，逆にこれらの作用を抑制する「善玉」があり，インスリン抵抗性や高血圧，血栓形成などに深く関与している（**図2**）[3]。

▶肥満症の治療目標と治療方針

　肥満症において，血圧，血糖，脂質，肝機能などの検査値を改善するには，3％以上の体重減量が有効であることを示した。欧米の生活習慣介入研究では，一時的には 5％以上の体重減量を達成しているが，日本ではより緩やかな目標でもよいことが示唆された。

　日本肥満学会より，治療方針として，①食事療法，②運動療法，③行動療法，④薬物療法，⑤外科療法の 5 つが提示され，特に行動療法的な手法を取り入れることを提案している。

図2 脂肪細胞とアディポサイトカイン

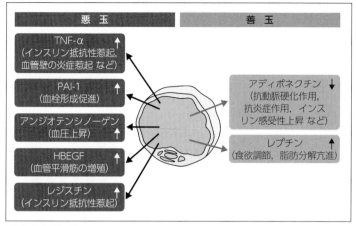

(文献3より引用)

▶食事療法

1. エネルギー制限食

肥満は基本的に摂取エネルギーが消費エネルギーに対して相対的に過剰になっていることによって生じるものと考えられる。よって，その食事療法はエネルギー制限が原則である。

一般食で行う場合，筋肉量を減らさないよう蛋白質を確保しながらエネルギー制限をする必要性が述べられている。

① 25≦BMI＜30 の場合 ➡ 1,000～1,800 kcal/日（25 kcal/kg×標準体重）
② BMI≧30 の場合 ➡ 1,000～1,400 kcal/日（20 kcal/kg×標準体重）
③ BMI≧35 かつ急速な減量を要する場合 ➡ 600 kcal/日

2. 糖質制限食

エネルギー無制限の糖質制限食（初期を除いて1日糖質摂取120g以下）により，低脂質のエネルギー制限食よりも体重減量に成功したという報告がある（図3）[4]。しかし問題点として，正確な定義が定まっていないため，極端な糖質制限食で脂質プロファイルの悪化が報告されていることなどが挙げられる。対象となる症例を注意して選ぶ必要がある。

3. それ以外の食事法

短期の減量導入法としてエネルギー制限食の究極形である，液体フォーミュラを用いたVLCD（1日の摂取エネルギーを500kcal程度未満に抑制し，蛋白質やビタミン・ミネラルを液体で補充する減量法）などが医療の現場で取り入れられている。ほかにも低脂質食，地中海食，ベジタリアン食，DASH（dietary approaches to stop hypertension）食，Ornish食，Zone食などが挙げられる。しかし，低エネルギー食の減量効果は，100kgの人を例として，6カ月で4～12kg（4～12%）減と最大となるが，その後はリバウンドし，1年で4～10kg（4～10%）減，2年で3～4kg（3～4%）減にとどまる。食事療法の減量維持の困難さが示唆される。

図3 2種のエネルギー制限食（低脂肪食，地中海食）およびエネルギー無制限糖質制限食による減量効果

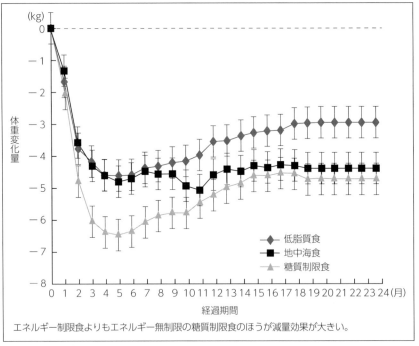

エネルギー制限食よりもエネルギー無制限の糖質制限食のほうが減量効果が大きい。

（文献4より引用）

▶運動療法

1. 減量，代謝指標の改善と運動

　5〜10%の減量のもたらす効果は，食事，運動の介入手段で明らかな差はなく，同じエネルギー量を食事で制限した場合と運動で消費した場合を比較しても，内臓脂肪の減少程度に差はない。内臓脂肪の減少率が同じならば，代謝指標の改善効果も差がない。

　3〜5%の減量で心血管病危険因子の一部は臨床的に意味のある改善をみせるが，より大きな減量はさらに効果が大きく，6カ月で5〜10%の減量を推奨している。日本肥満学会の肥満症治療ガイドラインはBMIが30未満で5%，BMIが30以上で5〜10%の減量を指示している[4]。

2. 運動処方

運動量（エネルギー消費量）

　肥満症の運動療法の特徴は，エネルギー消費量が多いことにある。一般的な健康目的の運動量は，中強度の運動を1日30分，ほぼ毎日（週5日）行うことが推奨され，エネルギー消費量は週700〜1,000kcal程度である。中強度の運動では，体重減少は150分/週以下でわずか2〜3kg，225〜420分/週で5〜7.5kgとされ，減量後の体重維持には200〜300分/週（60分×5日）の運動量が推奨される。

▶薬物療法

　海外では，食欲抑制剤がほとんどであるが，10数種の治療薬が上市されている。日本では現在，2種類である。食事・運動療法を十分に行ったにもかかわらず，効果の

認められなかった症状に対して，食事・運動療法の補助として用いる。

1. マジンドール

サノレックス®錠0.5mg，1回1錠，1日2回朝夕または1日3回食前。

作用機序
①アドレナリンの再取り込みを阻害する。
②アンフェタミンと類似の作用をもち，摂食中枢に作用して食欲を抑制する。

適応
①食事療法および運動療法による減量効果が不十分で，BMIが35以上の高度肥満症（肥満度＋70％以上の肥満）。
②インスリン分泌抑制作用があり，糖尿病患者では慎重投与。
③精神病患者も慎重投与。
なお，重度の高血圧，脳血管障害および重症の腎・肝・膵障害は禁忌である。また，服用中は禁酒すること。

注意点
①薬物耐性
- 長期服用で減量効果の低下し，数週間で耐性ができる。
- 1カ月程度で効果がみられない場合には投与中止。
- 継続投与は3カ月までとされている。
- 処方可能期間が制限されている理由は，依存性と肺高血圧症の発症増加による。

②依存性
- 長期連用で依存性。
- 服用限度は3カ月。
- 再服用は6カ月休薬の後。

③副作用も口渇感，便秘，胃部不快感，悪心などが多く，精神症状，自律神経症状，中枢・末梢神経障害が多く，肺高血圧症に注意しなければならない。

2. セチリスタット（2022年1月現在，上市準備中）

オブリーン®錠120mg，1日3回，毎食直後

作用機序
膵リパーゼ阻害による脂質の吸収を抑制する。

適応
2型糖尿病および脂質異常症をともに有し，食事療法・運動療法を行ってもBMIが25以上の肥満症。

注意点
①内分泌性，遺伝性，視床下部性肥満などの続発性肥満における有効性は確立していない。
②便中の脂肪排出量を増大させるため，副作用として下痢が多い。

2 肥満症（原発性肥満，続発性肥満），高度肥満の治療　339

③肝障害にも注意する。

▶外科治療

　肥満症治療の原則は食事療法などの内科治療であるが，高度肥満症（BMI≧35）においてはその治療効果は限られており，近年，世界中で外科的治療が広く行われている。各手術法は開腹下と内視鏡下に行われるが，現在は92％が内視鏡下に行われており，安全性も高い。

1. 対象患者の手術適応条件

　手術適応となる肥満症患者は，年齢が18～65歳までの原発性（一次性）肥満であり，内科治療を受けるも十分な効果が得られず，次のいずれかの条件を満たすもの。
　①減量が主目的の手術（bariatric surgery）適応は，BMI 35以上であること。
　②併存疾患（糖尿病，高血圧，脂質異常症，肝機能障害，睡眠時無呼吸症候群など）治療が主目的の手術（metabolic surgery）適応は，BMIが32以上であること。
　ただし，この適応での手術は臨床研究としてのものであり，厳格なインフォームドコンセント，臨床登録および追跡調査などを必須とする。

2. 手術法の選択

　減量手術は以下の2つに大別される。
　• 胃を小さく形成し，食事ごとの摂取量を少なくする（restriction）
　• 小腸をバイパスし吸収効率を下げる（malabsorption）
脂肪吸引などは含まれない。これは美容のための手術であり，長期的効果もなく，肥満合併疾患の軽減にまったく寄与しないからである。
　日本における手術法は，
　①Roux-en-Y（ルーワイ）胃バイパス術：世界の50％で施行。最も信頼かつ効果あり
　②胃バンディング術：世界の40％で施行
　③スリーブ状胃切除術：世界では5％であるが，日本では最も多く施行され，保険適用となっている
　④スリーブ状胃切除術＋十二指腸スイッチ術（スリーブバイパス術）
を原則とする（**図4**）[5]。海外ではほかにも胃形成術，胆膵バイパス術などの手術が行われている。
　①の胃バイパス術は世界で最も多く行われている（約50％）術式であり，gold standardとされる。糖尿病や脂質異常症などへの改善効果は他の術式よりも高い。胃癌の多い日本では，術後に検査が困難となる空置胃の存在が問題視され，やや敬遠されている。明らかな体重減少が得られる以前から，術後には，多くの患者で数日以内に血糖値が安定化し，数日から数週間で糖尿病の治療が必要なくなることが知られている。バイパス手術自体に，直接血糖をコントロールする効果があると考えられ，消化管ホルモンなどの関与が示唆されている。
　例）遠位小腸に多く存在するL細胞から，GLP-1（glucagon-like peptide 1）や，食欲抑制作用を有するPYY（peptide YY）などのホルモンの分泌が促進）
　③が現在日本で最も多く行われる。世界的には全体の5％程度であるが，最近は増加傾向がみられる。比較的新しい術式であり，長期成績に関してはいまだ報告が少ない。再手術率は約20％と比較的高く，その原因は，不十分な体重減少，合併疾患の不十分なコントロール，逆流性食道炎，胃管の狭窄などが挙げられる。

図4 減量手術の主な術式

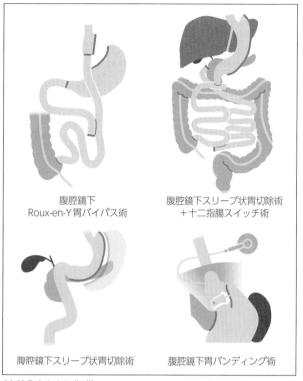

腹腔鏡下
Roux-en-Y 胃バイパス術

腹腔鏡下スリーブ状胃切除術
＋十二指腸スイッチ術

腹腔鏡下スリーブ状胃切除術

腹腔鏡下胃バンディング術

（文献 5 をもとに作成）

3. 体重減少や合併疾患改善効果

　Roux-en-Y 胃バイパス術，スリーブ状胃切除術＋十二指腸スイッチ術（スリーブバイパス術），スリーブ状胃切除術，胃バンディング術の順で，合併疾患改善，体重減少両方の効果が高い。

　アジア人の中等度肥満の糖尿病患者に対しては，胃 Roux-en-Y バイパス術はスリーブ状胃切除術に比べて高い効果を有している。スリーブ状胃切除術＋十二指腸スイッチ術（スリーブバイパス術）と胃 Roux-en-Y バイパス術は，ほぼ同等の効果を有していることが証明されている。

4. 手術死亡率

　胃バンディング術が最も低く，スリーブ状胃切除術と胃 Roux-en-Y バイパス術はほぼ同等である。

5. 周術期管理についての注意点

　術前約 2 週間の低エネルギー食療法（フォーミュラ食を用いた半飢餓療法も含む）を受けることが望ましい。これにより，行動様式の観察・評価ができ，また肝臓容積の肥大も改善され，安全な手術施行につながる。

　肥満症手術においては術後に静脈血栓症を起こすことがあり，肺塞栓も起こしうる。この対策として，下腿バンド，抗凝固薬の投与が推奨される。

　高度肥満症手術の術後は，肺合併症の予防のため，早期離床・体動を促す。術後管理は，

少なくとも術後 90 日までの経過観察，合併症の評価を可能とする管理体制を構築する．

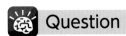 **肥満と癌**

　肥満は 2 型糖尿病や動脈硬化性疾患のリスクとして重要なだけでなく，多くの癌のリスクを高める．食道腺癌，大腸癌，胆道癌，閉経後乳癌，子宮内膜癌，腎臓癌については，肥満による罹患リスクの上昇が示唆される．

Question

鍵穴のマークは問題の難易度を示します．

 日本で最も行われている肥満外科手術はどれか．

A：腹腔鏡下胃バンディング術
B：小腸バイパス術
C：胆膵バイパス術
D：腹腔鏡下スリーブ状胃切除術
E：腹腔鏡下 Roux-en-Y 胃バイパス術

正答 D

 肥満外科手術の適応とならない症例はどれか，2 つ選べ．

A：BMI 33，糖尿病を有する 35 歳男性
B：BMI 40，合併症のない 45 歳女性
C：BMI 45，高血圧を有する 50 歳男性
D：BMI 43，糖尿病を有する 70 歳女性
E：BMI 40，Prader-Willi 症候群の 30 歳女性

正答 D, E

文献

1）厚生労働省：国民健康・栄養調査結果の概要．2008，2013．
2）日本肥満学会：肥満症診療ガイドライン．2016．
3）医療情報科学研究所，編：病気がみえる vol. 3．第3版．メディックメディア，2012．
4）Shal I, et al：Weight loss with a low-carbohydrate, mediterranean, or low-fat diet. *N Engl J Med*. 2008；359：229-241.
5）橋本健吉，他：肥満症・糖尿病の外科治療～Bariatric Surgery から Metabolic Surgery へ．福岡医誌．2013；104：397-404.

第10章

多発性内分泌腫瘍症（MEN）

国家試験でもよく出題されるが，パターンも決まっているため得点源であり，落としてはならない。臨床問題で出題されたとしても診断は容易である場合が多い。専門医試験では選択肢の難易度が上昇しており，問われる知識が年々細かくなっている。MEN 1 であれば，「下垂体腫瘍の手術歴，腹痛がある多発潰瘍もしくは低血糖発作で膵腫瘍あり（インスリノーマ）」などと問題文に提示され，副甲状腺なら頸部エコー，膵病変なら腹部エコーや腹部 CT 検査などを選択させ，膵病変の特徴や鑑別を問うパターンである。MEN 2 であれば，甲状腺髄様癌のエコー所見，カルシトニン高値などの所見が問題文に提示され，合併する褐色細胞腫や MEN 2A と 2B の差異などについて問われる。

第10章 多発性内分泌腫瘍症（MEN）

1 多発性内分泌腫瘍症1型（MEN 1）

Key Question

症　例：50歳男性。腹痛と嘔吐・下痢症状を主訴に来院。嘔吐物は水様性であり，嘔吐初期はやや褐色調であった。健診で以前より血清ALPと高カルシウム血症を指摘されていたが放置していた。

身体所見：意識清明，身長168.6cm，体重72.8kg，体温36.1℃，脈拍87回/分 整，血圧122/76。

触　診：頸部腫瘤なし，胸腹部異常なし。

検査所見：Alb 3.7mg/dL, AST 26U/L, ALT 20U/L, ALP 460U/L, BUN 11mg/dL, Cre 0.8mg/dL, Ca 10.5mg/dL, P 2.8mg/dL, Mg 2.2mg/dL。

①現時点でまず行うべき検査はどれか，2つ選べ。

- A：上部消化管内視鏡
- B：胃液からの基礎胃酸分泌量（BAO）測定
- C：胸腹部X線
- D：腹部エコー
- E：下部消化管内視鏡

上部消化管内視鏡検査にて，十二指腸に多発潰瘍を認めた。さらに腹部エコーでは膵頭〜十二指腸下行部付近に1〜2cm大の腫瘍が疑われた。

②本病態において誤っているものはどれか，2つ選べ。

- A：診断確定には血中ガストリン測定とカルシウム負荷試験によるガストリン分泌増加の確認が必要である。
- B：術前には褐色細胞腫のスクリーニングが望ましい。
- C：水様性下痢，低カリウム血症，無酸症が特徴的である。
- D：壊死性遊走性紅斑などの皮膚症状もみられることがある。
- E：本症例の遺伝性腫瘍での機能性膵胃十二指腸病変としては最も多い。

Answer

① A，D

解説

問題文や設問の選択肢などから MEN 1 について問われていることがわかる。
①腹痛，下痢，嘔吐から多発潰瘍 ➡ 膵・十二指腸のガストリノーマ。
②高カルシウム低リン血症 ➡ 副甲状腺機能亢進症。

今後は，下垂体の精査として頭部 MRI や各種ホルモンの測定を行っていく必要がある。腹痛，嘔吐から胃十二指腸潰瘍を疑う。まず行う検査として侵襲的にも問題のない腹部エコーを行う。頸部エコーも選択肢にあれば，副甲状腺の精査も行いたい。

② C，D

解説

A：以前使用されていたセクレチン負荷試験は現在使用できないため，Ca 負荷試験は重要である。やや感度が落ちる点は留意しておく。また，術前には ASVS もしくは肝静脈サンプリング検査で腫瘍栄養動脈を決定する必要もあるため，血管走行も今一度確認しておく。
B：MEN 2A，B の特徴であり，MEN 2 の約 50％に合併するが，MEN 1 でも副腎腫瘍が合併することはある（ただし褐色細胞腫合併は 1％以下）。
C：WDHA（watery diarrhea, hypokalemia, and achlorhydria）症候群と呼ばれる VIP（vasoactive intestinal polypeptide）産生腫瘍の特徴である。無酸症や H_2 受容体拮抗薬，PPI の常用でもガストリンは高値になるため，本症例のガストリノーマとの鑑別は重要である。
D：グルカゴノーマの特徴である。画像は成書などで見ておくとよい。
E：ガストリノーマは，20〜40％と MEN 1 の機能性膵十二指腸疾患として最多である。

Key Lesson

- MEN 1 の発見の契機は副甲状腺過形成が最多である。
- 膵消化管の高分化型内分泌腫瘍の内訳としては，非機能性膵腫瘍＞ガストリノーマ＞インスリノーマの順に多い。
- 副腎皮質腫瘍，脂肪腫，神経内分泌腫瘍（NET，カルチノイド腫瘍）なども合併することがある。

知識の整理

▶MEN 1 の特徴

多発性内分泌腫瘍症 1 型（multiple endocrine neoplasia 1：MEN 1）は，20 種以上の内分泌腫瘍および非内分泌腫瘍が様々な組み合わせで生じる症候群である。約 3 万人に 1 人程度と報告されている。

両親に遺伝子変異がある場合，何らかの病変が出現する可能性（浸透率）は 20 歳で 50％以上，40 歳では 95％以上である。発端者の診断は 40 歳代が多い。

▶MEN 1 の原因遺伝子

MEN 1 は常染色体優性遺伝形式をとる。唯一の原因遺伝子は癌抑制遺伝子の MEN 1 遺伝子（11q13 領域）で，家族性 MEN 1 の発端者の 80〜90％，散発例の約 65％で変異を検出できる。

また，MEN 1 は特定の変異集積である hot spot 部分がない。そのため，MEN 2 と違って遺伝型と表現型が相関せず，遺伝子の全領域をシークエンスする必要がある。また患者の 10％は家族歴もなく新生突然変異と考えられている。

▶MEN 1 で生じる内分泌腫瘍

MEN 1 で生じる内分泌腫瘍を**表 1**[1)]にまとめた。

表 1　MEN 1 で生じる内分泌腫瘍

腫瘍	腫瘍サブタイプ	ホルモン分泌	MEN 1 での頻度	
副甲状腺		あり	50 歳までに 100％*1	
下垂体前葉	PRL 産生腫瘍	あり	10〜60％*2 の症例で下垂体腫瘍を発症	下垂体腫瘍中 40〜60％
	GH 産生腫瘍	あり		5％
	GH/GRH 産生腫瘍	あり		5％
	TSH 産生腫瘍	あり		稀
	ACTH 産生腫瘍	あり		2％
膵内分泌	ガストリノーマ	あり	40％	
	インスリノーマ	あり	10％	
	グルカゴノーマ	あり	2％	
	VIP 産生腫瘍	あり	2％	
神経内分泌腫瘍	気管支	なし	10％	
	胸腺	なし		
副腎皮質・髄質	コルチゾール分泌性	稀	20〜40％の症例で副腎皮質腫瘍を伴う	稀
	アルドステロン分泌性	稀		稀
	褐色細胞腫	稀		＜1％

＊1：90％の症例で初発病変となる。
＊2：10％の家族例，25％の散発例で初発病変となる。また非機能性腫瘍は 30％程度であり，プロラクチン産生腫瘍（PRLoma）が最多である。
（文献 1 より引用）

1. 副甲状腺腫瘍との関連

　副甲状腺腫瘍は最も頻度の高い MEN 1 関連腫瘍で，90％の患者で初発病変となり，かつ 90％の患者で 20～25 歳に発症し，50 歳までに高カルシウム血症を呈する。実際はしばしば軽症であり，MEN 1 のリスクがあるが無症状である人に対する家族スクリーニングなどに際して，生化学的所見から診断される。副甲状腺の病変に対しては特に画像検査を必要としない。それは，以下による。
　①MEN 1 の副甲状腺機能亢進症は通常多腺性ですべての副甲状腺が腫大すること
　②術前の画像所見が手術様式を左右しないこと
　病理所見では単一腺の腺腫ではなく，すべての腺が腫大してくる過形成が典型的である。高カルシウム血症に伴ってよくみられる臨床所見も復習すること。
　①中枢神経系 ➡ 精神状態変化，全身倦怠感，うつ，注意力低下，意識混濁。
　②消化管 ➡ 食欲不振，便秘，嘔気，嘔吐。
　③腎 ➡ 利尿，濃縮力低下，脱水，高カルシウム尿症，腎結石リスクの上昇。
　④骨 ➡ 骨吸収亢進と骨折リスクの上昇。
　⑤心血管 ➡ 高血圧惹起もしくは増悪，心電図上 QT 間隔短縮。
　高カルシウム血症はガストリノーマからのガストリン分泌を増加させるので，Zollinger-Ellison 症候群の喚起となりうる。

MEN 1 と MEN 4

①家族性副甲状腺機能亢進症（familial isolated hyperparathyroidism：FIHP）は，副甲状腺の過形成または腺腫を生じるが，他の内分泌疾患を伴わない。FIHP 家系の 20～57％で *MEN 1* 遺伝子変異が検出される。
②MEN 4（*CDKN1B* 変異）は，先端巨大症，副甲状腺腫瘍，腎血管脂肪腫を発生し，臨床的に MEN 1 の診断基準を満たすが *MEN 1* 遺伝子変異を認めない家系の一部は MEN 1 の重要な phenocopy である MEN 4 の可能性を示唆する。p27kip 蛋白質をコードする *CDKN1B/p27* の生殖細胞系列変異が同定されている。

---

2. 下垂体前葉腫瘍との関連

　下垂体腫瘍ではプロラクチン産生腫瘍が最多で，女性の稀発月経または無月経や乳汁分泌，男性の性機能低下を引き起こす。MRI 検索が有用である。
　PRL 正常濃度は，
　①閉経前女性 ➡ 0～20ng/mL
　②閉経後女性 ➡ 0～15ng/mL
　③男性 ➡ 0～15ng/mL
である。散発例の 25％，家族例の 10％で下垂体腫瘍が初発病変となる。下垂体腫瘍の発症頻度は報告により 15～55％と差がある。組織では MEN 1 の下垂体腫瘍の 65～85％はマクロアデノーマである。複数のホルモンを産生する下垂体腫瘍もこれまで考えられていた以上に頻度が高い。癌発症リスクについて，MEN 1 関連下垂体腫瘍の悪性化は稀である。

3. 胃十二指腸，膵，小腸などの膵消化管の高分化型内分泌腫瘍との関連

　日本人における消化管神経内分泌腫瘍の予備調査では，MEN 1 関連膵内分泌腫瘍の頻度は 7.4%程度である。一般的に，小さい膵内分泌腫瘍が MEN 1 の特徴的所見である。まずは腹部エコー，CT または MRI などのスクリーニングである。超音波内視鏡検査は無症状の MEN 1 患者における小膵内分泌腫瘍（径 10 mm 以下）の検出法として最も感度が高い。

　MEN 1 で発症する腫瘍のうち最も頻度が高いのは非機能性の腫瘍であり，機能性の腫瘍で高いのはガストリノーマである。以下に発症頻度の高い順に解説する。

非機能性膵腫瘍（30〜50%）

　生化学的検査や画像検査でとらえにくいが，最多である。

ガストリノーマ（30〜40%）：Zollinger-Ellison 症候群

　① MEN 1 による家族性ガストリノーマ
　②孤発性のガストリノーマ

　たとえば，胃痛を訴える患者の内視鏡所見で，あまりに潰瘍が多発していたら，ガストリノーマを疑う。ガストリノーマと言えば MEN 1 と条件反射で考える。しかし，なかには家族性・遺伝性ではない（MEN と関係ない）ガストリノーマ（散発性，偶発性，孤発性）もあり，注意が必要である。

　約 40%の MEN 1 患者はガストリノーマを発症し，ガストリン産生十二指腸粘膜腫瘍による消化性潰瘍（Zollinger-Ellison 症候群）を呈する。臨床所見は上腹部痛，下痢，食道逆流，消化性潰瘍（多発性十二指腸潰瘍），萎縮性胃炎がある。臨床症状の出現は MEN 1 では偶発性の Zollinger-Ellison 症候群より約 10 年早い。MEN 1 の典型例では，十二指腸粘膜に 1 cm 未満のガストリノーマ（過形成をきたしたガストリン細胞）が多発する。MEN1 に伴うガストリノーマの 80%は十二指腸の上行部または下行部に発生する。散発性のガストリノーマは膵に単発で発生することが多い。

　MEN 1 のガストリノーマはしばしば多発性であり，60〜90%は悪性である。50〜60%は診断前に肝臓やリンパ節に転移している。肝転移をきたした場合の生命予後は不良だが，所属リンパ節転移は予後に影響を与えない。

　ガストリノーマでは基礎ガストリン濃度が上昇している（基準値：<100 ng/L）。

　幽門部 G 細胞過形成などの他の高ガストリン血症との鑑別にはカルシウム静注負荷試験が有用である。

　血清ガストリン濃度の上昇は，PPI などの制酸薬の使用による無酸症でも生じるため，事前に内服をチェックする必要があることに注意する。

インスリノーマ

　MEN 1 におけるインスリノーマの発症は散発性に比べて約 10 年早い（30〜50 歳代が孤発性のピークなら MEN 1 は 20〜35 歳代）。MEN 1 のインスリノーマの 25%は 20 歳以前に診断される[2]。一般に，単発性（MEN 1 では多発性が多いという報告もある）に生じる。

　インスリノーマでは，腫瘍の大きさは通常 1〜4 cm で，ほとんどの場合が良性である。

　高インスリン血症（インスリン基準値：2〜20 U/mL）または高プロインスリン血症を伴う空腹時低血糖が特徴である。確実な評価法は監視下に実施される 72 時間絶食試

験であり，高インスリン血症に伴う低血糖が観察される。

グルカゴノーマ

高血糖，食欲不振，舌炎，貧血，下痢，静脈血栓症，皮膚発疹（壊死性移動性紅斑）などの症状がみられる。

VIP 産生腫瘍

水様性下痢，低カリウム血症，無酸症（WDHA 症候群）をきたす。
VIP 産生腫瘍ではイムノアッセイで VIP 濃度が上昇している（基準値：<75pg/mL）。

神経内分泌腫瘍（NET）

胸腺，気管支，2 型胃十二指腸クロマフィン親和性細胞に由来する神経内分泌腫瘍は MEN 1 患者の約 10%に発生する。ホルモンを産生せず 50 歳以降に大きな腫瘍を形成する。MEN 1 関連腫瘍のなかで唯一発症に性差を認め，胸腺神経内分泌腫瘍は男性に多く，気管支神経内分泌腫瘍は女性に多い。

胸腺神経内分泌腫瘍は悪性化する傾向がある。特に男性喫煙者において高度に致死性であると結論付けられ，胸腺腫瘍の存在は MEN 1 における死亡リスク増大に関与している（ハザード比 4.29）。対照的に気管支神経内分泌腫瘍は生命予後には影響しない。MEN 1 による胸腺神経内分泌腫瘍は特に喫煙者では散発例に比べて悪性の経過をとる。

4. 副腎皮質腫瘍との関連

副腎皮質腫瘍は片側性のことも両側性のこともあるが，MEN 1 患者の 20〜40%に認められる。稀に副腎皮質腫瘍がコルチゾールやアルドステロンを分泌する。無症状の副腎腫大は多クローン性で過形成性であり，通常腫瘍化しない。

▶MEN 1 で生じる非内分泌腫瘍

MEN 1 に伴う非内分泌腫瘍には，以下がある。外来でもみられる皮膚病変が，ホルモン産生腫瘍発症前の MEN 1 診断に有用である。
①皮膚病変〔顔面血管線維腫（結節性硬化症でもみられる），結合組織母斑，脂肪腫
②中枢神経腫瘍（髄膜腫，上衣腫，平滑筋肉腫）

▶内分泌腫瘍に対する治療

1. 副甲状腺機能亢進症の治療

①基本は，副甲状腺亜全摘術＋副甲状腺組織凍結保存または副甲状腺全摘術＋一部自家移植。
②術前に高カルシウム血症を改善させるためにカルシウム受容体作動薬（シナカルセト塩酸塩）も有効。また，骨吸収を制御するためにビスホスホネート製剤などの骨吸収阻害薬が用いられることもある。

2. プロラクチン産生腫瘍

①ドパミン作動薬（カベルゴリン）。
②その他の下垂体腫瘍は，基本は TSS。
③GH や ACTH 産生下垂体腫瘍はソマトスタチンアナログを使用することもある。

1 多発性内分泌腫瘍症 1 型（MEN 1）　**351**

3. 高分化型膵消化管内分泌腫瘍の治療

①基本は手術（膵切除後や部分摘出術後で20%程度は再発する）。
②神経内分泌腫瘍腫瘍のホルモン過剰分泌 ➡ 持続型ソマトスタチンアナログ。
③ガストリノーマの胃酸分泌過多➡H_2受容体拮抗薬やPPI。

4. 副腎皮質腫瘍の治療

基本は手術。特に径が3～5cmを超える場合は悪性化を防ぐためにも早期手術。

5. MEN 1の家族歴がある場合の予防的手術

MEN 1に合併することは非常に低いが，副腎に腫瘍がある場合，術中の血圧の急激な上昇を回避するため，手術前には尿中カテコールアミンを測定し，褐色細胞腫を否定した上で，以下を施行する。
①一次病変の予防：男性，特に喫煙者では胸腺摘出術が胸腺神経内分泌腫瘍の予防となる。十二指腸・膵・肺はMEN 1にて悪性腫瘍が発生しやすいが，臓器の重要性から予防的切除に適さない。予防的に切除可能なのは胸腺のみである。
②二次病変の予防：副甲状腺の亜全摘または全摘術後は副甲状腺機能低下症の有無を確認するために，PTHと血清Caを測定する。

6. MEN 1遺伝子変更を有するが無症状，あるいはMEN 1関連腫瘍のリスクがある場合の定期的なフォロー

5歳からPRL，8歳から血清Ca，20歳からガストリンを測定する。5歳から頭部MRI，20歳から腹部CTまたはMRIの定期検査を開始する。空腹時PTH測定と年1回の胸部CTを考慮する。

リスクのある血縁者の評価は，病変の早期発見が治療にも影響するので，既に*MEN 1*遺伝子変異が同定されている家系の家族に対しては遺伝カウンセリング後，分子遺伝学的検査が提供される。

> **遺伝カウンセリングとは？**
>
> 遺伝カウンセリングは，個人や家族に対して遺伝性疾患の本質，遺伝，健康上の影響などの情報を提供し，彼らが医療上あるいは個人的な決断をくだすのを援助するプロセスであり，遺伝子検査前後に行うものである。

7. MEN 1に伴う臨床症状と生命予後

MEN 1関連腫瘍の早期発見と治療法の進歩により，Zollinger-Ellison症候群や副甲状腺機能亢進症は死因とはならなくなった。それにもかかわらず，MEN 1患者が早期死亡に至る危険性は依然として残されており，現在約30%の患者はMEN 1に関連する悪性腫瘍で死亡している。

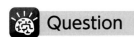

Question 鍵穴のマークは問題の難易度を示します。

Q1 多発性内分泌腫瘍1型（MEN 1）に含まれないものはどれか。

　A：プロラクチン産生腫瘍　　D：Zollinger-Ellison 症候群
　B：原発性副甲状腺機能亢進　E：副腎皮質腫瘍
　C：甲状腺髄様癌

正答 C

Q2 MEN について正しいものはどれか，2つ選べ。

　A：*MEN 1* は癌抑制遺伝子であり，特定の変異集積（hot spot）が存在する。
　B：*MEN 1* は常染色体劣性遺伝である。
　C：*MEN 1* 変異陽性検出率は，家族例の発端者では 80〜90％，散発例では約 65％である。
　D：MEN 1 に合併するガストリノーマは膵臓に単発性に起こりやすい。
　E：10％の患者は家族歴もなく，新生突然変異と考えられている。

正答 C, E

Q3 MEN 1 に伴う内分泌腫瘍について誤っているものはどれか，2つ選べ。

　A：インスリノーマの 10％に MEN 1 が存在し，多発性のこともある。
　B：MEN 2 同様に，遺伝型と表現型が相関する。
　C：MEN 1 の膵腫瘍の部分切除や核出術を受けた患者の 20％程度は再発する。
　D：下垂体腺腫では非機能腺腫が最多である。
　E：MEN 1 の副甲状腺腫瘍は過形成が多く，90％は MEN 1 の初発病変である。

正答 B, D

Q4 MEN 1 について誤っているものはどれか。

　A：十分な遺伝カウンセリングを行ってから遺伝学的検査を行う。
　B：MEN 1 による胸腺神経内分泌腫瘍は特に喫煙者では散発例に比べて悪性の経過をとる。
　C：患者カップルの妊娠では出生前診断が理論上可能であるが，MEN を含む家族性腫瘍は臨床的な対処法があるため，出生前診断の適応とならない。
　D：MEN 1 のガストリノーマは萎縮性胃炎を合併する。
　E：MEN 1 のガストリノーマは多発性で，60〜90％は悪性である。肝転移や所属リンパ節転移はともに予後に影響を与える。

正答 E

Q5 MEN 1 について正しいものを1つ選べ。

　A：MEN 2 と異なり，遺伝型と表現型が相関する。

1　多発性内分泌腫瘍症1型（MEN 1）　353

B：下垂体腺腫はプロラクチノーマが多い。
C：膵神経内分泌腫瘍で非機能性であれば，1cm以上で積極的に手術適応となる。
D：気管支神経内分泌腫瘍は生命予後が悪い。
E：胸腺神経内分泌腫瘍の予後に喫煙は関与しない。

正答💡 B

文献

1) Giusti F, et al（2012.9.6）；櫻井晃洋，訳. Multiple Endocrine Neoplasia Type 1[MEN1, MEN1 Syndrome, Multiple Endocrine Adenomatosis, Wermer Syndrome]. In: GeneReviews at GeneTests: Medical Genetics Information Resource (database online). Copyright, University of Washington, Seattle, 1997-2015.
http://www.genetests.org.（Accessed Sep 16, 2016）
2) Sakurai A, et al：Clinical features of insulinoma in patients with multiple endocrine neoplasia type 1: analysis of the database of the MEN Consortium of Japan. *Endocr J.* 2012；59：859-866.

Picking Tool

〈MENの覚え方〉

従来の罹患臓器の英語名の頭文字をとって，PPP/PTAという覚え方でもよいが，Pが重複してpancreas/pituitary/parathyroidのどれなのか，わかりにくいので筆者は下記で記憶している。

〈MENの遺伝性腫瘍の覚え方〉

男（MEN）はいつだって立ち上がる（復興する）ということで…

1型　**すい**　　　**すいと**　　**復興**
　　下垂体腫瘍　　膵臓　　　　副甲状腺過形成

2型　**ずい**　　　**ずいと**　　**復興**　　**へ**
　　甲状腺髄様癌　髄質（褐色細胞腫）副甲状腺過形成　2A

「へ」は「え」と発音するので「A」と読み替える。副甲状腺は2Aのみ。

〈MENでhot spot変異があるのは2型のみ〉

また1型はすいすいと簡単に復興するので，hotな部分がない（特定の変異の集積であるhot spot）。そのため2型と違って遺伝子の全領域をシークエンスする必要がある。

〈MEN1浸透率（各病変発症率）〉

男子1軍サッカー　**11**人
MEN 1　　　　　　11q13領域

重要なこととして，発見の契機は副甲状腺過形成が最多であることを記憶する。
また，膵消化管の高分化型内分泌腫瘍の内訳としては，非機能性膵腫瘍＞ガストリノーマ＞インスリノーマの順に多いことも記憶する。
語呂にはないが，副腎皮質腫瘍も合併することがある。

第10章 多発性内分泌腫瘍症（MEN）

2 多発性内分泌腫瘍症 2 型（MEN 2）

Key Question

症　例：20歳男性。難治性高血圧にて当科受診。
身体所見：Marfan 様体型であり，細長い顔貌をしている。下眼瞼は肥厚しており，口唇は厚く，舌背部に多発性腫瘤を認める。巨大結腸症に伴う便秘などの症状も認める。
検査所見：高血圧に関しては，腹部 MRI および各種ホルモン検査で，両側褐色細胞腫の診断がなされた。

まず行うべき重要な検査はどれか。

A：血清 intact PTH
B：血清カルシトニン濃度
C：頭部 MRI
D：腹部エコー
E：上部消化管内視鏡

Answer

B

解説

　MEN 2 は常染色体優性遺伝の遺伝性腫瘍であるが，散発性に見つかる例も多く，特徴的な症状や所見はおさえておく必要がある。本症例は 2B であることが推測されるが，MEN 2 で浸透率 95～100％の甲状腺髄様癌（medullary thyroid carcinoma：MTC）を確実にスクリーニングしておく必要がある。

A：MEN 2B では副甲状腺疾患頻度は低く，まず調べるべきは MTC である。
B：MTC は MEN 2 型で必発である。
C：MEN 1 では下垂体腺腫が疑われる。
D：MEN 1 では膵臓腫瘍が疑われる。
E：MEN 1 では膵臓腫瘍で最多のガストリノーマから難治性胃潰瘍を引き起こす。

> □MEN 2 で認められる病変
> 甲状腺髄様癌（MTC）ならびにその前病変である C 細胞過形成（CCH），褐色細胞腫，副甲状腺過形成または腺腫
> ○MEN 2B は 2A より悪性度も高く，遺伝子変異の hot spot も異なる。両者の違いをしっかり記憶しておく。
> ○甲状腺髄様癌（MTC）は，全例 *RET* 遺伝学的検査（保険適用）を行う。

知識の整理

▶MEN 2 の特徴

MEN 2 で認められる病変は MTC ならびにその前病変である C 細胞過形成（C cell hyperplasia：CCH），褐色細胞腫，そして副甲状腺過形成または腺腫である。MEN 2 の罹病率は 3 万 5,000 人に 1 人と推測されている。発端者の診断は 40 歳代が多い。

MTC が重要であり，日本人の 40％の MTC は MEN 2 によるものとされている。MTC があれば基本は全症例に対して，*RET* 遺伝子検索を行う。さらに遺伝性 MTC と判明すれば，全例で甲状腺全摘の必要があり，血縁者には遺伝カウンセリングを行った上で *RET* 変異遺伝子検索が推奨される。

▶MEN 2 の原因遺伝子

癌遺伝子の *RET* 遺伝子である。遺伝学的検査により MEN 2A，MEN 2B ともに 98％以上の患者，また家族性甲状腺髄様癌（FMTC：familial medullary thyroid carcinoma）でも約 95％の家系で病的変異が確認される。

RET 変異と関連している病気は，以下である。
①Hirschsprung 病：大腸神経叢の異常が原因となって新生児の腸管拡張と頑固な便秘～爆発的排便を特徴とする疾患
②甲状腺乳頭癌：約 20～40％の甲状腺乳頭癌では *RET* 遺伝子のキナーゼドメインと他遺伝子との間で体細胞変異による再構築を生じている

▶MEN 2 の分類

MEN 2 は MEN 2A，MEN 2B および FMTC の 3 病型に細分される。いずれの病型も MTC を生じる危険性を有している。
①MEN 2A は臨床的には MTC，褐色細胞腫あるいは副甲状腺機能亢進症が 1 人の患者もしくは近親者に認められたときに診断される。
②FMTC も単一遺伝子（*RET*）変異によって生じる疾患で，MEN 2A の亜型と考えられる（米国甲状腺学会より）。
③MEN 2B の臨床的診断は MTC のほかに，口唇や舌の粘膜神経腫，有髄角膜神経線維，厚い口唇を伴う特徴的な顔貌，巨大結腸，Marfan 様体型を認めた場合に診断される。

MTC 発症時期は，一般的に
・MEN 2B ➡ 小児期早期

- MEN 2A ➡ 若年成人期
- FMTC ➡ 中年期

である。

FMTC が MEN 2A の亜型と位置づけられるため，日本でも今後 MEN 2 の病型は MEN 2A，2B の 2 種類になると思われる。

▶MEN 2 浸透率（病型ごとの病変発症率）

MTC，褐色細胞腫，副甲状腺機能亢進症の浸透率は MEN 2 の亜型によって異なる。**表1**[1] は書けるようにしておく。

① MEN 2 の MTC は，散発性 MTC よりも若年で発症し，しばしば CCH を伴い，また多発性，両側性である。臨床症状としては，頸部痛，頸部腫瘤，高カルシトニン血症による下痢がある。所属リンパ節（副甲状腺，傍気管，頸静脈輪，上縦隔）や肝，肺，骨などへの転移はよくみられる。3 病型のいずれも MTC を発症する。

② 褐色細胞腫が転移することはほとんどない。また褐色細胞腫は両側性，良性が多く，副腎原発がほとんどである。MEN 2A と MEN 2B では褐色細胞腫のリスクも高い。

③ 副甲状腺病変の程度は様々である。MEN 2A では副甲状腺機能の過形成あるいは腺腫を生じるリスクも有する。

表1　MEN 2 浸透率（病型ごとの病変発症率）

病型	甲状腺髄様癌 (MTC)	褐色細胞腫	副甲状腺病変
MEN 2A	95%	50%	20〜30%
FMTC	100%	ほぼ 0%	ほぼ 0%
MEN 2B	100%	50%	稀

（文献 1 より引用）

1. MEN 2A

① MEN 2A は MEN 2 全体の 95％以上を占める（FMTC を独立病変として除いた場合も 85％）。

② MEN 2A 患者の 95％が MTC/50〜60％が褐色細胞腫/10〜20％が副甲状腺機能亢進症を発症。

③ MEN 2A の褐色細胞腫と副甲状腺腺腫と皮膚症状

　a）褐色細胞腫は通常，MTC よりも後に発症し，MEN 2A 患者の 13〜27％では初発症状となる。散発例と比較し，MEN 2A の褐色細胞腫は若年で診断され，臨床症状はより軽度で，両側性であることが多い。

　b）副甲状腺機能亢進症は通常軽症で，単一腺の腺種から顕著な過形成まで様々である。多くの副甲状腺機能亢進症は無症状である。副甲状腺機能亢進症は通常 MTC の診断から長い時間を経過してから診断される。

　c）MEN 2A 家系の一部では皮膚にかゆみを伴う苔癬アミロイドーシス（pruritic cutaneous lichen amyloidosis）を生じる。この病変は上背部にみられ，MTC より先に発症することもある。

2　多発性内分泌腫瘍症 2 型（MEN 2）　357

MEN 2A の MTC の患者が紹介された時点で想像できることは？

　MTC は通常 MEN 2A で最初に発症する病変である。発端者の典型例では，頸部腫瘤や頸部痛が 35 歳以前に出現する。このような患者の最大 70% は既に頸部リンパ節転移をきたしている。

　下痢は高頻度にみられるが，血漿カルシトニン値が 10 ng/mL を超える患者に出現し，予後不良因子である。*RET* 変異を有し，予防的甲状腺全摘術を受けなかった患者では 35 歳までに MTC の生化学的所見が陽性となっていることを記憶しておく。

2. FMTC

①MEN 2 全体の 10～20% を占め，この病型では MTC だけが唯一の臨床症状である。

②FMTC における MTC 発症年齢は遅く，浸透率も MEN 2A や MEN 2B より少し低い。

③FMTC は別個の疾患ではなく，褐色細胞腫や副甲状腺機能亢進症の浸透率が低い MEN 2A の亜型と考えられているため，病名がガイドラインから今後なくなる可能性がある。

3. MEN 2B

①MEN 2 全体の約 5% を占める。

②MEN 2B は MTC の悪性度が高く，2A よりも早期発症が特徴的である。早期（1 歳以前）の甲状腺切除術を受けない MEN 2B 患者では早い時期に転移性 MTC を生じる可能性が高い。

③MEN 2B の褐色細胞腫と副甲状腺腺腫と特徴的症状

- 日本人データでは MEN 2B の 95% を占める *M918T* 変異では褐色細胞腫の浸透率はほぼ 100% である[2]。これらのうち 50% は多発性で時に両側性である。
- MEN 2B では臨床的に明らかな副甲状腺病変は発症しない。
- MEN 2B は舌の前背部，口蓋あるいは咽頭の粘膜神経腫や特徴的な顔貌から乳幼児期にも診断されうる。口唇は徐々に厚くなり，粘膜下結節が口唇辺縁に認められることもある。眼瞼神経腫は上眼瞼辺縁の肥厚と反転を引き起こす。角膜神経の肥厚がスリットランプによる検査で認められる。
- 40% の患者は腸管にびまん性の神経節腫症を生じ，これにより腹部膨満，巨大結腸，便秘，あるいは下痢をきたす。
- 75% の患者は Marfan 様体型を示し，しばしば亀背や側彎，緩い関節，皮下脂肪の減少を認める。近位筋の萎縮や筋力低下がみられることもある。

4. MEN 2A と 2B の違い

①MEN 2A と 2B の MTC は悪性度が異なる。

②MEN 2B でみられるほかの所見としては，口唇や舌の粘膜神経腫，厚い口唇を伴う特徴的な顔貌，消化管の神経節腫，Marfan 様体型などがある。

③MEN 2A では副甲状腺過形成あるいは腺腫を生じるリスクも有する。MEN 2B は稀である。

④MEN 発症における新生突然変異の割合は MEN2A は 5% 以下であるが，MEN 2B は 50% である（コードされている exon の違いがあることも理解しやすい）。

▶ MEN 2 の治療

1. 各内分泌腫瘍に対する治療

基本的にはすべて手術である。特に MTC は，いかに早期に発見するかがポイントである。

① MTC ➡ 甲状腺全摘＋所属リンパ節郭清である。変異陽性者の場合はカルシトニン上昇を確認した時点で手術。海外では予防的甲状腺全摘術を行うことがある。

② 褐色細胞腫 ➡ 副腎摘除術。しかし，ほぼ全例良性であり，予防的手術は通常行わない。

③ 副甲状腺機能亢進症 ➡ 単一腺もしくは複数腺の摘除が行われる。

2. 治療後の定期的なフォロー

経過観察として，甲状腺全摘術後は，残存腫瘍や再発を検出する目的で年 1 回の血中カルシトニン測定を行う。

甲状腺全摘術と副甲状腺自家移植を受けた患者は，副甲状腺機能低下症に対する経過観察を行う。

RET 変異が同定されたときに褐色細胞腫を発症していなかった患者では，年 1 回の生化学スクリーニングを行う。特に，安易にドパミン D_2 受容体拮抗薬や β 遮断薬を投与されないように注意する。

3. MEN 2 の遺伝子 hot spot—リスクある血縁者の評価

MEN 2 はいずれの病型も常染色体優性遺伝の形式をとる。

発端者が新生突然変異による確率は，MEN 2A では 5 ％以下（つまり MEN 2A は95 ％で親から変異遺伝子を受け継ぐ），MEN 2B では約 50 ％である。患者の子は 50 ％の確率で変異遺伝子を受け継ぐ。したがって，*RET* 遺伝子変異が確定したら，遺伝カウンセリングを行った後リスクのある血縁者全員に検査を提供すべきである。

RET 遺伝子の生殖細胞系列突然変異は hot spot に集中しており，またいずれも点突然変異である（**表 2**）[3]。散発性の MTC 患者に対しては，exon10, 11, 13～16 の検査を提供すべきである。

① exon10 のコドン変異は MEN 2A，FMTC，HSCR1 と関連している。

② exon11 のコドン 634 の変異は褐色細胞腫と副甲状腺機能亢進症の発症率が高い。

③ exon16 のコドン 918 変異は MEN 2B とのみ関連している。

MEN 2B が疑われる患者では，まず exon15, 16 のシークエンスを行う。もしこれら変異が陰性の場合は，exon14 の検索を考慮する。

2 多発性内分泌腫瘍症 2 型（MEN 2） **359**

表2 MEN 2の病型，臨床的特徴と遺伝型

		病型		
		家族性甲状腺髄様癌 (FMTC)	MEN 2A	MEN 2B
遺伝子型（変異のある部位）	exon10	コドン609	コドン609	
		コドン611	コドン611	
		コドン618	コドン618	
		コドン620	コドン620	
	exon11	コドン630		
		コドン634	コドン634[*1]	
	exon13	コドン768		
		コドン790	コドン790	
		コドン791	コドン791	
	exon14	コドン804	（コドン804）	（コドン804）
	exon15			コドン883
		コドン891		
	exon16			コドン918[*1]
臨床的特徴	診断時年齢	45〜55歳	25〜35歳	10〜20歳
	男女比	1：1	1：1	1：1.5
	甲状腺髄様癌	100%	100%	100%
	褐色細胞腫	なし	50%	50%
	原発性副甲状腺機能亢進症	なし	10〜30%	なし
	その他病変			あり[*2]

*1：MEN 2Aの85％以上は**コドン634**の変異，MEN 2Bの95％は**コドン918**のMetからThrの変異による
*2：神経節神経腫症，多発性神経腫，Marfan様体型，角膜線維の肥厚（thickened corneal fibers）など
（文献3より引用）

Question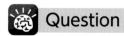

鍵穴のマークは問題の難易度を示します。

 MEN 2について誤っているものはどれか．

A：MEN 2の褐色細胞腫は副腎外原発が多い．
B：MEN 2が疑われた場合はexon10〜11，13〜16を調べる．
C：常染色体優性遺伝であり，発端者の診断は40歳代が多い．
D：遺伝学的検査の前に遺伝カウンセリングは有用である．
E：遺伝子変異の位置によって臨床像が変化することに注意する．

正答 A

 症例：45歳女性．頭痛と軽度高血圧（136/86mmHg）にて来院．精査にて，両側副腎に褐色細胞腫あり，甲状腺左葉に2cmを超える粗大石灰化を伴った低エコー腫瘤があり，甲状腺髄様癌が疑われた．また，甲状腺左葉外に1cm大の扁平な低エコー腫瘤を1つ認める．

この疾患に関して，正しいものはどれか。

A：まずは副腎手術よりも甲状腺手術が優先される。
B：甲状腺手術は甲状腺全摘切除術が基本である。
C：甲状腺外の腫瘍は副甲状腺腺腫が考えやすい。
D：褐色細胞腫は他の家族性褐色細胞腫に比べ悪性度が高いことが多い。
E：まずは β 遮断薬を用いながら生理食塩水輸液を中心とした全身管理を行う。

正答 **B**

文献

1) Moline J（2013.1.10）；櫻井晃洋，訳：Multiple Endocrine Neoplasia Type 2[MEN2, MEN2 Syndrome. Includes: Familial Medullary Thyroid Carcinoma (FMTC), Multiple Endocrine Neoplasia Type 2A (MEN 2A, Sipple Syndrome), Multiple Endocrine Neoplasia Type 2B (MEN 2B, Mucosal Neuroma Syndrome)]．In: GeneReviews at GeneTests: Medical Genetics Information Resource (database online). Copyright, University of Washington, Seattle, 1997-2015.
   [http://www.genetests.org（Accessed Sep 16, 2016）]
2) Imai T, et al：High penetrance of pheochromocytoma in multiple endocrine neoplasia 2 caused by germ line RET codon 634 mutation in Japanese patients. *Eur J Endocrinol.* 2013；168：683-687.
3) Gimm O：Multiple endocrine neoplasia type 2：clinical aspects. *Front Horm Res.* 2001；28：103-130.

略語集

略　語	フルスペル	和　名
^{131}I-MIBG	^{131}I-metaiodobenzylguanidine	ヨード 131 標識メタヨードベンジルグアニジン
17-KS	17-ketosteroid	17- ケトステロイド
17-OHCS	17-hydroxycorticosteroid	17- ヒドロキシコルチコステロイド
ACE 阻害薬	angiotensin converting enzyme inhibitor	アンジオテンシン変換酵素阻害薬
ACTH	adrenocorticotropic hormone	副腎皮質刺激ホルモン
ADH	antidiuretic hormone	抗利尿ホルモン
ADL	activities of daily living	日常生活動作
AIMAH	ACTH-independent macronodular adrenocortical hyperplasia	ACTH 非依存性大結節性副腎皮質過形成
ALP	alkaline phosphatase	アルカリホスファターゼ
ANCA	anti-neutrophil cytoplasmic antibody	抗好中球細胞質抗体
APA	aldosterone-producing adenoma	アルドステロン産生腺腫
AQP-2	aquaporin-2	アクアポリン 2
ARB	angiotensin Ⅱ receptor blocker	アンジオテンシンⅡ受容体拮抗薬
ASVS	arterial stimulation venous sampling	選択的カルシウム動注後静脈採血法
AVP	arginine vasopressin	血漿バソプレシン
BCE	bone collagen equivalent	骨コラーゲン相当量
BMI	body mass index	体格指数
CE	cholesterol ester	コレステロールエステル
CEA	carcinoembryonic antigen	癌胎児性抗原
CEE	conjugated equine estrogen	結合型エストロゲン
CETP	cholesteryl ester transfer protein	コレステリルエステル転送蛋白質
CRF	corticotropin-releasing factor	副腎皮質刺激ホルモン放出因子
CRH	corticotropin-releasing hormone	副腎皮質刺激ホルモン放出ホルモン
DDAVP	1-deamino-8-D-arginine vasopressin	酢酸デスモプレシン
DHEA-S	dehydroepiandrosterone sulfate	デヒドロエピアンドロステロン サルフェート
DP	deoxypyridinoline	デオキシピリジノリン
EGF	epidermal growth factor	表皮（上皮）成長因子
FC	free cholesterol	遊離コレステロール
FCHL	familial combined hyperlipidemia	家族性複合型高脂血症
FECa	fractional excretion of calcium	カルシウム排泄率
FFA	free fatty acid	遊離脂肪酸
FH	familial hypercholesterolemia	家族性高コレステロール血症
FHH	familial hypocalciuric hypercalcemia	家族性低カルシウム尿性高カルシウム血症
FSH	follicle stimulating hormone	卵胞刺激ホルモン
FT$_3$	free triiodothyronine	遊離トリヨードサイロニン
FT$_4$	free thyroxine	遊離サイロキシン

略　語	フルスペル	和　名
GAD	glutamic acid decarboxylase	グルタミン酸脱炭酸酵素
GCRHA	glucocorticoid remediable hyperaldosteronism	グルココルチコイド反応性アルドステロン症
G-CSF	granulocyte-colony stimulating factor	顆粒球コロニー刺激因子
GH	growth hormone	成長ホルモン
GHRH	growth hormone-releasing hormone	成長ホルモン放出ホルモン
GHRP	growth hormone-releasing peptide	成長ホルモン放出ペプチド
GnRH	gonadotropin-releasing hormone	性腺刺激ホルモン放出ホルモン
GTH	gestational transient hyperthyroidism	妊娠初期一過性甲状腺機能亢進症
hCG	human chorionic gonadotropin	ヒト絨毛性性腺刺激ホルモン
HDL-Chol	high density lipoprotein cholesterol	高比重リポ蛋白質コレステロール
HHM	humoral hypercalcemia of malignancy	液性悪性腫瘍性高カルシウム血症
HLA	human leukocyte antigen	ヒト白血球抗原
HMG	human menopausal gonadotropin	ヒト閉経期性腺刺激ホルモン
HOMA-R	homeostasis model assessment ratio	インスリン抵抗性指数
HRT	hormone replacement therapy	ホルモン補充療法
IDL	intermediate density lipoprotein	中間比重リポ蛋白質
IGF-I	insulin-like growth factor-I	インスリン様成長因子I
IGFBP	insulin-like growth factor binding protein	インスリン様成長因子結合蛋白質
IHA	idiopathic hyperaldosteronism	特発性アルドステロン症
IPS	inferior petrosal sinus	下錐体静脈洞
ITT	insuline tolerance test	インスリン低血糖試験
JCS	Japan Coma Scale	ジャパン・コーマ・スケール（国内で最も普及した意識障害の評価法）
LCAT	lecithin-cholesterol acyltransferase	レシチン－コレステロールアシル転移酵素
LDH	lactate dehydrogenase	乳酸脱水素酵素
LDL	low density lipoprotein	低比重リポ蛋白質
LDL-Chol	low density lipoprotein cholesterol	低比重リポ蛋白質コレステロール
LH	luteinizing hormone	黄体形成ホルモン
LHRH	luteinizing hormone-releasing hormone	黄体形成ホルモン放出ホルモン
LPL	lipoprotein lipase	リポ蛋白質リパーゼ
LTH	luteotropic hormone	黄体刺激ホルモン
MAH	malignancy associated hypercalcemia	悪性腫瘍に伴う高カルシウム血症
MEN	multiple endocrine neoplasia	多発性内分泌腺腫症
MMI	mercaptomethylimidazole	メルカプトメチルイミダゾール（チアマゾール）
MPO-ANCA	myeloperoxidase anti-neutrophil cytoplasmic antibody	ミエロペルオキシダーゼ抗好中球細胞質抗体
MRA	MR angiography	MRアンギオグラフィ
MRHE	mineralocorticoid responsive hyponatremia of the elderly	ミネラルコルチコイド反応性低ナトリウム血症
NF1	neurofibromatosis type 1	

略　語	フルスペル	和　名
NSAID	nonsteroidal anti-inflammatory drug	非ステロイド性抗炎症薬
OGTT	oral glucose tolerance test	経口ブドウ糖負荷試験
PAC	plasma aldosterone concentration	血漿アルドステロン濃度
PCO（S）	polycystic ovary（syndrome）	多嚢胞性卵巣（症候群）
PET	positron emission tomography	陽電子放射断層撮影法
PHPT	primary hyperparathyroidism	原発性副甲状腺機能亢進症
PIF	prolactin inhibiting factor	プロラクチン抑制因子
PL	phospholipid	リン脂質
PPI	proton pump inhibitor	プロトンポンプ阻害薬
PPNAD	primary pigmented nodular adrenocortical disease	原発性副腎皮質小結節性異形成
PRA	plasma renin activity	血漿レニン活性
PRF	prolactin-releasing factor	プロラクチン放出因子
PRKAR1A	protein kinase A regulatory subunit Ⅰ-α	
PRL	prolactin	プロラクチン
PTH	parathyroid hormone	副甲状腺ホルモン
PTHrP	parathyroid hormone-related peptide	副甲状腺ホルモン関連ペプチド
PTU	propylthiouracil	プロピルチオウラシル
QOL	quality of life	生活の質
RAA 系	renin-angiotensin-aldosterone system	レニン - アンジオテンシン - アルドステロン系
RET	rearranged during transfection	
SHBG	sex hormone-binding globulin	性ホルモン結合グロブリン
SIADH	syndrome of inappropriate secretion of ADH	抗利尿ホルモン（ADH）不適合分泌症候群
SITSH	syndrome of inappropriate secretion of TSH	甲状腺刺激ホルモン（TSH）不適切分泌症候群
SPIDDM	slowly progressive insulin dependent diabetes mellitus	緩徐進行型 1 型糖尿病
T_3	triiodothyronine	トリヨードサイロニン
T_4	thyroxine	サイロキシン
TBII	TSH binding inhibiting immunoglobulin	TSH 結合阻害免疫グロブリン
Tg	thyroglobulin	サイログロブリン
TG	triglyceride	中性脂肪
TGF	transforming growth factor	悪性化増殖因子
TRH	thyrotropin releasing hormone	甲状腺刺激ホルモン放出ホルモン
TSH	thyroid stimulating hormone	甲状腺刺激ホルモン
TSS	transsphenoidal surgery	経蝶形骨洞下垂体腺腫摘出術
VLCD	very low calorie diet	超低カロリー療法
VLDL	very low density lipoprotein	超低比重リポ蛋白質
VMA	vanillylmandelic acid	バニリルマンデル酸

索 引

数 字

1,25(OH)$_2$D　175
11β-HSD2　235
11β-OHD　229
^{131}I 内用療法　93
17-KS　226, 233
17-OHCS　227
17-OHP　225
17α-OHD　229
18-OHD　229
1 型糖尿病　90, 266
21-OHD　225
2 型糖尿病　271
3β-水酸化ステロイド脱水素酵素 (3β-HSD) 欠損　226
3β-OHD　229
3 者負荷試験　45
4 者負荷試験　45
5%高張食塩水負荷試験　68
7 回膜貫通型 G 蛋白質共役受容体　16
75gOGTT　293

欧 文

A

α-グルコシダーゼ阻害薬　281
α-リポ酸　275
α遮断薬　211
ACCORD　303
ACE 阻害薬　189, 243, 291
ACTH　22, 45, 64, 118, 190, 193, 195
ACTH 産生細胞　45
ACTH 単独欠損症　51
ACTH 非依存性大結節性副腎皮質過形成　195
ACTH 不応症　218
ACTH 不全　44, 47
ACTH 負荷試験　218
Addison 病　45, 48, 216, 222
ADVANCE　303
AGHD　45
AIR　219
Albright 徴候　152
Albright 遺伝性骨形成異常症　156
AME 症候群　235
AMPK　282
ANCA 関連血管炎　92
apathetic Basedow 病　90, 97
APS1 型　219
ARB　189, 243, 291
ARMC5 遺伝子変異　202
aurence-Moon-Biedl 症候群　336

B

β遮断薬　93, 119, 210
Bardet-Biedl症候群　336
Bartter症候群　238
Barttin蛋白質異常　240
Basedow病　86, 96, 103, 114, 132, 275
block and replace　95
BMI　335
*BRAF*遺伝子　123, 134

C

Ca 拮抗薬　189, 243
Carney complex　34

C (続き)

Carpenter 症候群　219
CaSR　17, 146
CDC73 遺伝子　146
Chvostek 徴候　154
CRH 負荷試験　45, 64
Cushing 症候群　45, 64, 193, 261, 271
Cushing 徴候　206
Cushing 病　45, 63, 217
CYP21A2　225
CYP3A4　196
C 細胞過形成　356

D

Dalrymple 徴候　89
DCCT　302
DDAVP 試験　216
DHEA　218, 226
DHEA-S　226, 233
DPP-4 阻害薬　285

E

eGFR　149
Ellsworth-Howard 試験　154
empty sella　26, 49, 52
empty sella 症候群　336
EPA 製剤　321
ET/PTC 遺伝子　123

F

FDA 分類　296
FH ヘテロ接合体　325
FH ホモ接合体　326
FMTC　358
Fröhlich 症候群　257, 336

FSH　46, 249
FT$_3$　87, 99
FT$_4$　87, 99

G

G-CSF　110
GH　12, 33, 38, 45
GH 過剰分泌　35
GH 産生細胞　47
GH 受容体拮抗薬　37, 39
GH 不全症状　45
GH 分泌のホルモン動態　35
GH 分泌刺激試験　80
GHRH 受容体　33
GHRP-2　21, 61, 79
GHRP-2 負荷試験　47
Gitelman 症候群　238
GLP-1　284, 341
GLUT2　283
GnRH　250
GnRH 負荷試験　253
GPR54 遺伝子変異　257
Graefe 徴候　89
Gs α サブユニット活性型変異
　（GNAS）　33
GTH　90
G 蛋白質共役受容体　13

H

HAM 症候群　219
Hardy 法　36
hCG　14, 26, 100
hCG 負荷試験　253
HDL　307
HLA　269
HLA-Bw35　114
HMG-CoA 還元酵素阻害薬
　321, 327
hook effect　61
HPT-JT　146

I

IDL　307
IGF- I　12, 17, 34, 81, 83
IgG4　48
IgG4 関連疾患の臨床診断基準
　49
IgG4 関連漏斗下垂体炎　49
intact PTH　142
ITT　45, 79

J

J-DOIT　302
JELIS　321

K

Küttner 腫瘍　49
Kallman 症候群　255
KATP チャネル　283
KCNJ5 遺伝子変異　186
Ki-67　215
Klinefelter 症候群　252, 336

L

Laron 型低身長症　35
Laurence-Moon-Biedl 症候
　群　255
LDL　291, 307
LDL 低下　87
Leydig 細胞　253
LH　46, 249, 260
LH/FSH 不全症状　44
LHRH 負荷試験　35, 46, 253
Liddle 症候群　238

M

Marfan 様体型　356
Marine-Lenhart 症候群　132
McCune-Albright 症候群
　17, 171, 195, 203
MCT8 異常　126

MEN

MEN　345
MEN 1　34
MEN 2　135, 209
MEN 2B　136
Mikulicz 病　49
MMI 関連奇形　103
MODY　277
Moebius 徴候　89
MRHE　76
MRI　48, 51
MTC　356

N

Nelson 症候群　65
NF1 遺伝子　209
Noonan 症候群　255
NSAIDs　117
NTX　167

O

OOGTT　35, 38

P

p27kip　349
P450 オキシドレダクターゼ
　（POR）欠損症　226, 229
pasireotide　65
PEIT　132, 151
PIF　15
PIT-1　44, 50
Plummer 病　90, 132
PPAR α　321
PPAR γ　282
PPNAD　202
Prader-Willi 症候群　255,
　257, 336
primary macronodular
　adrenal hyperplasia
　（PMAH）　202
PRKAR1A　34, 78, 202

PRL　22, 33, 46
PROKR2 受容体　17
PROP-1【イタリック】　44, 50
PTH　14, 178
PTH 製剤　149
PTU　104
PYY　341

R
RAA 系　188, 243
Rathke 胞　26, 44, 52
Refetoff 症候群　57
RET 遺伝子　135, 359
Riedel 甲状腺炎　49
Roux-en-Y 胃バイパス術　340

S
sd LDL　309
SDH　209
SDHB　209, 215
SDHD　209
SERM　161
SGLT2 阻害薬　286

Sheehan 症候群　48
SITSH（TSH 不適切分泌症候群）　56, 90, 126
Sjögren 症候群　276
SLE　276
SPIDDM/LADA　269
SREBP　321
SSTR5　65
Stein-Leventhal 症候群　336
Stellwag 徴候　89
Steno-2　304
Stevens-Johnson 症候群　286
subclinical Cushing 症候群　186, 204
SU 薬　283

T
T_3 toxicosis　87, 133
T_3 試験　56
Tg 抗体　114, 126
TPO 抗体　114
TRAb　104
TRACP-5b　167
TRH　60, 88

TRH 負荷試験　35, 46
Trousseau 徴候　154
TSH　46, 88, 108
TSH 産生下垂体腺腫　55
TSH 受容体抗体（TRAb）　86
TSH 不全　44, 47
TSH 受容体抗体　88
Turner 症候群　255

U
UFC　218
UKPDS　304

V
VADT　303
VHL　209
VIP 産生腫瘍　350
VLDL　307

X
XLH　170

Z
Zollinger-Ellison 症候群　349

和　文

あ

アイソトープ治療　93, 104
アカルボース　281
アシドーシス　143, 299
アセトアミノフェン　116
アテノロール　93
アテローム性動脈硬化　243
アディポネクチン　14, 282, 337
アドステロール・シンチグラフィ　214
アポ B-100　308
アポ C　308
アポ E　315
アポ蛋白質　307
アミオダロン　130
アミオダロン誘発性甲状腺機能低下症　118
アミロイドーシス　219
アミン系・アミノ酸　15
アリナミンテスト　256
アルカローシス　143
アルギニン　79
アルコール多飲　65
アルドステロン　45, 76, 183, 218, 222, 235, 239
アルドステロン/レニン比　185
アルドステロン拮抗薬　187
アルドステロン産生腺腫　186
アルファカルシドール　154
アンドロゲン　183, 262
亜急性甲状腺炎　87, 90, 113
悪性褐色細胞腫　209, 213
悪性腫瘍　143
悪性腫瘍に伴う高カルシウム血症　176
圧痕性浮腫　97
圧痛　114

い

インスリノーマ　350
インスリン　17, 22, 83, 89, 266, 285
インスリン自己抗体　275
インスリン自己免疫症候群　274
インスリン治療　295
インスリン低血糖　21
インスリン抵抗性　35, 337
インスリン分泌抑制　37
インターフェロン　130, 279
インドメタシン　241
インヒビン　250
意識障害　31
異所性 ACTH 産生腫瘍　45
異所性 ACTH 症候群　64
異所性 PTH 産生腫瘍　178
異所性 TSH 産生腫瘍　56
遺伝カウンセリング　57, 352, 359
遺伝子変異　33
遺伝性下垂体疾患　50
遺伝性下垂体腫瘍　77
遺伝性糖尿病　277
胃バンディング術　340
易疲労感　44
一次無効　283
陰イオン交換樹脂　321, 327
陰核肥大　276
陰毛　218
飲酒　89, 209
咽頭痛　268

う

うつ症状　44
うつ病　46, 65, 349
ウエスト周囲径　331
運動後　89
運動療法　289, 339

え

エイコサノイド　15
エストラジオール　83, 253, 261
エストロゲン　61, 81, 100
エストロゲン・プロゲステロン試験　261
エストロゲン製剤　130
エストロン　261
エゼチミブ　327
エネルギー制限食　338
エネルギーバランスの異常　30
エプレレノン　187
栄養指導　289
液性悪性腫瘍性高カルシウム血症（HHM）　178

お

オクトレオチド　36
悪心・嘔吐　268
黄体形成ホルモン単独欠損症　257
黄体ホルモン　61
嘔吐　82, 119
横紋筋融解症　285

か

カイロミクロン　307
カイロミクロンレムナント　310
カテコールアミン　35, 183, 208
カプトプリル試験　244
カプトプリル負荷試験　190
カプトプリル負荷レノグラム・レノシンチグラフィ　245
カベルゴリン　38, 61, 351
カルシウム拮抗薬　279
カルシウム静注負荷試験　350
カルシトニン　14, 145

カルシトニン製剤　149
カルシトリオール　154
カルバマゼピン　75
ガストリノーマ　349
下錐体静脈洞　64
下垂体性性腺機能低下症　46,
256
下垂体腺腫　24, 34, 44, 51
下垂体前葉機能低下症　42
下垂体前葉・後葉障害　30
下垂体前葉腫瘍　349
下垂体前葉ホルモン　30, 35
下垂体卒中　27, 45, 48, 56,
60
仮性球麻痺　74
仮面尿崩症　47
家族性アルドステロン症　186
家族性下垂体腫瘍　77
家族性高コレステロール血症
（FH）309, 324
家族性甲状腺髄様癌（FMTC）
356
家族性低カルシウム尿性高カル
シウム血症（FHH）17
家族性副甲状腺機能亢進症
146, 349
家族性リポ蛋白質リパーゼ
（LPL）欠損症　315
家族歴　144
画像検査　199
画像診断　24, 69, 134
顆粒球数　111
海綿静脈洞　36, 64
外傷　44, 51
外反肘　255
咳嗽　73
角膜神経　358
角膜輪　325
褐色細胞腫　64, 207, 279,
356

活性型ビタミン D　143, 154
活性型ビタミン D 製剤　149,
153, 165
感音性難聴　240
感染症　117
肝性 TG リパーゼ　308
肝機能障害　117
乾燥甲状腺末　131
甘草　237
漢方　129
眼球運動　89
眼球運動障害　52
眼瞼神経腫　358
顔貌変化　34

き
キスペプチン　248
奇異反応　45
奇形　104
気管支カルチノイド　64
機能亢進性変異　17
機能性下垂体腺腫　64
機能喪失性変異　17
稀発月経　259
偽性 Barter 症候群　83
偽性 Cushing 症候群　65
偽性 Cushing 病　83
偽性アルドステロン症　237,
239
偽性偽性副甲状腺機能低下症
157
偽性副甲状腺機能低下症　17,
152, 157
偽リンパ腫　49
急性腎不全　76
急性膵炎　285
巨大下垂体腫瘍　46
巨大結腸　356
巨大児　293
胸壁疾患　61

局所骨融解性高カルシウム血症
（LOH）178
禁煙　89
筋緊張低下　257
緊急手術　62

く
くる病　170, 175
クリーゼ　215
クレチン症　105
クロニジン負荷試験　209
クロミフェン試験　253
クロミフェン療法　263
グアニジン　282
グリチルリチン　237
グリニド薬　284
グルカゴノーマ　350
グルカゴン負荷試験　79, 208
グルコン酸カルシウム　154

け
ケトアシドーシス　268
ケトーシス　268
ゲスターゲン試験　261, 264
下痢　119
経口食塩負荷試験　190
経口避妊薬　279
経蝶形骨洞手術　65
経皮血管形成術　243
痙攣　154
劇症 1 型糖尿病　267
結核　219
血管性　44
血清 Ca　142
血清 P　142
血清総グレリン　83
血糖自己測定　293
血痰　73
月経異常　30, 34, 251, 259
腱黄色腫　325

369

健康食品　129
顕性 Cushing 症候群　203
原発性アルドステロン症（PA）
　185
原発性甲状腺機能低下症　60,
　126
原発性脂質異常症　317
原発性性腺機能低下症　47
原発性副甲状腺機能亢進症
　（PHPT）　140
原発性副腎機能低下症　45
原発性副腎皮質小結節性異形成
　195
原発性両側大結節性副腎皮質過
　形成　201
減量手術　341

こ

コルチコイド　13
コルチゾール　44, 118, 183,
　194, 206, 217, 235
コルチゾール産生腺腫　186,
　233
コルチゾン　227
コレスチミド　321
コレスチラミン　321, 327
コレステロール　314
コレステロール吸収抑制薬
　327
ゴナドトロピン　253
ゴナドトロピン療法　263
高 LDL コレステロール血症
　291, 325
高カリウム血症　218
高カルシウム血症　143, 177,
　222, 348
高カルシウム血症性クリーゼ
　145, 176
高カルシウム尿症　143, 349

高クロール血症代謝性アシドー
　シス　143
高ケトン血症　299
高コルチゾール血症　65, 193
高コレステロール血症　314
高プロラクチン血症　30, 59
高リン血症　153, 157
高血圧　34, 197, 291
高血糖　87
高浸透圧高血糖症候群　298
高中性脂肪血症　291, 314,
　331
高度肥満　333, 340
高分化型内分泌腫瘍　349
高齢者　90, 96, 177
抗 Muller 管ホルモン　262
抗 RANCKL 抗体　149
抗 RANKL 抗体　161
抗 TPO 抗体　126
抗菌薬　111
抗甲状腺ペルオキシダーゼ
　（TPO　88
抗甲状腺薬　89, 91, 119
抗利尿ホルモン不適合分泌症候
　群（SIADH）　72
硬化性胆管炎　49
口渇　67, 143, 268
口唇　358
後縦靱帯骨化症　170
後天性 AME 症候群　237
後腹膜線維症　49
甲状腺　85
甲状腺嚢胞　136
甲状腺クリーゼ　93, 106, 116
甲状腺ホルモン　17, 47, 130
　──不足　126
甲状腺ホルモン不応症　57
甲状腺亜全摘　136
甲状腺癌　34, 113, 122
甲状腺眼症　89

甲状腺機能中毒症状　114
甲状腺機能低下症　33, 93,
　114, 118, 127, 130, 227,
　316
甲状腺機能亢進症　118, 227,
　279
甲状腺結節　135
甲状腺血流測定　88
甲状腺腫　34, 57
甲状腺腫瘍　134
甲状腺髄様癌　64
甲状腺中毒症　56, 86, 107,
　119, 132
甲状腺中毒性ミオパチー　89
甲状腺中毒性周期性四肢麻痺
　89
好中球　110
紅斑　286
黒色表皮腫　275
骨吸収　178
骨吸収抑制剤　164
骨形成　178
骨形成促進剤　164
骨折　162
骨粗鬆症　61, 83, 148, 160,
　197,
骨粗鬆症治療薬　164
骨代謝マーカー　166
骨軟化症（くる病）　170
骨・軟部腫瘍の増大　34
骨密度　160

さ

サイアザイド　239
サイアザイド系利尿薬　241,
　279
サリドマイド　130
サルコイドーシス　48, 178,
　219
催奇形性　106

細胞診　123, 135

細胞内伝達　13, 16

産後　292

産褥期　48

し

しびれ　154

シナカルセト　150

シンチグラフィ　86, 105

脂質　307

脂質異常症　197, 291, 305,
　313, 336

脂質代謝異常　127

脂肪萎縮　279

脂肪細胞　14, 282, 337

思春期遅発　257

視床下部 – 下垂体腫瘍　29

視床下部 – 下垂体のホルモン
　20

視床下部障害　30, 44

視床下部症候群　29

視床下部性甲状腺機能低下症
　126

視床下部性性腺機能低下症
　47, 256

視床下部性肥満　30

視床下部性るい痩　30

視野障害　27, 56, 65

自己免疫性　219

自己免疫性下垂体炎　48

自己免疫性膵炎　49

自己免疫性多内分泌腺症候群
　（APS）　90, 155, 219

色素沈着　218

若年発症成人型糖尿病（MO-
　DY）　277

手根管症候群　33, 81

腫瘍性骨軟化症　171

授乳　93

周術期管理　342

重症型成人 GH 分泌不全症
　47

出血　51

出産後　105

出産後甲状腺炎　90

女性ホルモン薬　165

女性化乳房　256

徐放性製剤　37

消化管神経内分泌腫瘍　349

消化器症状　38

踵骨　163

上気道炎　114

上腹部痛　268

常染色体優性遺伝　57, 67,
　277, 348, 358

常染色体優性低カルシウム血症
　155

常染色体劣性遺伝　50, 241,
　324

食塩感受性高血圧　240

食事療法　289, 295, 337

食欲減退　105

食欲不振　97

食欲抑制　14

神経性食欲不振症（AN）　46,
　82, 255

神経内分泌腫瘍（NET）　350

新生児　105, 240, 293

新生児マススクリーニング
　225

新生児重症副甲状腺機能亢進症
　146

心臓エコー　62

心臓弁膜症　38, 61

腎機能　149

腎虚血　243

腎血管性高血圧　243

腎性尿崩症　179

腎動脈造影　245

腎不全　149, 281, 291

迅速 ACTH 負荷試験　190,
　222

す

スクリーニング　197

スクレロスチン　164

スタチン　321, 327

ステロイド　49, 112, 114,
　119, 167

ステロイド性骨粗鬆症　160

ステロイドパルス　89

ステロイドホルモン　13, 17,
　226

ステロイドマップ　228

ストレス　226

スニチニブ　130

スピロノラクトン　187, 240

スリーブ状胃切除術　333, 340

スルピリド　21

スルホニル尿素薬　283

頭蓋咽頭腫　24, 44

頭痛　39, 56

膵島関連自己抗体　268

睡眠時無呼吸　256

睡眠時無呼吸症候群　34

水利尿不全　75

髄膜炎　62, 72

髄膜腫　44

髄様癌　135

せ

セチリスタット　340

セロトニン作動薬　65

成人成長ホルモン分泌不全症
　（AGHD）　79

成長ホルモン産生下垂体腺腫
　36

成長ホルモン産生腺腫　33

成長ホルモン分泌不全症
　（AGHD）　35

371

性腺　247
性腺関連ホルモン　248
性腺機能　61
性腺機能低下症　197, 219, 252
性腺発育不全　44
性ホルモン　13
精神神経症状　31
精神遅滞　257
精巣腫瘍　226
生理食塩水負荷試験　190, 223
赤血球増多症　256
摂食調節ホルモン　337
線維芽細胞増殖因子（FGF23）170
線維筋性過形成　243
潜在性甲状腺機能低下症　109, 125
腺腫　143, 356
先端巨大症　17, 32, 45, 279
先天性LPL欠損　317
先天性アポC-Ⅱ欠損　317
先天性腎性尿崩症　17
先天性副腎皮質過形成（CAH）224
前脛骨粘液水腫　97
前立腺癌　256
全身性強皮症　276

そ
ソマトスタチンアナログ　36, 57
ソマトスタチン負荷試験　57
疎水性ホルモン　17
早産児　226
早朝コルチゾール　217
早発性冠動脈硬化症　325
続発性脂質異常症　316
続発性性腺機能低下症　30, 47

続発性精巣機能障害　252
続発性糖尿病　277
続発性副甲状腺機能亢進症　148
続発性副甲状腺機能低下症　154
続発性副腎皮質機能低下症　218

た
立ちくらみ　38 多囊胞性卵巣（PCO）275
多飲　268
多価不飽和脂肪酸　321
多尿　67, 143, 179, 268
多囊胞性卵巣症候群（PCOS）47, 259, 336
多発性内分泌腫瘍症（MEN）145, 345
　——1型（MEN 1）　346
　——2型（MEN 2）　355
多毛　226, 262, 275
体温異常　30
体重減少　44, 56, 76, 82, 88, 97, 251, 268
体重減少性無月経　255, 261
胎児　100, 104, 127
胎児低血糖　295
胎盤　104, 235
対症療法　57
苔癬アミロイドーシス　357
代謝低下　30
大規模試験　302
大腿骨頸部骨折　87
大腸癌　34
大腸ポリープ　34
大動脈炎症候群　244
第3脳室　26
脱水　67, 83, 143, 242, 349
炭酸リチウム　130

胆汁酸吸着作用　321
男性化　225, 262
男性不妊　256

ち
チアゾリジン薬　282
チアマゾール　91, 274
チロシン　183
チロシンキナーゼ（リン酸化）活性　17
中枢性甲状腺機能低下症　81, 88
中枢性摂食異常症（AN）　82
中枢性尿崩症　30, 47, 67
中性脂肪　314
直接的レニン阻害薬（DRI）189

て
テストステロン　81, 253, 256, 261
テタニー　154
テリパラチド　149, 160, 165, 178
デキサメタゾン　64, 196
デスモプレシン　64, 69
デノスマブ　149, 161, 165
手足のしびれ　33
手足の容積増大　34
低Ca尿　241
低HDLコレステロール血症　314
低カリウム血症　83, 89, 242
低カルシウム血症　33, 149, 153, 157
低クレアチニンホスホキナーゼ（CPK）血症　87
低クレアチンキナーゼ（CK）血症　87
低クロール血症　143

低ゴナドトロピン　83
低ゴナドトロピン性性腺機能低
　下症　47
低ナトリウム血症　44, 76, 218
低マグネシウム血症　154, 241
低リン血症　143, 153, 170,
　172
低回転型の骨粗鬆症　167
低血糖　44, 222, 225
低血糖発作　275
低身長　45, 226
停留精巣　255
電解質コルチコイド欠乏症
　217

と

トルコ鞍空洞（empty sella）
　症候群　44
ドパミン　35
ドパミン D2 受容体拮抗薬　60
ドパミン作動薬　38, 65, 263,
　351
閉じ込め症候群　74
糖質コルチコイド　51, 226
糖質コルチコイド欠乏症　217
糖質制限食　338
糖代謝異常　260
糖尿病　81, 188, 197, 265,
　316
　──合併症　298
　──治療薬　280
糖尿病合併妊娠　292
糖尿病ケトアシドーシス　119,
　298
糖尿病性腎症　289
頭皮欠損症　104
動眼神経麻痺　52
動悸　46, 56, 107
特発性アルドステロン症　186

特発性副甲状腺機能低下症
　152

な

ナテグリニド　284
内臓脂肪　336
内臓脂肪面積　331
内分泌異常　30
内分泌腫瘍　348

に

にきび　262
ニコチン酸誘導体　321
二次性（続発性）副甲状腺機能
　亢進症（SHPT）　150
二次無効　283
二重エネルギー X 線吸収測定
　162
乳癌　98
乳酸アシドーシス　282, 299
乳汁分泌　30
乳汁分泌不全　48
乳頭癌　122, 135
尿浸透圧　67
尿中ヨウ素　88
尿中遊離コルチゾール　195
尿崩症　47, 66
尿路結石　35
妊娠　26, 48, 62, 94, 103,
　127, 195, 268, 292
妊娠高血圧症　109
妊娠初期一過性甲状腺機能亢進
　（GTH）　99
妊娠中の血糖管理　292
妊娠糖尿病　292
妊娠末期　48
妊婦　46, 81

ね

熱感　46

粘液水腫　97
粘膜神経腫　356

の

のぼせ　47
ノルアドレナリン　183

は

ハングリーボーン症候群　144,
　172
バソプレシン　14, 64
バソプレシン受容体　69
バソプレシン負荷試験　68
パークロレイト放出試験　105
パラガングリオーマ　208, 215
破壊性甲状腺炎　90
肺癌　61, 75
肺小細胞癌　64
胚細胞腫　44
胚細胞腫瘍　26
排便　209
排卵　249
排卵障害　109, 259
橋本病　48, 97, 109, 113,
　118, 127, 135
　──合併妊娠　100
白血球　110
発熱　110, 119, 268
汎下垂体機能低下症　44, 256
伴性劣性遺伝　170, 256

ひ

びまん性甲状腺腫大　56, 88
ヒドロコルチゾン　47
ビグアナイド薬　282
ビスホスホネート製剤　145,
　160, 165
ビタミン D　17
ビタミン D 欠乏性くる病　174
ビタミン D 作用不全　170

ビタミン K 製剤　149
ビンクリスチン　75
ピオグリタゾン　282
皮下脂肪　336
皮疹　286
非機能性　78
非機能性下垂体腺腫　27
非自己免疫性甲状腺機能亢進症　90
肥厚性硬膜炎　49
肥満　26, 257, 261, 295
肥満症　329
被曝　122
鼻閉　38

ふ

フィブラート製剤　321
フェノバルビタール　130
フェントラミン　209, 215
フェンホルミン　282
フロセミド　76, 239
フロセミド立位試験　190
ブホルミン　282
ブロモクリプチン　38
プレドニゾロン　49, 168
プロゲステロン　249
プロスタグランジン　241
プロピルチオウラシル　91, 275
プロブコール　321
プロプラノロール　93, 107
プロラクチン産生腫瘍（PRLoma）　33, 38, 46, 59, 349
負荷試験　20, 45, 61, 189
浮腫　81
不動　144
不妊　61, 108, 226
腹腔鏡下卵巣多孔術　263
副甲状腺　139
副甲状腺過形成　356

副甲状腺癌　144
副甲状腺機能亢進症　352, 358
副甲状腺腫瘍　348
副腎　64
副腎アンドロゲン欠乏症　217
副腎機能低下　217
副腎クリーゼ　222
副腎偶発腫瘍　197, 205, 226, 231
副腎酵素異常　261
副腎疾患　181
副腎静脈採血サンプリング（AVS）　190
副腎腺腫　186
副腎全摘術　65
副腎皮質癌　231
副腎皮質機能低下症　51, 126
副腎皮質腫瘍　351
副腎皮質ステロイド合成阻害薬　65
副腎皮質ホルモン　47
副腎不全　222
複視　89
福島第一原子力発電所事故　122
分化癌　135
分子標的治療薬　130

へ

ヘモクロマトーシス　219
ペグビソマント　37
ペプチドホルモン　13, 16, 69, 156
閉経後　47, 142, 165
便秘　37, 105, 143, 349

ほ

ホルモン結合蛋白質　12
ホルモンの種類　12

ホルモン非産生腺腫　233
ホルモン補充療法　42
ボグリボース　281
放射線　122
放射線療法　38, 89

ま

マクロ TSH 血症　125
マクロアデノーマ　27, 51, 61, 349
マクロ腺腫　60
マジンドール　339
慢性腎不全　61, 150, 149, 166

み

ミクロアデノーマ　64, 186
ミグリトール　281
ミチグリニド　284
ミトコンドリア遺伝子異常　278
ミトタン　65, 195, 234
ミニリンメルト　70
未分化癌　134

む

無顆粒球症　92, 110
無機ヨード　92, 104, 106, 119
無月経　30, 45, 48, 82, 251, 255, 259, 275
無精子症　226
無痛性甲状腺炎　86, 105, 113
無排卵　260
無欲性・仮面性顔貌 Basedow 病　97

め

めまい　46
メタスチン　251

メタボリックシンドローム
　　197, 308, 329
メチラポン　21, 65, 193
メトクロプラミド　21, 209
メトクロプラミド負荷試験　208
メトプロロール　93, 107
メトホルミン　259, 282

も
モザバプタン　76
網膜色素変性　257

や
やせ薬　129
薬剤性　129
薬剤性 AME 症候群　240
薬剤性甲状腺炎　90
薬剤誘発性甲状腺機能異常
　　129

ゆ
輸液　119
遊離テストステロン　261

よ
ヨウ化カリウム　92
ヨードの過剰摂取　130
予防的手術　137
羊水過多　240
翼状頸　255

ら
ラベタロール　107
ランレオチド　37

り
リオチロニン　130
リコンビナント FSH　256
リチウム　118
リファンピシン　130
リフィーディング症候群　172
リポ蛋白質　306
リン吸着療法　151
リン再吸収閾値　155
リンパ球性下垂体炎　26, 44,
　　48
リンパ浮腫　98

利尿薬　76, 189
良性副腎腺腫　199
両側性無精巣症　255
両側副腎皮質過形成　201

る
ループ利尿薬　240

れ
レジチン　209
レニン　186, 239, 245
レニン活性　76
レパグリニド　284
レプチン　14, 83, 279, 337
レボチロキシンナトリウム
　　47, 57, 87, 100, 109, 130,
　　136

ろ
濾胞癌　135
漏斗下垂体炎　49

375

著者紹介

井林 雄太 (いばやし ゆうた)

九州大学大学院医学研究院 病態制御内科学（第三内科）

1984 年	福岡県福岡市生まれ
2008 年	大分大学医学部卒業，医師国家試験合格，臨床研修開始
2010 年	九州大学医学部病態制御内科学入局，内分泌・代謝研究室配属
2012 年	同 臨床大学院入学，日本内科学会認定内科医合格
2014 年	日本内分泌学会内分泌代謝科（内科）専門医合格
2017 年	日本糖尿病学会糖尿病専門医合格

内分泌専門医に絶対合格したい人のための問題集 第2版

定価（本体 **6,800** 円＋税）

2018 年 2 月 28 日 第 1 版
2022 年 2 月 14 日 第 2 版

著　者	井林雄太
発行者	梅澤俊彦
発行所	日本医事新報社
	〒101-8718 東京都千代田区神田駿河台 2-9
	電話　03-3292-1555（販売）・1557（編集）
	www.jmedj.co.jp
	振替口座　00100-3-25171
印　刷	日経印刷株式会社

© 井林雄太 2022 Printed in Japan

ISBN978-4-7849-4739-3 C3047 ¥6800E

・本書の複製権・翻訳権・上映権・譲渡権・公衆送信権（送信可能化権を含む）は（株）日本医事新報社が保有します。

・ JCOPY ＜（社）出版者著作権管理機構 委託出版物＞
本書の無断複写は著作権法上での例外を除き禁じられています。複写される場合は，そのつど事前に，（社）出版者著作権管理機構（電話 03-5244-5088，FAX 03-5244-5089，e-mail:info@jcopy.or.jp）の許諾を得てください。

電子版のご利用方法

巻末の袋とじに記載された**シリアルナンバー**で，本書の電子版を利用することができます。

手順①：日本医事新報社Webサイトにて**会員登録（無料）**
をお願い致します。
（既に会員登録をしている方は手順②へ）

日本医事新報社Webサイトの「Web医事新報かんたん登録ガイド」でより詳細な手順をご覧頂けます。
www.jmedj.co.jp/files/news/20180702_guide.pdf

手順②：登録後**「マイページ」に移動**してください。
www.jmedj.co.jp/mypage/

「マイページ」

マイページ中段の「電子コンテンツ」より
電子版を利用したい書籍を選び，
右にある「SN登録・確認」ボタン（赤いボタン）をクリック

表示された「電子コンテンツ」欄の該当する書名の
右枠にシリアルナンバーを入力

下部の「確認画面へ」をクリック

「変更する」をクリック

会員登録（無料）の手順

1 日本医事新報社Webサイト（www.jmedj.co.jp）右上の**「会員登録」をクリック**してください。

2 サイト利用規約をご確認の上（1）**「同意する」**にチェックを入れ，（2）**「会員登録する」をクリック**してください。

3 （1）ご登録用のメールアドレスを入力し，（2）**「送信」をクリック**してください。登録したメールアドレスに確認メールが届きます。

4 確認メールに示された**URL（Webサイトのアドレス）**をクリックしてください。

5 会員本登録の画面が開きますので，**新規の方は一番下の「会員登録」をクリック**してください。

6 会員情報入力の画面が開きますので，（1）**必要事項を入力**し（2）**「（サイト利用規約に）同意する」**にチェックを入れ，（3）**「確認画面へ」をクリック**してください。

7 会員情報確認の画面で入力した情報に誤りがないかご確認の上，**「登録する」をクリック**してください。